Também de Benjamin Alire Sáenz:

Aristóteles e Dante descobrem os segredos do Universo
A lógica inexplicável da minha vida

BENJAMIN ALIRE SÁENZ

Aristóteles e Dante mergulham nas águas do mundo

Tradução
GUILHERME MIRANDA

O selo jovem da Companhia das Letras

Copyright da edição original © 2021 by Benjamin Alire Sáenz

Publicado mediante acordo com Simon & Schuster Books For Young Readers, um selo da Simon & Schuster Children's Publishing Division.

Nenhuma parte deste livro deve ser reproduzida, transmitida, armazenada em qualquer sistema de informação, por nenhuma forma ou nenhum meio, gráfico, eletrônico, mecânico, incluindo fotocópias, gravações e transcrições, sem permissão por escrito da editora.

O selo Seguinte pertence à Editora Schwarcz S.A.

Grafia atualizada segundo o Acordo Ortográfico da Língua Portuguesa de 1990, que entrou em vigor no Brasil em 2009.

TÍTULO ORIGINAL Aristotle and Dante Dive into the Waters of the World
CAPA Chloë Foglia

ILUSTRAÇÃO DE CAPA Mark Brabant

LETTERING DE CAPA E DESENHOS AO REDOR © 2021 by Sarah J. Coleman

PREPARAÇÃO Sofia Soter

REVISÃO Renata Lopes Del Nero e Natália Mori Marques

Dados Internacionais de Catalogação na Publicação (CIP)
(Câmara Brasileira do Livro, SP, Brasil)

Sáenz, Benjamin Alire
    Aristóteles e Dante mergulham nas águas do mundo / Benjamin Alire Sáenz ; tradução Guilherme Miranda. — 1ª ed. — São Paulo : Seguinte, 2021.

    Título original: Aristotle and Dante Dive into the Waters of the World.
    ISBN 978-85-5534-181-6

    1. Ficção norte-americana I. Título.

21-76114
                             CDD-813

Índice para catálogo sistemático:
1. Ficção : Literatura norte-americana   813

Cibele Maria Dias – Bibliotecária – CRB-8/9427

2ª reimpressão

[2021]
Todos os direitos desta edição reservados à
EDITORA SCHWARCZ S.A.
Rua Bandeira Paulista, 702, cj. 32
04532-002 — São Paulo — SP
Telefone: (11) 3707-3500
www.seguinte.com.br
contato@seguinte.com.br

*Amanda, vejo o nascer do sol
e penso em você.*

*Às vezes escuto sua risada
no quarto e escuto você dizer:
"Você é doido, tio Ben".*

*Este livro é para você. Eu te adoro...
e sempre vou te adorar.*

Nota da edição brasileira

Esta é uma história de ficção que se passa no final da década de 1980, portanto os pensamentos e os diálogos dos personagens podem refletir ideias e normas sociais da época, e devem ser lidos nesse contexto.

PARA ONDE QUER QUE EU ME VOLTASSE, para onde quer que eu fosse, todos tinham algo a dizer sobre amor. Mães, pais, professores, cantores, músicos, poetas, escritores, amigos. Era como o ar. Era como o oceano. Era como o sol. Era como as folhas das árvores no verão. Era como a chuva que punha fim à seca. Era o som suave da água correndo em um riacho. E era o som das ondas batendo na costa em uma tempestade. Era pelo amor que lutávamos todas as nossas batalhas. Era pelo amor que vivíamos e morríamos. Era com o amor que sonhávamos ao dormir. O amor era o ar que queríamos respirar quando acordávamos para cumprimentar o dia. O amor foi a tocha que você carregou para sair da escuridão. O amor tirou você do exílio e lhe deu uma cidadania.

Descobrindo a arte da cartografia

Eu me perguntei se um dia deixariam que eu e Dante escrevêssemos nossos nomes no mapa-múndi. Outras pessoas recebem ferramentas de escrita — e, quando vão à escola, aprendem a usar. Mas não dão lápis, canetas, nem tinta spray para garotos como Dante e eu. Querem que a gente leia, mas não querem que a gente escreva. Com o que vamos escrever nossos nomes? E em que lugar do mapa escreveríamos?

Um

E ALI ESTAVA ELE, DANTE, COM A CABEÇA DEITADA no meu peito. No silêncio do amanhecer, só se ouvia a respiração de Dante. Era como se o Universo tivesse parado o que estava fazendo para olhar dois garotos que tinham descoberto seus segredos.

Sentindo a batida do coração dele na palma da minha mão, eu quis enfiar a mão dentro do meu peito, arrancar meu próprio coração e mostrar para Dante tudo que havia dentro.

E mais: o amor não estava apenas no meu coração — estava no meu corpo. E meu corpo nunca havia se sentido tão cheio de vida. Eu *entendi*, finalmente entendi essa coisa que chamam de desejo.

EU NÃO QUERIA ACORDÁ-LO, MAS AQUELE MOMENTO precisava acabar. Não poderíamos viver na traseira da minha picape para sempre. Estava tarde, já era outro dia, e tínhamos que chegar em casa, e nossos pais ficariam preocupados. Beijei a cabeça dele.
— Dante? Dante? Acorda.
— Não quero acordar nunca — sussurrou ele.
— Temos que ir pra casa.
— Já estou em casa. Estou com você.
Sorri. Era a cara de Dante dizer aquilo.
— Vem, vamos logo. Parece que vai chover. E sua mãe vai matar a gente.
Dante riu.
— Ela não vai matar ninguém. Só vai encarar a gente daquele jeitinho dela.
Eu o puxei e ficamos ali, olhando para o céu.
Ele pegou minha mão.
— Você vai me amar para sempre?
— Vou.
— E você me ama desde o começo, como eu amava você?
— Acho que sim. Acho que amava. É mais difícil pra mim, Dante. Você tem que entender isso. Sempre vai ser mais difícil pra mim.
— Nem tudo é tão complicado, Ari.
— Nem tudo é tão simples quanto você pensa.
Ele estava prestes a falar, então o beijei. Acho que para calar a boca dele, mas também porque gostava de beijá-lo.
Ele sorriu.
— Você finalmente encontrou um jeito de ganhar uma discussão comigo.
— Pois é — falei.
— Vai funcionar por um tempo.

— Não temos que concordar sempre.

— É verdade.

— Que bom que você é diferente de mim, Dante. Se você fosse como eu, eu não te amaria.

— Você disse que me ama?

Ele riu.

— Corta essa — falei.

— Corta o quê? — ele retrucou, e me beijou. — Você tem gosto de chuva.

— Eu amo a chuva mais do que tudo.

— Eu sei. Quero ser a chuva.

— Você *é* a chuva, Dante.

Eu queria dizer: *Você é a chuva e você é o deserto e você é a borracha que está apagando a palavra "solidão"*. Mas seria falar de mais, e eu era o cara que falava de menos, enquanto Dante era o que falava de mais.

Três

NÃO FALAMOS NADA NO CAMINHO PARA CASA.
Dante estava quieto. Talvez quieto demais. Ele, que era sempre
tão cheio de palavras, que sabia o que dizer e como dizer sem medo.
De repente me passou pela cabeça que talvez Dante sempre sentisse
medo — assim como eu. Era como se tivéssemos entrado em uma
sala juntos e não soubéssemos o que fazer ali. Ou talvez, ou talvez,
ou talvez. Eu não conseguia parar de pensar. Fiquei me perguntando
se chegaria o dia em que eu pararia.
Ouvi a voz de Dante:
— Queria ser menina.
Olhei para ele.
— Quê? — perguntei. — Isso é sério. Você queria mesmo?
— Não. Na verdade, eu gosto de ser um garoto. Ou melhor, gosto
de ter pênis.
— Eu também gosto.
— Mas — continuou ele —, pelo menos, se eu fosse uma menina,
poderíamos nos casar e, sabe…
— Isso nunca vai acontecer.
— Eu sei, Ari.
— Não fica triste.
— Não vou ficar.
Mas eu sabia que ele ficaria.
Então liguei o rádio e Dante começou a cantar com Eric Clapton
e sussurrou que "My Father's Eyes" talvez fosse a nova música pre-
ferida dele.
— *Waiting for my prince to come* — sussurrou. E sorriu. Esperando
o meu príncipe chegar… — Por que você nunca canta?
— Cantar é coisa de gente feliz.
— Você não é feliz?
— Acho que só quando estou com você.
Eu adorava dizer algo que fazia Dante sorrir.

* * *

Quando paramos na frente da casa dele, o sol estava prestes a dar as caras para o novo dia. Era exatamente esta a sensação: um novo dia. Mas eu estava pensando que talvez nunca mais soubesse, pelo menos com certeza, o que o novo dia traria. Não queria que Dante soubesse que ainda havia medo em mim, porque assim ele poderia pensar que eu não o amava.

Eu nunca mostraria para ele que tinha medo, foi o que disse a mim mesmo. Mas sabia que não tinha como cumprir a promessa.

— Quero beijar você — ele disse.

— Eu sei.

Ele fechou os olhos.

— Vamos fingir que estamos nos beijando.

Sorri e depois gargalhei, quando ele fechou os olhos.

— Você está rindo de mim.

— Não, não estou. Estou beijando você.

Ele sorriu e olhou para mim. Seus olhos estavam cheios de esperança. Ele saltou da caminhonete, fechou a porta e passou a cabeça pela janela aberta.

— Vejo uma ânsia em você, Aristóteles Mendoza.

— Uma ânsia?

— Sim. Um anseio.

— Um anseio?

Ele riu.

— Essas palavras moram dentro de você. Olha no dicionário.

Eu o observei subir os degraus. Ele se movia com sua elegância de nadador. Não havia peso nem preocupação em seus passos.

Deu meia-volta e acenou, abrindo aquele sorriso. Fiquei me perguntando se o sorriso dele seria o bastante.

Meu Deus, permita que o sorriso dele seja o bastante.

Quatro

NUNCA ACHEI QUE UM DIA ME SENTIRIA TÃO CAN-
sado. Caí na cama, mas o sono não queria me visitar.

Perninha pulou ao meu lado e lambeu meu rosto. Ela se aconche-
gou quando ouviu a tempestade lá fora. Me perguntei o que Perninha
inventava na cabeça dela sobre trovão ou se os cachorros paravam
para pensar sobre coisas assim. Já eu estava feliz pelo trovão. Naquele
ano foram tantas tempestades, as tempestades mais maravilhosas que
já vi. Devo ter pegado no sono, porque, quando acordei, estava caindo
o mundo lá fora.

Decidi tomar um café. Minha mãe estava sentada à mesa da cozinha, com uma xícara de café na mão e uma carta na outra.

— Oi — sussurrei.

— Oi — ela disse, aquele mesmo sorriso no rosto. — Você chegou
tarde.

— Ou cedo, se parar para pensar.

— Para uma mãe, cedo é tarde.

— Ficou preocupada?

— É da minha natureza ficar preocupada.

— Então você é como a sra. Quintana.

— Você ficaria surpreso em saber que temos muitas coisas em
comum.

— É, vocês duas acham que seus filhos são os meninos mais lindos
do mundo. Você não é de sair muito, é, mãe?

Ela estendeu o braço e penteou meu cabelo com os dedos. Então
fez aquela cara de quem esperava uma explicação.

— Eu e Dante pegamos no sono na traseira da picape. Nós não...
— Parei, e dei de ombros. — Não fizemos nada.

Ela assentiu.

— É difícil, não é?

— É — concordei. — É para ser difícil assim mesmo, mãe?

Ela fez que sim.

— O amor é fácil e é difícil. Foi assim comigo e com seu pai. Eu queria muito que ele me tocasse. E tinha muito medo.

Assenti.

— Mas pelo menos...

— Pelo menos eu era uma menina e ele era um menino.

— Pois é.

Ela só olhou para mim daquele jeito como sempre olhava. Me perguntei se um dia eu poderia olhar para alguém daquela forma, um olhar que continha todas as coisas boas que existiam no universo.

— Por quê, mãe? Por que tenho que ser assim? Talvez eu mude e passe a gostar de meninas como deveria ser? Digo, talvez o que eu e Dante sentimos... seja só uma fase. Tipo, só me sinto assim com Dante. E se eu não gostar de meninos? E se só gosto do Dante porque ele é o Dante?

Ela quase sorriu.

— Não se iluda, Ari. Você não vai encontrar uma saída por aí.

— Como você pode ficar tão tranquila com isso, mãe?

— Tranquila? Não fico nada tranquila. Passei por muitos conflitos comigo mesma sobre sua tia Ophelia. Mas eu a amava. Amava mais do que qualquer pessoa além de você, suas irmãs e seu pai. — Ela fez uma pausa. — E seu irmão.

— Meu irmão também?

— Só porque não falo dele não quer dizer que não pense nele. Meu amor por ele é silencioso. Há mil coisas nesse silêncio.

Eu teria que refletir sobre o assunto. Estava começando a ver o mundo de um jeito diferente, só de ouvir minha mãe falar. Ouvir sua voz era como ouvir seu amor.

— Acho que dá para dizer que essa não é a primeira vez em que estou nessa posição. — Ela estava com aquela expressão ferrenha e obstinada no rosto. — Você é meu filho. E eu e seu pai decidimos que o silêncio não é uma opção. Olhe o que o silêncio em relação a seu irmão nos causou... não só a você, mas a todos nós. Não vamos repetir esse erro.

— Quer dizer que preciso falar sobre tudo?

Dava para ver as lágrimas se acumulando em seus olhos e ouvi a suavidade em sua voz quando ela disse:

— Não tudo. Mas não quero que você sinta que está vivendo em exílio. Existe um mundo lá fora que vai te dar a sensação de não fazer parte deste país... de nenhum país, na verdade. Mas, desta casa, Ari, todos fazemos parte. Você faz parte de nós. E nós fazemos parte de você.

— Mas não é errado ser gay? Todos parecem pensar que é.

— Nem todos. Essa é uma moralidade barata e maldosa. Sua tia Ophelia pegou as palavras *Não faço parte* e as escreveu no coração. Levou muito tempo para arrancar essas palavras do corpo. Foi tirando uma letra de cada vez. Ela queria saber por quê. Queria mudar... mas não conseguia. Conheceu um homem. Ele a amava. Quem não amaria uma mulher como Ophelia? Mas ela não conseguia, Ari. Acabou magoando esse homem porque nunca pôde amá-lo como amou Franny. A vida dela era um certo segredo. E isso é triste, Ari. Sua tia Ophelia era uma pessoa linda. Ela me ensinou muito sobre o que realmente importa.

— O que vou fazer, mãe?

— Você sabe o que é um cartógrafo?

— É claro que sei. Dante me ensinou essa palavra. É quem cria mapas. Quero dizer, não criam o que já existe, só mapeiam e, enfim, mostram para as pessoas onde fica.

— Então, é isso — ela disse. — Você e Dante vão mapear um mundo novo.

— E vamos errar muitas coisas e ter que guardar segredo sobre tudo, não vamos?

— Sinto muito pelo mundo ser o que é. Mas você vai aprender a sobreviver, vai criar um espaço seguro e vai aprender a confiar nas pessoas certas. E vai encontrar a felicidade. Mesmo agora, Ari, vejo que Dante faz você feliz. E isso me deixa feliz também, porque odeio ver você triste. E você e Dante têm a nós, a Soledad e a Sam. Vocês têm quatro pessoas no time de beisebol.

— Bom, a gente precisa de nove.

Ela riu.

Queria tanto me aconchegar nela e chorar. Não porque sentisse vergonha. Mas porque sabia que seria um péssimo cartógrafo.

Então me ouvi sussurrar:

— Mãe, por que ninguém me falou que o amor dói tanto?

— Se eu tivesse falado, teria adiantado alguma coisa?

Cinco

NÃO FALTAVA MUITO PARA O VERÃO ACABAR. AINDA parecia haver alguns dias chuvosos por vir antes que nos deixassem com a seca de sempre. Enquanto levantava pesos no porão, pensei em começar algum hobby. Talvez algo que me tornasse uma pessoa melhor ou pelo menos me fizesse parar de pensar um pouco. Eu não era bom em nada, na verdade. Ao contrário de Dante, que era bom em tudo. Percebi que não tinha nenhum hobby. Meu hobby era pensar em Dante. Meu hobby era sentir meu corpo todo tremer quando pensava nele.

Talvez meu verdadeiro hobby fosse manter minha vida toda em segredo. Servia? Milhões de garotos no mundo iriam querer me matar, iriam conseguir me matar se soubessem o que vivia dentro de mim. Luta… não era um hobby. Era um dom necessário para sobreviver.

Tomei um banho e decidi escrever uma lista de coisas que eu queria fazer:

– ~~Aprender a tocar violão~~

Risquei *Aprender a tocar violão* porque sabia que nunca seria um bom músico. Não fui feito para ser Andrés Segovia. Nem Jimi Hendrix. Continuei a lista.

– Me candidatar para a faculdade
– Ler mais
– Ouvir mais música
– Fazer uma viagem (talvez pelo menos acampar — com Dante?)
– Escrever no diário todo dia (tentar, pelo menos)
– Escrever um poema (besteira)
– ~~Fazer amor com Dante~~

Risquei o último item da lista, mas não tinha como riscar da minha mente. Não dava para riscar o desejo que morava dentro de mim.

Seis

FIQUEI PENSANDO EM DANTE E NO MEDO QUE ELE devia ter sentido quando aqueles imbecis o atacaram e o largaram lá, sangrando. E se ele tivesse morrido? Eles não teriam dado a mínima. Eu não estava lá para protegê-lo. Deveria ter estado. Não conseguia me perdoar por isso.

Sete

PEGUEI NO SONO LENDO UM LIVRO. PERNINHA ESTAVA deitada perto de mim quando minha mãe me acordou.

— Dante está no telefone.

— Para que esse sorriso? — perguntei.

— Que sorriso?

— Mãe, para com isso.

Ela sacudiu a cabeça e deu de ombros naquela linguagem corporal de quem diz "Que foi?".

Entrei na sala e peguei o telefone.

— Oi.

— O que você está fazendo?

— Peguei no sono lendo um livro.

— Que livro?

— O *sol também se levanta*.

— Nunca terminei esse.

— Como assim?!

— Você está tirando sarro de mim.

— Tô. Mas é o tipo de sarro que só se tira de quem se gosta.

— Ah, então você gosta de mim.

— Você só está jogando verde.

— É. — Dava para ouvir o sorriso dele. — Então, não vai me perguntar o que *eu* estou fazendo?

— Eu ia chegar nessa parte.

— Bom, estou com meu pai. Ele é tão tonto. Estava me contando de todos os homossexuais famosos da história.

— Quê?

É, nós dois começamos a rir.

— Ele está tentando levar numa boa esse lance de ser gay. Nossa, é superfofo.

— Essa é a palavra — falei.

— Ele disse que eu deveria ler Oscar Wilde.

— Quem é esse?

— Era um inglês. Ou irlandês. Sei lá. Escritor famoso da era vitoriana. Meu pai disse que ele estava à frente de seu tempo.

— E seu pai lê esse cara?

— Claro. Ele curte literatura.

— Ele não se incomoda que ele... Esse... Sabe... Esse...

— Acho que meu pai não se incomoda de saber que alguém é gay. Talvez fique um pouco triste... porque sabe que não vai ser fácil para mim. E tem curiosidade sobre tudo, e não tem medo de ideias. *Ideias não matam.* Ele vive dizendo isso.

Fiquei pensando no meu pai. Me perguntei o que se passava pela cabeça dele. Me perguntei se ficava triste por mim, se ficava confuso.

— Eu gosto do seu pai — falei.

— Ele também gosta de você. — Ele ficou quieto por um momento. — Então, quer fazer alguma coisa? A qualquer minuto, as aulas vão voltar.

— Ah, o ciclo da vida.

— Você odeia a escola, não odeia?

— Meio que sim.

— Você não aprende nada?

— Não disse que não aprendo nada. Mas, sabe, estou pronto para a próxima. Estou cansado de corredores, armários e imbecis e, na real, acho que nunca me encaixo. E agora... enfim, agora é que não vou me encaixar *mesmo*. Merda!

Por um momento, Dante não disse nada do outro lado da linha.

— Você odeia tudo isso, Ari?

Dava para ouvir aquele ar magoado na voz.

— Olha, já passo aí. Vamos fazer alguma coisa.

Dante estava sentado na soleira da casa. Descalço.

— Oi. — Ele acenou. — Você está bravo?

— Por quê? Porque você está sem sapatos? Não ligo.

— Ninguém liga para isso, só minha mãe. Ela gosta de me dizer o que fazer.

— É isso que as mães fazem. E por quê? Porque ela te ama.

— *Correcto*. Não é assim que se diz em espanhol?

— Bom, é assim que um gringo diria.

Ele revirou os olhos.

— E como um mexicano de verdade falaria? Não que você seja um mexicano de verdade.

— Já tivemos essa conversa antes, não tivemos?

— Sempre voltamos a este assunto porque moramos neste assunto, uma maldita terra de ninguém da identidade americana.

— Bom, nós *somos* americanos. Quer dizer, você não parece nem um pouco mexicano.

— E você parece. Mas isso não te torna mais mexicano. Nós dois temos sobrenomes reveladores, sobrenomes que significam que algumas pessoas nunca vão nos considerar americanos de verdade.

— Bom, e quem quer ser americano?

— Concordo com você nessa, gato.

Ele deu um sorrisinho.

— Você está experimentando isso de me chamar de "gato"?

— Estou tentando introduzir naturalmente na conversa para, sabe, para você não notar.

— Eu notei.

Não cheguei exatamente a revirar os olhos. Só lancei aquele olhar que sugeria que eu estava revirando os olhos.

— Que tal?

— Tipo, eu sou um gato — falei —, mas "gato"?

— Só porque você é gato não quer dizer que precisa ser metido. — Ele estava usando o tom de quando achava graça, mas também estava irritado. — Então, "gato" não funciona para você. Como é para eu te chamar, então?

— Que tal *Ari*?

— Que tal "querido"?

Eu sabia que ele estava de brincadeira.

— Nem fodendo.

— Que tal "*mi amor*"?

— Melhor, mas é como minha mãe chama meu pai.

— É, a minha também.

— Queremos mesmo falar igual a nossas mães?

— De jeito nenhum — Dante disse.

Ele trazia tantos risos para o ar de garoto melancólico patético que eu tinha antes. Eu adorava isso. Queria dar um beijo nele.

— Sabe, Ari, estamos fodidos.

— É, estamos fodidos.

— Nunca vamos ser mexicanos o bastante. Nunca vamos ser americanos o bastante. E nunca vamos ser héteros o bastante.

— Pois é — falei. — E pode apostar que, em algum momento, não vamos nem ser gays o bastante.

— Estamos fodidos.

— É, estamos. Homens gays estão morrendo de uma doença que não tem cura. E acho que isso deixa as pessoas com mais medo de nós... medo de passarmos a doença para elas de alguma forma. E estão descobrindo que somos muitos. Elas veem milhões de nós marchando nas ruas de Nova York, San Francisco, Londres, Paris e todas as outras cidades do mundo. E tem um monte de gente que não se importaria se morrêssemos todos. Isso é muito sério, Dante. E eu e você estamos fodidos. Tipo. Estamos. Muito. Fodidos.

Dante assentiu.

— Estamos mesmo, né?

Ficamos sentados ali, tristes. Tristes demais.

Mas Dante nos tirou da tristeza quando disse:

— Então, se estamos fodidos, você acha que, em algum momento, poderíamos, sabe, foder?

— Aí está uma ideia. Afinal, não dá para engravidar.

Joguei aquela resposta de um jeito muito casual. Eu só conseguia pensar em fazer amor com ele. Mas eu é que não falaria para ele que estava endoidecendo. Éramos garotos. E todos os garotos eram assim, fossem gays, fossem héteros, o que quer que fossem.

— Mas, se um de nós *engravidasse*, eles não só nos deixariam casar, como nos *obrigariam* a casar.

— Essa é a besteira mais inteligente que você já disse.

E, nossa, como eu queria beijar aquele cara. Tipo, muito.

Oito

— VAMOS VER UM FILME.

— Claro — eu disse. — Qual?

— Tem esse tal de *Conta comigo*. Sabe. Dizem que é bom.

— É sobre o quê?

— Um grupo de crianças que sai à procura de um cadáver.

— Parece divertido — falei.

— Você está sendo sarcástico.

— Estou.

— É bom.

— Você nem viu.

— Mas juro que você vai gostar.

— E se eu não gostar?

— Vou devolver seu dinheiro.

Era o meio da semana e era fim de tarde e não havia muita gente no cinema. Sentamos na fileira de cima, sem ninguém perto. Um casal de jovens, pareciam universitários, estava aos beijos. Fiquei pensando em como era aquilo, poder beijar alguém que você gosta quando quiser. Na frente de todo mundo. Eu nunca saberia. Nunquinha.

Mas era muito bom estar sentado em um cinema escuro perto de Dante. Sorri quando chegamos porque a primeira coisa que ele fez foi tirar os tênis. Dividimos uma pipoca grande. Às vezes nossas mãos se tocavam quando pegávamos a pipoca ao mesmo tempo.

Enquanto eu assistia ao filme, conseguia sentir seus olhares. O que será que ele via? Quem ele estava inventando quando olhava para mim?

— Quero te beijar — ele sussurrou.

— Presta atenção no filme — respondi.

Ele me viu sorrir.

E então me beijou.

Em um cinema escuro, onde ninguém poderia nos ver, um garoto me beijou. Um garoto que tinha gosto de pipoca. E eu retribuí o beijo.

Nove

ENQUANTO EU DIRIGIA DE VOLTA PARA A CASA DO
Dante, ele apoiou os pés no painel da minha caminhonete.
Balancei a cabeça.
— Adivinha?
— Qual é a graça?
— Você esqueceu os tênis no cinema.
— Merda.
— Não é melhor eu dar meia-volta?
— Quem liga?
— Sua mãe, talvez.
— Ela nunca vai saber.
— Quer apostar?

OS PAIS DE DANTE ESTAVAM SENTADOS NO ALPENdre quando voltamos do cinema. Subimos os degraus.

— Cadê seus sapatos, Dante?

— Não era para vocês estarem no alpendre esperando eu voltar. Isso é uma armadilha.

O sr. Quintana balançou a cabeça.

— Talvez você deva desistir dessa coisa de arte e virar advogado. E, se acha que esqueci que você não respondeu à minha pergunta, reveja seus conceitos.

— Por que você gosta de dizer *reveja seus conceitos*?

A sra. Quintana o encarou daquele jeito dela.

— Eu tirei o sapato no cinema. Esqueci lá.

O sr. Quintana não riu, mas deu para ver que queria.

— Não estamos evoluindo muito, estamos, Dante?

— Pai, quem define "evolução"?

— Eu defino. Eu sou o pai.

— Sabe, pai, não cai muito bem quando você dá uma de adulto para cima de mim.

A sra. Quintana não ia rir.

Dante tinha que continuar. Ele não conseguia se conter.

— Pense bem. Um cara vai encontrar meus tênis, gostar e levar para casa. Vai ganhar tênis novos. Talvez os pais dele nem tenham dinheiro para comprar tênis novos. Então tudo resolvido.

Eu queria *muito* beijar aquele garoto. Dante não sabia que era engraçado. Não dizia as coisas para fazer as pessoas rirem. Era sincero demais para isso.

O pai de Dante balançou a cabeça.

— Dante, você acredita mesmo em tudo que diz?

— Acho que sim. Acredito.

— Esse era o meu medo.

O sr. Quintana e Dante continuaram jogando xadrez verbal, e fiquei ali olhando para eles. Notei que a sra. Quintana estava começando a parecer muito grávida. Bom, talvez não *muito*. Mas, sabe, grávida. Que palavra estranha. Talvez devesse haver uma palavra mais bonita para uma mulher esperando um bebê. Quando eles se aquietaram, a sra. Quintana olhou para mim e perguntou:

— Como foi o filme?

— Foi muito bom. Acho que a senhora iria gostar.

O sr. Quintana apertou a mão da sra. Quintana.

— Soledad não gosta de ir ao cinema. Prefere trabalhar.

Ela deu um dos seus sorrisos irônicos para o marido.

— Não é verdade. Prefiro ler um livro.

— É. Um livro sobre as últimas teorias do desenvolvimento psicológico humano, ou as últimas teorias sobre como mudanças comportamentais realmente acontecem.

Ela riu.

— Você me vê criticando seu gosto por poesia pós-moderna?

Eu gostava de como eles se davam bem. O jeito que eles tinham de brincar um com o outro era muito bonitinho. Havia muito afeto na casa de Dante. Talvez a sra. Quintana fosse mais rígida que o sr. Quintana. Mas ela era boazinha. Era durona *e* boazinha.

Dante olhou para a mãe.

— Já pensou num nome?

— Ainda não, Dante. — Ela falou como se achasse ao mesmo tempo irritante e divertido o novo hobby de Dante. — Ainda temos quatro meses para decidir.

— Vai ser menino, você sabe.

— Não ligo. Menino. Menina. — Ela olhou para o sr. Quintana. — Sem ofensa, mas tomara que puxe à mãe.

O sr. Quintana olhou para ela.

— Sério?

— Não me venha com essa de *Sério?*, Sam. Estou em menor número. Dante puxou a você. Vivo com dois meninos. Precisamos de outro adulto na família.

Aquilo me fez sorrir. Sorrir de verdade.

* * *

— Quer ouvir minha lista?

— Lista?

— Sabe, os nomes que escolhi para o meu irmãozinho. — Ele estava deitado na cama, e eu, sentado na poltrona. Ele me observou. — Você está rindo de mim.

— Não, não estou. Você me ouviu rir?

— Você está rindo por dentro. Dá para ver.

— É, estou rindo por dentro. Você é implacável.

— Eu ensinei essa palavra para você.

— Ensinou, sim.

— E agora você a usou contra mim.

— É o que parece. — Lancei um olhar para ele. — Não são seus pais que decidem isso?

— Não se depender de mim.

Ele foi até a escrivaninha, pegou um bloco amarelo e se jogou de volta na cama.

— Esses são os nomes que tenho até agora: Rafael...

— Legal.

— Michelangelo.

— Que doido!

— Falou o menino chamado Aristóteles.

— Cala a boca.

— Eu não "calo a boca".

— É, já notei.

— Ari, você vai me escutar? Ou vai dar pitaco?

— Pensei que isso fosse uma conversa. Você sempre me diz que não sei falar. Então estou falando. Mas vou calar a boca. Ao contrário de você, eu sei fazer isso.

— Sim, sim — ele disse.

— Sim, sim — eu disse.

— Olha, só escuta a lista, e você pode oferecer sua ironia e seu sarcasmo depois que eu acabar.

— Eu não sou irônico.

— Até parece.

Nossa, eu queria muito beijá-lo. E beijá-lo e beijá-lo e beijá-lo. Eu estava enlouquecendo. As pessoas ficavam sempre tão malucas quando amavam alguém? Quem era eu? Eu nem me conhecia mais. Porra.

— Tá — eu disse. — Vou calar a boca. Lê a lista.

— Octavio. Javier. Juan Carlos. Oliver. Felipe ou Philip. Constantine. César. Nicholas. Benjamin. Não Ben, mas Benjamin. Adam. Santiago. Joaquin. Francis. Noel. Edgar. É o que tenho até agora. Eliminei todos os nomes comuns.

— Nomes comuns?

— John, Joe, Michael, Edward etc. O que acha?

— Você sabe que muitos desses nomes são muito mexicanos.

— Aonde você quer chegar?

— Só estou dizendo.

— Olha, Ari, *eu quero que ele seja mexicano*. Quero que ele seja todas as coisas que não sou. Quero que ele saiba espanhol. Quero que seja bom em matemática.

— E quer que ele seja hétero.

— Quero — ele sussurrou. Eu não aguentava ver as lágrimas escorrendo pelo seu rosto. — Sim, Ari, quero que ele seja hétero.

Ele sentou na cama, cobriu o rosto com as mãos e chorou. Dante e suas lágrimas.

Sentei perto dele e o puxei para um abraço. Não disse nada.

Só deixei que ele soluçasse no meu ombro.

Onze

SONHEI COM DANTE A NOITE TODA. ELE E EU.
 Sonhei com seus lábios. Sonhei com seu toque. Sonhei com seu corpo.
 O que é essa coisa chamada desejo?

Doze

EU ESTAVA FAZENDO LIÇÃO DE CASA À MESA DA cozinha quando meu pai entrou, cansado e suado. Ele me abriu um sorriso — e com isso pareceu jovem de novo.

— Como foi o trabalho?

— Nem neve, nem chuva, nem calor, nem a escuridão da noite...

Eu o interrompi e completei a frase:

— ... impedirá esses mensageiros de completarem suas rondas a tempo.

Meu pai olhou para mim.

— Então você decorou nosso lema?

— É claro que sim. Decorei quando tinha sete anos.

Ele parecia à beira das lágrimas. Eu tinha quase certeza de que meu pai havia sentido vontade de chorar muitas vezes na vida — ele apenas guardava as lágrimas para si. Eu era muito parecido com ele. Às vezes não conseguíamos ver o que estava bem debaixo do nosso nariz. As coisas haviam mudado entre nós. Já achei que o odiava — mas nunca odiei de verdade. Antes, pensava que ele não dava a mínima para mim, mas descobri que ele se preocupava comigo e me amava de formas que eu nunca entenderia por completo.

Talvez ele nunca beijasse meu rosto, como o pai de Dante fazia. Mas isso não queria dizer que não me amasse.

— Vou tomar um banho.

Sorri para ele e assenti. Seu banho ritualístico. Ele tomava todos os dias quando voltava do trabalho. Depois se servia uma taça de vinho e saía para fumar uns cigarros.

Quando voltou para a cozinha, eu já tinha servido uma taça de vinho para ele.

— Tudo bem se eu for sentar com você no quintal? Ou esse momento é só seu?

Ele foi até a geladeira e pegou uma lata de refrigerante para mim.

— Vem tomar uma com seu pai.

Meu pai. Meu pai, meu pai, meu pai.

Treze

EU E PERNINHA SAÍMOS PARA CORRER DE MANHÃ. Depois dei banho nela — e tomei um também. Comecei a pensar sobre corpos e, enfim, sei lá, fiquei todo excitado. Sabe, essa história de amor não é só uma coisa de coração, é uma coisa de corpo também. Eu não estava lá muito tranquilo com a coisa de coração, nem com a coisa de corpo. Então estava ferrado.

Eu pensava em Dante o tempo todo. Aquilo estava me deixando doido e fiquei me perguntando se ele pensava em mim o tempo todo também. Não que eu fosse perguntar para ele. NÃO. IA. PERGUNTAR. PARA. ELE.

— Quer nadar?
— Claro.
— Você dormiu bem, Ari?
— Que pergunta engraçada.
— Isso não é resposta.
— Dormi bem, Dante.
— Eu não.
Eu não queria ter aquela conversa.
— Bom, você vai dormir melhor amanhã. Vou mandar a Perninha. Pode dormir com ela. Sempre durmo melhor quando ela está perto de mim.
— Parece uma boa — ele disse.

Havia um traço de decepção na sua voz. Pensei que talvez ele preferisse que eu fosse dormir com ele em vez de Perninha. Quer dizer, garotos vão dormir na casa das namoradas debaixo da fuça dos pais? Não. Não vão. Dormir com Dante na casa dos pais dele? Não ia rolar. Na minha casa? Muito menos. Nem fodendo!

Dizem que o amor é um tipo de paraíso. Eu estava começando a achar que era um tipo de inferno.

* * *

Minha mãe tomava um café e lia anotações.

— Escrevendo uma ementa nova?

— Não gosto de dar a mesma aula várias e várias vezes. — Ela olhou no fundo dos meus olhos. — Você estava sonhando ontem à noite.

— Bom, é o meu jeito.

— Você está travando muitas batalhas, Ari. — Ela se levantou e me serviu uma xícara de café. — Está com fome?

— Não muito.

— Você ama muito aquele menino, não ama?

— Que pergunta direta.

— Desde quando acha que sou indireta?

Tomei um gole do café. Minha mãe fazia um bom café — mas suas perguntas eram impossíveis. Não havia como fugir.

— Sim, mãe, acho que amo aquele menino. — Não gostei das lágrimas que escorreram pelo meu rosto. — Às vezes não sei quem sou, mãe, e não sei o que fazer.

— Ninguém é especialista em viver. Nem mesmo Jesus sabia de tudo. Já leu a Bíblia?

— Você sabe que não.

— Pois deveria. Tem versões diferentes da história sobre a crucificação dele. Em uma versão, ele morre dizendo: "Tenho sede". Em outra, morre dizendo: "Meu Deus, por que me abandonastes?". Isso me dá esperança.

— Isso te dá esperança?

— Dá, sim, Ari.

— Vou pensar nisso. — Olhei para ela. — Deus me odeia? A mim e Dante?

— É claro que não. Nunca li nada na Bíblia que indicasse que Deus odeie. O ódio não é uma das atribuições dele.

— Você parece tão segura, mãe. Talvez você não seja uma católica tão boa.

— Pode ser que algumas pessoas achem isso. Mas não preciso de ninguém me dizendo como viver minha fé.

— Mas eu sou um pecado, certo?

— Não, você não é um pecado. Você é um jovem. Você é um ser humano. — E então sorriu para mim. — E você é meu filho.

Ficamos sentados ali por um momento, silenciosos como a luz tranquila da manhã. Eu nunca tinha notado que puxei os olhos da minha mãe. Parecia meu pai, mas tinha os olhos dela.

— Eu e seu pai ficamos conversando ontem à noite enquanto você sussurrava o nome do Dante.

— Deve ter sido um sussurro alto. Sobre o que vocês conversaram?

— Só que não sabemos o que fazer. Não sabemos como ajudar você. Também temos que aprender a ser cartógrafos, Ari. E te amamos muito.

— Eu sei disso, mãe.

— Você não é mais apenas um menino. Está à beira da vida adulta.

— Parece que estou à beira de um precipício.

— A vida adulta é um país estranho, Ari. E você *vai* entrar nesse país. Muito, muito em breve. Mas não vai estar sozinho. Só se lembre disso.

Sorri para ela.

— Dante está esperando.

Ela assentiu.

Fui até a porta — mas, quando segurei a maçaneta, dei meia-volta e entrei de novo na cozinha. Dei um beijo na bochecha da minha mãe.

— Tenha um bom dia — eu disse.

Catorze

EU QUERIA IR EMBORA COM ELE. TALVEZ PUDÉSSE-mos acampar. Sozinhos, perdidos entre as árvores. Só eu e Dante. Mas nossos pais não saberiam o que estaríamos aprontando? Eu não queria ter vergonha. Mas a palavra "vergonha" ainda rondava meu corpo. Era uma palavra que tinha grudado em mim e não saía por nada.

Quinze

A SRA. QUINTANA ESTAVA SENTADA NOS DEGRAUS DA frente quando parei o carro na entrada.

— Oi — eu disse.

— Oi, Ari.

— Não está trabalhando hoje?

— Tirei o dia de folga — ela disse. — Tenho uma consulta com o médico.

— Está tudo bem?

— Assistência pré-natal.

Assenti.

— Vem cá — ela pediu —, me ajuda a levantar.

Foi estranho e bonito sentir sua mão pegar a minha e ajudá-la a ficar em pé. Eu me senti forte e necessário. Nossa, nunca tinha me sentido necessário.

— Vamos dar uma volta — ela disse. — Preciso caminhar.

Atravessamos a rua, e assim que chegamos ao parque, a grama verde sob nós, ela tirou os sapatos.

— Agora sei de onde Dante puxou essa mania de ficar descalço.

Ela balançou a cabeça.

— Não gosto de andar descalça. É que meus pés ficam inchados. Coisa da gravidez.

— Você e Dante passam muito tempo neste parque, não passam?

Era estranho andar pelo parque com uma adulta. Não era um acontecimento comum na minha vida. Fiz uma pergunta que não queria muito fazer — especialmente porque já sabia a resposta.

— Você acha que eu e Dante vamos mudar? Tipo. Você sabe o que quero dizer.

Nossa, que bobagem.

— Não, Ari, não acho que vocês vão mudar. Esse não é um problema para mim, nem para Sam nem para seus pais. O problema é que acho que a maioria das pessoas não entende meninos como vocês dois. Nem quer entender.

— Fico feliz que vocês não sejam como a maioria das pessoas.

Ela sorriu para mim.

— Eu também, Ari. Não quero ser como a maioria das pessoas.

Retribuí o sorriso dela.

— Eu pensava que Dante era mais parecido com o sr. Quintana do que com a senhora. Acho que talvez eu estivesse errado.

— Você é mesmo um bom menino.

— Não sei se temos intimidade suficiente para eu argumentar.

— Você é mesmo um espertinho.

— Sou, sim.

— Acho que você deve estar querendo saber se eu queria conversar sobre algum assunto com você?

Fiz que sim.

— Quando voltamos de Chicago, naquele primeiro dia, quando você passou lá em casa. Você olhou para mim e foi como se algo tivesse se conectado entre nós. Me pareceu algo muito íntimo, e não estou dizendo que tinha nada de inapropriado. Mas você notou alguma coisa em mim.

— Notei — eu disse.

— Você sabia que eu teria um bebê?

— Talvez. Quer dizer, sim. Pensei nisso e, bom, sim. Sim, eu sabia. Tinha algo diferente em você.

— Em que sentido?

— Não sei. Era como se você brilhasse. Sei que parece bobagem. Mas era como se houvesse tanta vida... não sei explicar. Não que eu seja paranormal nem nada. Bobagem, sério.

— Bobagem? Essa é sua palavra preferida?

— Acho que hoje é.

Ela abriu um sorrisão.

— Não me parece bobagem, Ari, que você tenha notado algo em mim naquele dia. Não precisa ser paranormal para ter uma percepção muito aguçada. Você lê as pessoas. Isso é um dom. E só queria que você soubesse que tem muito mais acontecendo com você do que gostar de meninos.

Paramos sob a sombra de uma velha árvore.

— Adoro essa árvore — ela disse.

Eu sorri.

— Dante também — falei.

— Não sei por que, mas isso não me surpreende.

Ela encostou na árvore e sussurrou o nome dele.

Começamos a voltar para casa. De repente, ela pegou um dos sapatos, que estavam na mão esquerda, e o atirou o mais forte que conseguiu. Riu, depois pegou o outro sapato e o lançou bem perto do primeiro.

— Não é uma brincadeira tão ruim essa que Dante inventou.

Tudo que eu consegui fazer foi sorrir.

Era tudo tão novo. Eu sentia como se tivesse acabado de nascer. Essa vida que eu estava levando era como mergulhar num oceano só tendo conhecido antes uma piscina. Não havia tempestades na piscina. As tempestades nasceram nos oceanos do mundo.

E havia a história do cartógrafo. Mapear um mundo novo era complicado — porque o mapa não era apenas para mim. Tinha que incluir pessoas como a sra. Quintana. E o sr. Quintana também. E minha mãe e meu pai, e Dante.

Dante.

Dezesseis

EU ESTAVA ASSISTINDO AO JORNAL COM MINHA MÃE e meu pai. A matéria diária sobre a pandemia de aids surgiu na tela. Milhares de pessoas estavam protestando nas ruas de Nova York. Um mar de velas à noite. A câmera focou uma mulher com lágrimas nos olhos. E outra mais jovem que carregava um cartaz:

O NOME DO MEU FILHO É JOSHUA.

ELE MORREU NO CORREDOR DE UM HOSPITAL.

Um homem, que se esforçava ao máximo para manter a compostura, falava ao microfone de um repórter.

— Não precisamos de assistência médica neste país. Por que ter assistência médica se podemos simplesmente deixar as pessoas morrerem?

Um grupo estava carregando um cartaz que dizia: A CADA 12 MINUTOS UMA PESSOA MORRE DE AIDS.

Outro cartaz dizia: NÃO ODIAMOS NOSSO PAÍS. É NOSSO PAÍS QUE NOS ODEIA.

A câmera se afastou e cortou para a matéria seguinte.

— Mãe, quando isso vai acabar?

— Acho que a maioria das pessoas pensa que vai simplesmente desaparecer. É incrível a capacidade que temos de mentir para nós mesmos.

Dezessete

EU ESTAVA OBSERVANDO DANTE NADAR. PENSEI NO dia em que o conheci. Foi um encontro acidental, não planejado. Eu não era o tipo de cara que fazia planos. As coisas simplesmente aconteciam. Ou, na verdade, nada nunca tinha acontecido. Até eu conhecer Dante. Era um dia de verão como hoje. Encontramos desconhecidos todos os dias — e normalmente os desconhecidos continuam desconhecidos. Pensei no som da sua voz na primeira vez em que a ouvi. Eu não sabia que aquela voz mudaria minha vida. Pensei que ele só me ensinaria a nadar nas águas da piscina. Mas ele me ensinou a nadar nas águas da vida.

Quero dizer que o Universo nos uniu. E talvez tenha unido mesmo. Ou talvez eu só quisesse acreditar naquilo. Não sabia muito sobre o Universo ou Deus, mas sabia de uma coisa: era como se eu o conhecesse desde que nasci. Dante disse que estava esperando por mim. Dante era romântico, e eu o admirava por isso. É como se ele se recusasse a abrir mão de sua inocência. Mas eu não era como Dante.

Eu o observei — tão gracioso na água. Era como uma casa para ele. Talvez ele amasse a água tanto quanto eu amava o deserto. Eu ficava feliz só de estar sentado na borda vendo Dante dar voltas e mais voltas na piscina. Era tudo tão fácil para ele. Tantas coisas eram fáceis para ele. Era como se qualquer lugar aonde ele fosse pudesse ser seu lar — exceto que ele me amava. E isso significava que talvez ele nunca mais tivesse lar.

Senti um respingo de água.

— Ei! Cadê você?

— Aqui?

— Você estava dentro da sua cabeça de novo.

— Estou sempre dentro da minha cabeça.

— Às vezes eu queria saber tudo que você pensa.

— Não é uma boa ideia.

Ele sorriu e me puxou para a piscina, e começamos a rir, jogar água e brincar de afogar um ao outro. Nadamos, e ele me ensinou algumas técnicas. Eu estava melhor, mas nunca seria um nadador de verdade. Não que importasse muito para mim. Só estar na água com ele bastava. Às vezes eu pensava que Dante *era* a água.

Eu o vi subir a escada e ir até a ponta do trampolim. Ele acenou para mim. Se estabilizou, depois ficou na ponta dos pés, respirou fundo e manteve um ar incrível de serenidade. Tinha uma autoconfiança que eu nunca havia sentido. Então, com calma, sem medo, saltou como se seus braços quisessem tocar o céu, depois os voltou para baixo, fazendo um arco perfeito, girou o corpo, um círculo completo, e tocou na água quase sem respingar. Seu mergulho perfeito tirou meu fôlego.

Eu não só o amava. Eu o admirava.

Quando estávamos voltando para casa, Dante olhou para mim e disse:

— Saí do time de natação.

— Por quê? Que loucura!

— Toma tempo demais. Eles já começaram a treinar, e falei para o treinador que queria sair.

— Mas por quê?

— Como eu disse, toma tempo demais. E, enfim, nem participei no ano passado, então eles não vão sentir minha falta. E eu teria que fazer o teste de novo mesmo.

— Até parece que você não conseguiria entrar. Fala sério.

— E também tem o pequeno detalhe de que não gosto muito dos caras do time. São todos babacas. Só sabem falar de garotas e fazer comentários imbecis sobre peitos. Que lance é esse que tantos caras têm com peitos? Não gosto de gente idiota. Então saí.

— Não, Dante, você não deveria fazer isso. Você é muito bom. Não pode desistir.

— Posso, sim.

— Não, Dante. — Eu estava achando que ele só queria passar mais tempo comigo, especialmente porque não estudávamos na mesma escola. Eu não queria ser responsável por impedir o progresso de Dante. — Você é foda demais para desistir.

— E daí? Não é como se eu fosse entrar nas Olimpíadas ou coisa assim.

— Mas você adora nadar.

— Eu não vou desistir de nadar. Só vou sair do time de natação.

— O que seus pais disseram?

— Meu pai ficou tranquilo. Minha mãe, bom, não ficou lá muito feliz. Deu até uns gritos. Mas pensa assim: vamos passar mais tempo juntos.

— Dante, já passamos tempo de sobra juntos.

Ele não disse nada. Dava para ver que ficou chateado.

— Até falei para a minha mãe que queria estudar no Colégio Austin — sussurrou. — Só para passarmos mais tempo juntos. Acho que você não tem a mesma vontade.

Ele estava tentando segurar as lágrimas. Às vezes, eu queria que ele não chorasse tanto.

— Não é isso. É só que...

— Você não acha que seria mais divertido se estudássemos na mesma escola?

Eu não disse nada.

— Você concorda com minha mãe, né?

— Dante...

— Ari, não fala nada. Deixa pra lá. Estou muito bravo com você agora.

— Não podemos ficar juntos o tempo inteiro.

— Ari, eu disse para não falar nada.

Enquanto íamos andando para a casa de Dante no silêncio de sua raiva, um silêncio que eu não tinha permissão de quebrar, me perguntei se Dante estava sendo irracional. Mas já sabia a resposta. Dante podia ter uma mente brilhante, mas as emoções o dominavam. E ele era teimoso pra caramba. Eu não sabia lidar com aquilo. Teria que aprender.

Chegamos e ficamos ali parados, sem dizer nada.

Dante não disse tchau; nem olhou na minha cara. Entrou em casa e bateu a porta.

Dezoito

FUI PARA CASA TODO CONFUSO. ESSA RELAÇÃO COM Dante era mais complicada do que eu imaginava. Relação. Que palavra vaga. Poderia descrever quase qualquer coisa. Por exemplo, eu e Perninha tínhamos uma relação.

Eu amava Dante. Mas não sabia muito bem o que isso significava. Aonde o amor deve nos levar?

Além disso, estávamos começando nosso último ano no ensino médio. E depois? Eu sabia que não íamos para a mesma universidade. Eu não pensava muito nisso, enquanto Dante não pensava em outra coisa. Também não tocávamos muito nesse assunto. Mas ele tinha mencionado uma faculdade quando o conheci. Oberlin. Era em Ohio e, segundo Dante, bem o tipo de lugar em que ele gostaria de estudar.

E eu? Eu sabia que não faria faculdade particular. Sem chance. Não era o destino de alguém feito eu. Eu estava pensando talvez na Universidade do Texas. Minha mãe disse que Austin seria um bom lugar para mim. Acho que minhas notas eram suficientes. Não que fosse fácil tirar nota boa. De jeito nenhum. Eu precisava me esforçar. Não tinha o cérebro enorme de Dante. Eu era um animal de carga. Dante era um puro-sangue. Não que eu entendesse de cavalos.

Dante, na verdade, era meu único amigo. Era complicado estar apaixonado pelo seu único amigo. E deu uma raiva nele que eu não estava esperando — que eu nem sabia de onde tinha vindo. Eu sempre tinha partido do princípio de que não havia raiva nele. Mas estava errado. Não que raiva fosse uma coisa ruim. Quer dizer, poderia ser. Ai, caramba, falar sozinho não era nada bom. Eu só acabava andando em círculos.

O que "Aristóteles e Dante" significava?

Eu estava me deprimindo. Era bom nisso. Sempre tinha sido bom nisso.

Dezenove

A PORTA DA FRENTE ESTAVA ABERTA QUANDO CHE-
guei em casa. Meu pai tinha instalado uma tela nova, e minha mãe
gostava de manter a porta aberta, mesmo quando o ar-condicionado
estava ligado. "É bom para arejar a casa", dizia. Meu pai vivia balançando a cabeça e resmungando: "É, estamos tentando refrescar o
bairro todo". Meu pai gostava de resmungar. Talvez seja dele que puxei
a mania.

Quando entrei em casa, ouvi duas vozes conversando. Vinham
da cozinha. Parei e notei que ouvi a da sra. Quintana. Congelei. Não
sei por quê.

— Tenho medo por eles — ouvi minha mãe dizer. — Tenho medo
de que o mundo arranque a dignidade deles. Tenho medo e raiva.

— A raiva não vai nos servir de nada.

— Você não tem raiva, Soledad?

— Tenho um pouco de raiva. As pessoas não entendem a homossexualidade. Nem eu sei se entendo também. Mas, sabe, não tenho
que entender uma pessoa para sentir amor por ela, especialmente se
for meu filho. Sou terapeuta. Tenho pacientes e amigos gays. Nada
disso era novo para mim. Mas passa a ser a partir do momento em
que estamos falando do meu filho. E não faço ideia do que esperar
por ele. E por Ari.

Caiu um silêncio, e ouvi a voz da minha mãe.

— Ari já é tão cheio de inseguranças. E mais essa.

— Todos os meninos dessa idade são inseguros, não?

— Dante não parece sofrer desse mal.

— É que Dante é um menino feliz. Sempre foi. Puxou isso do pai.
Mas acredite em mim, Lilly, ele tem seus momentos, como qualquer
menino.

Houve mais uma pausa, e então ouvi minha mãe de novo.

— Como Sam está lidando com isso?

— Com o otimismo de sempre. Ele diz que tudo que a gente precisa fazer é amar nosso filho.

— Ah, ele está certo.

— É o que nos resta, não é?

— Acho que sim.

Caiu um longo silêncio, até que a sra. Quintana perguntou para a minha mãe:

— Como Jaime está lidando com tudo isso?

— Ele me surpreende. Disse que Ari é mais forte do que pensa. Acho que Jaime se sente mais próximo de Ari agora. Ele travou uma guerra interna por muito tempo. E acho que se identifica com as batalhas de Ari.

— Talvez todos nos identifiquemos.

Elas riram.

— Você é uma mulher inteligente, Soledad.

Me senti tonto de estar parado ali, ouvindo uma conversa que não era para eu ouvir. Senti que estava fazendo algo muito errado. Não sabia o que fazer, então saí de casa na ponta dos pés.

Decidi voltar para a casa do Dante. Talvez ele tivesse se acalmado. Talvez não estivesse mais bravo.

Eu estava pensando no meu pai, na minha mãe, na sra. Quintana e no sr. Quintana, e me senti mal porque eu e Dante estávamos causando preocupação neles, sofrimento, o que eu odiava. Mas então pensei que era muito bonito nossas mães poderem conversar sobre tudo aquilo. Elas precisavam.

Enquanto caminhava, uns caras passaram por mim, no sentido oposto. Eu os conhecia da escola.

— Você bateu num amigo meu, cuzão — disse um deles, de passagem. — Defendendo um viadinho. O bostinha é o quê, seu namorado?

Antes que eu me desse conta do que estava fazendo, o peguei pela gola e o joguei no chão.

— Quer se meter comigo? Ótimo. Vou arrebentar a sua cara. Me provoca para ver. Você não vai viver até os dezoito.

Queria muito, mas muito, cuspir na cara dele. Mas não cuspi. Só continuei andando. Fiquei feliz que Dante não estivesse ali para me ver agir feito um parente próximo do homem de Neandertal.

A um quarteirão da casa do Dante, precisei parar e sentar na sarjeta. Estava tremendo. Fiquei sentado até o tremor parar. Pensei em cigarros. Meu pai dizia que ajudavam a controlar sua tremedeira. Minha mãe dizia que era um mito. "E não me venha com ideias." Foi bom ficar sentado ali pensando em fumar. Melhor do que pensar nas coisas que eu poderia ter feito com aquele moleque.

Quando cheguei à casa do Dante, bati na porta. O sr. Quintana atendeu com um livro na mão.

— Oi, Ari.

— Oi, sr. Quintana.

— Por que não me chama de Sam? É o meu nome.

— Sei que é o seu nome. Mas nunca poderia chamar o senhor assim.

— Ah, sim — ele disse. — Muito desrespeitoso.

— Pois é.

Ele sorriu e balançou a cabeça.

— Dante está bravo comigo — falei.

— Eu sei.

Sem ter o que dizer, dei de ombros.

— Acho que você não imaginava que o menino de quem gosta tanto tem um gênio difícil.

— É, acho que não.

— Sobe lá. Tenho certeza de que ele vai abrir a porta se você bater.

Enquanto eu subia, ouvi a voz do sr. Quintana:

— Vocês têm o direito de ficar bravos um com o outro.

Dei meia-volta, olhei para ele... e assenti.

A porta de Dante estava aberta. Ele estava segurando um pedaço de carvão e um bloco de desenho.

— Oi — eu disse.

— Oi — ele disse.

— Ainda está bravo comigo?

— Normalmente, fico bravo por alguns dias. Às vezes mais. Mas você deve ser especial, porque já passou.

— Então posso falar agora?

— Desde que me ajude a limpar o quarto. E depois me beije.

— Ah, entendi. Existem consequências para os meus atos. — Olhei ao redor do quarto. Parecia ter passado uma tempestade por lá. — Como você consegue viver aqui?

— Nem todo mundo vive como um monge, Ari.

— O que isso tem a ver com ser bagunceiro?

— Eu gosto de bagunça.

— Eu não. Seu quarto parece meu cérebro.

Dante sorriu.

— Talvez seja por isso que amo seu cérebro.

— Duvido que você ame meu cérebro.

— Por quê?

Passamos a tarde arrumando o quarto dele e ouvindo discos dos Beatles. Quando acabamos, Dante se jogou na cama e sentei na poltrona grande de couro. Ele me perguntou em que eu estava pensando.

— Nossos pais, Dante. Eles amam muito, muito, a gente.

— Eu sei. Mas, se pensarmos demais neles, nunca, nunquinha, vamos transar. Porque nossas mães vão estar lá no mesmo quarto que nós. E isso é muito doido. Então é melhor não trazer elas para o quarto… mesmo com Freud dizendo que elas estão lá de todo modo.

— Freud. Escrevi um trabalho sobre ele uma vez. Obrigado por lembrar.

— Pois é. No mundo do Freud, sempre que dormimos com alguém, a cama fica mais cheia do que parece.

Notei uma tela grande no seu cavalete coberta por um lençol. Devia ser sua nova pintura. Ele vinha trabalhando nela fazia um bom tempo.

— Quando vou poder ver?

— É uma surpresa. Você vai ver quando chegar a hora.

— Quando isso vai ser?

— Quando eu disser.

Senti a mão de Dante nas minhas costas.

Virei. Devagar. Devagar. E deixei que ele me beijasse. É, acho que dá para dizer que retribuí o beijo.

Vinte

CONTINUO PENSANDO EM DANTE E NAQUELA HISTÓria da cartografia. Fazer um mapa do novo mundo. Não seria uma coisa fantástica e incrivelmente bonita? O mundo segundo Ari e Dante. Dante e eu percorrendo um mundo, um mundo que ninguém nunca tinha visto, mapeamos todos os rios e vales e criamos caminhos para que aqueles que viessem depois de nós não tivessem que ter medo — e não se perdessem. Não seria bonito?

Pois é, eu estava sendo influenciado pelo Dante.

Mas, poxa, tudo que tenho é um diário. Isso é o mais fantástico e bonito que consigo alcançar. Basta para mim. É engraçado, mas tenho esse diário de encadernação de couro há muito tempo. Estava esquecido na estante com um bilhete da minha tia Ophelia: *Um dia você vai encher estas páginas com palavras que venham de você. Tenho um pressentimento de que você terá uma longa relação com as palavras. Quem sabe? Elas podem até ser sua salvação.*

Então estou sentado na cozinha, encarando a página em branco e pensando no bilhete da tia Ophelia, e faz tanto tempo que encaro a página que é como se estivesse enfrentando um inimigo. Quero escrever alguma coisa, e quero dizer algo que importe — não algo que importe para o mundo todo, porque o mundo todo está pouco se fodendo para mim ou Dante. Na verdade, quando penso na história do mundo, penso que quem quer que tenha escrito essa história não nos incluiria. Mas não quero escrever para o mundo — quero só escrever o que estou pensando e coisas que importam *para mim.*

Pensei sobre isso o dia todo: eu beijando Dante em uma noite estrelada no deserto. Era como se alguém acendesse fogos de artifício e senti como se eu estivesse prestes a explodir e iluminar o céu todo do deserto. Como minhas palavras poderiam me salvar? Queria que minha tia Ophelia estivesse comigo. Ela não está. Mas eu, Ari, estou aqui. Acho que vou começar assim: *Querido Dante.* E vou fingir que estou conversando com ele. Embora, na verdade, eu esteja fazendo o que sempre faço: falando sozinho. Falar sozinho é meu único forte. Vou fingir que estou falando com Dante e me convencer de que estou falando com alguém que vale a pena falar.

Minha mãe diz que preciso aprender a me amar — o que é uma ideia estranha. O amor-próprio parece um objetivo muito esquisito. Mas, poxa, o que eu sei da vida?

No ano passado, o sr. Blocker disse que poderíamos nos encontrar em nossa escrita. Tudo em que consegui pensar foi: parece um bom lugar para se perder. Acho que posso me perder umas cem vezes, umas mil vezes, até descobrir quem sou e aonde estou indo.

Mas, se eu carregar o nome de Dante comigo, ele vai ser a tocha para iluminar meu caminho na escuridão que é Aristóteles Mendoza.

> *Querido Dante,*
>
> *Não gosto quando você fica bravo comigo. Me deixa para baixo. Não sei mais o que dizer sobre isso. Tenho que pensar mais um pouco no assunto. Você ficar bravo comigo não condiz com a imagem que tenho de você. Mas você não deveria ter que se encaixar na minha definição de você. Não quero que você viva na prisão dos meus pensamentos. Sou o único que tenho que viver lá.*
>
> *O problema é o seguinte: penso em você o tempo todo. Penso em como seria ver você na minha frente, se você tiraria a roupa e diria: este sou eu. E eu tiraria a roupa e diria: este sou eu.*
>
> *E nós nos tocaríamos. Seria como se eu nunca tivesse sido tocado por nada nem ninguém, como se eu nem soubesse o que era um toque até sentir suas mãos na minha pele.*

Fico imaginando passar o dedo em seus lábios vezes e mais vezes.

Tento não pensar nessas coisas. Não quero pensar nelas.

Mas os pensamentos são tão incrivelmente bonitos para mim. E fico me perguntando por que o mundo inteiro acredita que esses pensamentos — meus pensamentos — são tão feios. Sei que você não tem as respostas para as minhas perguntas. Mas acho que você se pergunta as mesmas coisas.

Fico imaginando você em um quarto de hospital, seu sorriso quase escondido pelos hematomas que aqueles caras deixaram em você. Eles achavam que você não passava de um animal que podiam chutar de um lado para o outro e até matar. Mas acho que eram eles — eles eram os animais.

Quando vamos todos poder ser humanos, Dante?

Vinte e um

EU E PERNINHA SAÍMOS PARA CORRER. EU ADORAVA a manhã e o ar do deserto, e parecia que nós éramos os únicos seres vivos do mundo.

Nunca soube até onde eu corria. Eu só corria. Não era muito de medir coisas. Só corria e ouvia minha respiração e os ritmos do meu corpo, assim como Dante ouvia seu corpo na água.

Eu sempre passava na frente da casa de Dante.

Lá estava ele, sentado na soleira, descalço, usando a camiseta tão surrada que chegava a estar transparente, ainda com o sono nos olhos. Ele acenou. Parei e soltei Perninha, que correu até Dante e lambeu o rosto dele. Eu nunca deixava Perninha lamber meu rosto, mas Dante adorava receber beijos de Perninha.

Fiquei olhando para eles. Eu gostava de ficar olhando para eles. Então ouvi a voz de Dante.

— Você gosta de ficar olhando, não gosta?

— Acho que sim — falei. — Talvez seja como meu pai.

Subi os degraus e sentei perto dele. Ele e Perninha estavam ocupados se amando. Eu queria encostar a cabeça no seu ombro... mas não encostei. Eu estava suado demais, e fedido.

— Quer ir para algum lugar hoje?

— Claro — falei. — Podemos fazer uma viagem longa na caminhonete, sabe, antes de as aulas começarem.

— Aulas. Aff.

— Pensei que você gostasse da escola.

— Já sei tudo que ensinam no ensino médio.

Aquilo me fez rir.

— Então não resta nada para aprender?

— Bom, nada que valha a pena um ano inteiro. A gente deveria ir direto para a faculdade e morar juntos.

— É esse o plano?

— É claro que é esse o plano.

— E se a gente se matar, virando colegas de quarto?

— Não vamos nos matar. E vamos ser mais do que colegas de quarto.

— Saquei — falei. Eu não queria mesmo ter aquela conversa. — Vou para casa para tomar um banho.

— Toma aqui. Eu tomo com você.

Aquilo também me fez rir.

— Não sei se sua mãe curtiria essa ideia.

— É, bom, os pais às vezes atrapalham a diversão.

No caminho para casa, imaginei Dante e eu juntos no chuveiro.

Parte de mim queria fugir de todas as complicações de estar apaixonado por Dante. Talvez Ari mais Dante fosse igual a amor, mas também era igual a complicação. Também era igual a brincar de esconde-esconde com o mundo. Mas havia uma grande diferença entre a arte de correr e a arte de fugir.

Vinte e dois

EU E DANTE FOMOS NADAR NAQUELE DIA. BRINCAMOS de jogar água um no outro, e pensei que o único motivo para aquilo era podermos encostar um no outro sem querer. No curto caminho de volta para casa, Dante fez uma careta.

— O que foi? — perguntei.

— Estava pensando na escola. E que essa bobagem de admirar os professores como se achasse mesmo que eles são mais inteligentes do que eu é um pouco irritante.

— Irritante?

Dei risada. "Irritante" era uma palavra clássica do Dante.

— Qual a graça? — perguntou ele.

— Você gosta de dizer a palavra "irritante".

— E daí? Nunca ouviu essa palavra?

— Não é isso… só não costumo usar.

— Bom, o que você diz quando alguma coisa te irrita?

— Digo que me enche o saco.

De repente, Dante fez uma cara incrível.

— Que demais — ele disse. — Porra, isso é demais.

Ele encostou em mim e me empurrou com o ombro.

— Você é interessante, Dante. Você ama palavras como "interminável", como em: "Estou interminavelmente entediado", e palavras como "limítrofe"…

— Você pesquisou essa palavra?

— Pesquisei. Sei até usar numa frase: Aristóteles e Dante vivem em um espaço limítrofe.

— Porra, que demais.

— Viu, é por isso que acho você interessante. Você é um dicionário ambulante e adora falar palavrões.

— É isso que me torna interessante?

— É.

— É melhor ser interessante ou ser bonito?

— Você está jogando um verde, Dante? Quer elogios?

Ele sorriu.

— Ser interessante e ser bonito não são mutuamente excludentes — falei. Olhei para ele, olhei bem no fundo de seus grandes olhos castanho-claros, e sorri. — Mutuamente excludentes. Nossa, estou começando a falar que nem você.

— Falar como quem tem um cérebro não é uma coisa tão ruim.

— Não, não é. Mas usar o vocabulário como ferramenta para lembrar a todo mundo que você é um ser superior...

— Você está começando a me encher o saco.

— E agora você está falando que nem eu. — Eu ri. Ele não. — Você *é* um ser superior. E você é interessante e bonito e... — Revirei os olhos. — E você é encantador.

Caímos na gargalhada, porque "encantador" era uma palavra da mãe dele. Toda vez que ele se metia em encrenca, sua mãe dizia: "Dante Quintana, você não é tão encantador quanto pensa". Mas ele era, *sim*, "encantador". Fiquei pensando que Dante me encantaria a ponto de eu perder a calça. E a cueca também.

Nossa, como eu tinha a cabeça suja. Eu ia direto para o inferno.

Vinte e três

Querido Dante,

Quando eu estava ajudando você a arrumar o quarto, fiquei me perguntando por que você gosta de ser tão bagunceiro quando tudo na sua cabeça parece tão organizado. O desenho que você fez dos discos de vinil e do toca-discos é incrível. Quando você o tirou de debaixo da cama e o mostrou para mim, fiquei sem palavras. Vi que tem um monte de desenhos debaixo da sua cama. Um dia gostaria de entrar escondido no seu quarto e pegar tudo e passar a mão em todos os desenhos. Seria como tocar em você.

Eu vivo em uma confusão chamada amor. Vejo você fazer um mergulho perfeito e penso em como você é perfeito. E depois você fica bravo comigo porque não quero passar o tempo todo com você. Mas uma parte de mim quer, sim, passar o tempo todo com você. E sei que não é possível — e nem é uma boa ideia. Não faz sentido pensar que não amo você só porque não acho que seja uma boa ideia estudar na mesma escola. Você quer que eu fale mais e de repente fala para eu não falar. Você não é tão lógico. Você não é nada lógico. Acho que, em parte, é por isso que te amo. Mas é também por isso que você me deixa doido.

Ontem à noite sonhei com meu irmão de novo. É o mesmo sonho. Não entendo direito meus sonhos, nem por que estão dentro de mim ou para que servem. Ele está sempre parado à beira do rio. Estou nos Estados

*Unidos. Ele está no México. Quer dizer, vivemos em
países diferentes — acho que até aí faz sentido. Mas
quero muito conversar com ele. Ele pode ser um cara
mais legal do que as pessoas admitem — tá, cagado
e tal, mas talvez não totalmente corrompido. Será que
estou certo em relação a isso? Talvez ele seja só um filho
da puta miserável e a vida dele não passe de uma maldita tragédia. Seja como for, eu gostaria de saber. Para
não passar o resto da vida pensando em um irmão
cuja vaga lembrança reside dentro de mim como uma
farpa na mão que não dá para tirar. É essa a sensação. Dante, se sua mãe tiver um menino — se você
tiver aquele irmão que você sempre quis —, encha esse
menino de amor. Seja bom com ele. Para que, quando
ele crescer, ele não seja assombrado por sonhos ruins.*

MINHA MÃE ENTROU NO QUARTO ENQUANTO EU ES-
tava escrevendo no diário.

— Acho que é uma ótima ideia manter um diário — ela disse, e
notou o caderno. — Foi presente da Ophelia, não foi?

Fiz que sim. Pensei que ela fosse chorar. Ela começou a dizer
algo... depois mudou de ideia. Finalmente disse:

— Por que você e Dante não vão acampar por alguns dias antes
de as aulas começarem? Você adorava acampar.

Era eu quem ia chorar. Mas não chorei. Não chorei. Queria abraçá-la. Queria abraçá-la e não largá-la.

Meio que ficamos sorrindo um para o outro — e eu queria falar
para ela o quanto a amava, mas não conseguia. Simplesmente, sei
lá. Às vezes eu tinha palavras bonitas morando dentro de mim, mas
não conseguia botar para fora para que outras pessoas pudessem ver.

— Então, o que você acha da ideia de acampar?

Eu não queria mostrar para ela o quanto estava superanimado,
então disse com muita calma:

— Mãe, acho que você é genial.

Ela sabia. Ela sabia interpretar o sorriso no meu rosto.

— Acabei de fazer você ganhar o dia, não foi?

Olhei para ela com aquela expressão de espertinho estampada no rosto que dizia: *Não vou entrar nesse assunto.*

E ela me retribuiu com um olhar doce mas satisfeito que dizia: *É. Fiz você ganhar o dia.* Então ela riu. Eu gostava de como às vezes conversávamos sem usar palavras.

De repente ela jogou a bomba:

— Ah, aliás, quase esqueci. Suas irmãs querem levar você para almoçar.

— Almoçar? Mãe...

— Sabe, você não é mais um menino... e, quando está perto de virar um adulto, começa a fazer coisas que adultos fazem: sair para almoçar com a família, os amigos.

— Você contou para elas, não contou?

— Contei, sim, Ari.

— Porra! Mãe, eu...

— Elas são suas irmãs, Ari, e te amam. Querem apoiar você. Que mal há nisso?

— Mas tinha que contar para elas?

— Bom, *você* não ia contar. E elas não deveriam ser as últimas a saber; ficariam magoadas.

— Bom, eu estou magoado por você ter contado para elas sem a minha permissão.

— Eu sou sua mãe. Não preciso da sua permissão. Tenho o direito de contar para as minhas filhas o que acho que elas precisam saber.

— Mas elas são tão mandonas. Nem me veem como uma pessoa. Elas me fantasiavam como se eu fosse um boneco quando eu era pequeno. E viviam me falando o que fazer. *Não encosta nisso, e não encosta naquilo senão eu te mato.* Aff.

— Nossa, que infância traumática você teve, Angel Aristóteles Mendoza.

— Isso foi bem sarcástico, mãe.

— Não fica bravo comigo.

— Já estou bravo com você.

— Logo passa.

— Tá — falei. — Elas vão me interrogar? Vão fazer um monte de perguntas que não vou conseguir responder?

— Elas não são jornalistas, Ari, são suas irmãs.

— Posso convidar Dante para ir junto?

— Não.

— Por que não?

— Você sabe por que não. Justamente porque você quer convidá-lo. Ele vai acabar falando o tempo todo e você vai ficar lá parado vendo tudo se desenrolar. Adoro o Dante, e não quero que você o use como testa de ferro só porque não quer falar sobre coisas que te deixam constrangido.

— Que são a maioria das coisas.

— Isso.

— Eu falo com você, mãe, não falo?

— Uma mudança muito recente.

— Mas um passo na direção certa.

Eu estava com um sorriso idiota no rosto.

Minha mãe sorriu — e depois soltou um riso muito baixo. Passou os dedos no meu cabelo.

— Ah, Ari, deixa suas irmãs amarem você. Permita-se ser amado. Fique sabendo que tem uma longa fila de pessoas querendo que você as deixe entrar.

Vinte e quatro

LÁ ESTAVA EU, NA PIZZARIA, SENTADO DE FRENTE para minhas irmãs, Emilia, que era uma versão mais jovem de nossa mãe, e Elvira, que era uma versão mais jovem da minha tia Ophelia. Emmy e Vera, gêmeas.

Emmy, a Madame Dominadora, pediu uma pizza grande de pepperoni, linguiça e cogumelo. E uma coca para mim.

— Não bebo mais tanta coca.

— Você adorava coca.

— As coisas mudam.

— Bom, toma uma pelos velhos tempos.

— Bom, já que você já pediu.

Ela sorriu para mim. Nossa, queria que ela não se parecesse tanto com nossa mãe.

Vera revirou os olhos.

— Ela é mandona. Nasceu três minutos e trinta e três segundos antes de mim e é minha irmã mais velha desde então. Você não tem a mínima chance, Ari.

Eu estava com os cotovelos na mesa e apoiei a cabeça na palma das mãos.

— Nunca tive a mínima chance com nenhuma de vocês. Eu era o caçulinha que vocês faziam de capacho.

Emmy me abriu um de seus famosos sorrisos.

— Você era uma fofura quando pequeno. Te demos um ursinho de pelúcia, que você chamava de Tito. Levava Tito para tudo quanto é canto, era um fofo. Daí você fez dez anos e virou um demônio. Essa é a verdade. Nossos pais mimaram muito você.

— Ahh, os ressentimentos de irmãos.

Emmy estendeu a mão e puxou meu braço com delicadeza. Beijou meu dedo.

— Ari, saiba ou não, eu adoro você.

Vera concordou.

— Claro, sempre adorei você mais — falou.

— E você sempre nos ignorava — acrescentou Emmy.

— Pois é, então, sou um babaca. Mas vocês já sabiam disso.

— Você não é um babaca, Ari. — Vera parecia prestes a chorar. Na nossa família, ela era a rainha das lágrimas. — Você é muito duro consigo mesmo.

Emmy interveio bem na hora:

— É mesmo. Desde criança. Uma vez, você trouxe seu boletim para casa e, quando mostrou para a mamãe, ficou pedindo desculpa. Começou a socar a própria cabeça. A mamãe pegou seu braço com carinho e fez você sentar. Você estava se martirizando por causa de um mísero sete. Vários dez e nove, um oito, e um único sete. E ficava dizendo coisas como "É culpa minha". Tudo era culpa sua.

Vera concordou.

— Quando Bernardo foi embora, você perguntou para a mamãe: "Ele ficou bravo comigo? É por isso que ele foi embora?". Aquilo me deixou péssima, Ari. Você o amava muito. Quando Bernardo não voltou, você mudou. Ficou mais quieto, e se tornou reservado. Sempre se culpando por tudo.

— Não lembro de nada disso.

— Tudo bem não lembrar — Emmy disse.

Vera olhou para mim. Ela estava com um olhar doce e firme ao mesmo tempo.

— Tente não se responsabilizar por coisas pelas quais você não é responsável.

— Como ser gay?

— Isso.

— Tudo bem se você gosta de meninos — as duas falaram ao mesmo tempo como se tivessem treinado, sei lá.

Emmy riu.

— Afinal, nós também gostamos de meninos, então não somos ninguém para julgar.

— É normal para vocês gostarem de meninos — falei. — Para mim, não. E vou acabar virando o tio gay sobre quem seus filhos vão cochichar. O tio que nem é tão mais velho do que eles assim.

— Não acho que eles vão se importar. Eles adoram você.

— Não passo tanto tempo assim com eles.

— É verdade. Mas, quando passa, você é incrível. Faz as crianças darem risada e conta para elas histórias bestas que inventa do nada. Esse é um dom raro, aliás. E você cantava para elas.

Eu odiava as lágrimas que estavam escorrendo pelo meu rosto. O que estava acontecendo comigo?

— Obrigado — sussurrei. — Não sou muito bom em amar as pessoas. E a mamãe disse que eu deveria me permitir ser amado.

Vera me deu um peteleco no dedo.

— Ela tem razão. Sabe, Ari, não é tão difícil assim amar você.

— Acho que sou bem difícil de amar.

— Bom, está na hora de parar de acreditar tanto nas suas cismas.

— Onde foi que já ouvi isso antes?

— Você deve ter ouvido umas mil vezes, mas nunca prestou atenção. Está na hora de prestar atenção, cara.

Emmy era cheia de lições de vida. Não sei por que, mas o conselho dela soou como um comando. Fiquei me perguntando se seus dois filhos a achavam irritante.

— Ari, sempre amamos você, mesmo quando você não queria que amássemos. — Havia muita ternura na voz de Vera. — Você não pode decidir quem os outros amam.

— Acho que eu deveria amar vocês de volta.

— Não é uma obrigação, mas seria legal.

— Vou trabalhar nisso.

— Você é mesmo um espertinho, Ari, sabia disso?

— Sabia, sim. Dante diz que é parte do meu charme.

Houve um silêncio entre nós por um momento. Olhei para o chão e depois para elas, e vi aquele olhar que minha mãe tinha, um tipo de olhar que sempre me matava, porque não dizia apenas: *Eu te amo.* Dizia: *Vou te amar para sempre.*

— Acho que não mataria se eu dissesse que amo vocês duas.

— Bom, você acabou de dizer, e não morreu. Você sabe que nunca disse isso para nós?

Emmy concordou.

— Eu estava sendo um babaca mesmo, né?

A pizza chegou antes que Emmy ou Vera pudessem responder.

Vinte e cinco

ARI, SÓ QUEREMOS UMA COISA PARA VOCÊ: SEJA FELIZ.
Eu ainda ouvia a voz das minhas irmãs na minha cabeça. Felicidade.
O que isso queria dizer? Tinha que ser mais do que uma ausência
de tristeza. E essa palavra, "querer". Essa palavra estava relacionada
à palavra "desejo". Reescrevi mentalmente o que elas me disseram:
Nosso único desejo, Ari, é que você seja feliz.

Ouvi a voz de Dante na minha cabeça: *Vejo uma ânsia em você...
um anseio... Essas palavras moram dentro de você.*

Desejo. Uma coisa de corpo. Uma coisa de coração. O corpo e o
coração.

Antes, eu vivia em um mundo que era feito das coisas que eu
pensava. Eu não sabia que esse mundo era pequeno. Estava sufocando
em meus próprios pensamentos. Era como viver em um mundo de
faz de conta. E o mundo em que eu passara a viver estava ficando
cada vez maior.

Para começar, havia um céu nesse novo mundo em que eu vivia.
Era azul, grande e bonito. Mas onde no meu mapa eu escreveria a
palavra "feliz"? Onde no meu mapa escreveria "desejo"?

Um pensamento surgiu na minha cabeça: "feliz" e "desejo" não
andam de mãos dadas. São palavras que nunca andam de mãos dadas.
O desejo não deixa ninguém feliz... deixa angustiado.

Vinte e seis

NO MUNDO QUE EU ESTAVA MAPEANDO, CERTAS estradas levavam a certos lugares. Havia uma estrada que levava para o deserto, e eu queria chamar o deserto de Árido, porque continha meu nome. Eu pegaria essa estrada e ficaria lá, no deserto Árido, veria uma tempestade de verão se aproximar, inspiraria fundo e entenderia que o cheiro da tempestade era o cheiro de Deus. Eu mapearia um caminho que levasse até uma colina onde havia uma árvore de Mesquite e um pedregulho enorme. Eu sentaria no pedregulho e veria a tempestade chegar até onde eu estava — com os trovões e raios cada vez mais perto. Mas a tempestade não me ameaçava, porque não era uma presença opressora, e sim algo que vinha para me receber no mundo, e para me lembrar que eu era parte do deserto e de todas as coisas bonitas. Quando a chuva chegasse, cairia sobre mim, e *eu me tornaria parte dela*. Imaginei Dante me beijando na chuva. Eu não teria medo da tempestade. E nós dois ficaríamos ali sentados até aprendermos a linguagem da chuva.

E, no meu mapa, eu chamaria esse lugar de Lugar de los Milagros. O Lugar dos Milagres.

Vinte e sete

DANTE ATENDEU O TELEFONE NO SEGUNDO TOQUE.

— O sr. Dante Quintana está? Só vou tomar alguns minutos do seu tempo.

— Sim, aqui é o sr. Quintana. Posso saber com quem estou falando, que produtos você está oferecendo hoje e qual empresa você representa?

— Ora, claro. Meu nome é sr. Art Angel, e represento uma pequena agência de viagem e turismo, a Jaime, Lilly & Ari Limitada, com escritórios em San Antonio, Houston, Dallas, Albuquerque e nosso novo escritório em El Paso. Somos especialistas em pequenas viagens de baixo custo porque acreditamos que todos merecem viajar.

— Acho uma filosofia muito ilustre.

— Ilustre?

— Sim, sim, ilustre. Muito.

— Certo, como eu estava dizendo, sr. Quintana, hoje é seu dia de sorte. O senhor foi selecionado para aproveitar nosso pacote de viagem de fim de verão. Essa oferta inclui dois dias e meio de acampamento em Cloudcroft, no Novo México, com uma parada no fabuloso Parque Nacional White Sands. As dunas brancas são compostas de cristais de gipsita, que nunca esquentam, nem nos dias mais quentes de verão, proporcionando um ambiente ideal de trilhas para uma experiência descalça confortável, perfeito para indivíduos que desenvolveram uma antipatia por sapatos.

— Antipatia? Eles ensinam essas palavras para vocês nas conferências de vendas?

— O senhor deve ter uma ideia errada do nível educacional de nossa equipe de vendas.

— Bom...

— Como eu estava dizendo, as dunas brancas oferecem a oportunidade ideal para uma perfeita experiência descalça. Das dunas, a vista de Cloudcroft é nada menos do que espetacular, e o senhor não precisa ter experiência prévia em acampamentos para aceitar nossa oferta. O transporte e todas as despesas serão completamente cobertos por nossa empresa.

De repente, caiu um silêncio do outro lado da linha.

— Dante? Você está aí?

E então o ouvi sussurrar:

— Está falando sério, Ari? De verdade?

Fiz que sim ao telefone.

— Não chora.

— Eu não ia chorar.

— Ia, sim.

— E, se eu quiser chorar, eu choro. Você não manda em mim.

Eu o ouvi chorar. Depois ele se controlou.

— Não preciso ter mais de vinte e um anos para aceitar a oferta extremamente generosa da sua empresa? — perguntou.

— Não — falei. — Tudo de que nossa empresa precisa é uma declaração assinada por um dos pais ou responsáveis.

Caiu outro silêncio do outro lado da linha.

— E vamos passar todo esse tempo sozinhos?

— Vamos — sussurrei.

— Você é o ser humano mais incrível que já caminhou pelo planeta Terra.

Sorri ao telefone.

— Você pode não pensar assim depois de passar três dias comigo. Talvez seja o antídoto para se apaixonar por um menino feito eu.

— Não preciso de um antídoto. Não tenho nenhuma doença.

Eu tenho, pensei. *Mais doente de amor, impossível.*

Vinte e oito

Querido Dante,

Fui procurar no porão os equipamentos para acampar. Meu pai deixou tudo perfeitamente organizado. Depois de cada viagem, ele deixa tudo arejando lá fora antes de guardar. E cuida para que tudo esteja limpo e pronto para a próxima. Mas faz muito tempo que não vamos acampar. Dei uma boa olhada em todo o equipamento: uma barraca, dois lampiões de querosene, dois sacos de dormir, um fogãozinho, um botijãozinho e algumas lonas. Tudo bem organizado e empilhado numa prateleira que meu pai mesmo construiu. Lembro de ajudar a construir as prateleiras quando estava no quinto ou sexto ano. Não o ajudei muito, na verdade. Só fiquei vendo ele trabalhar. A única coisa que lembro da construção das prateleiras é o sermão baixo do meu pai sobre ter respeito pelas serras. "Se você gosta de ter dedos, é melhor prestar atenção e se manter concentrado." É claro que ele não me ensinou de verdade a usar a serra. Não me deixou chegar perto quando estava cortando a madeira. Acho que talvez ele também tenha ouvido sermão da minha mãe sobre não me deixar perto da serra.

Quando penso nisso agora, chego à conclusão de que minha mãe sempre foi um pouco superprotetora comigo. Eu achava que ela era apenas mandona. Mas agora não acho nada mandona. Acho que sempre teve medo de me perder. Acho que o medo vem das experiências dela com meu irmão mais velho.

Lembro que você me contou que vivia analisando seus
pais. E agora estou começando a analisar os meus.
Quando foi que recebemos diploma em psicologia?

FECHEI O DIÁRIO E OLHEI PARA PERNINHA, DEITADA
aos meus pés.

— Perninha, você lembra dos seus pais?

Perninha olhou para mim e colocou a cabeça no meu colo.

— É claro que não. Eu sou seu pai. E sou um bom pai, não sou?

Por que é que conversamos com os cachorros como se eles entendessem as besteiras que falamos? Ergui a cabeça dela e dei um beijo na sua testa.

Minha mãe entrou na cozinha e balançou a cabeça.

— É fofo que algumas pessoas beijem os cachorros. Mas eu demonstro amor dando comida.

— Talvez seja porque você gosta mais de gatos do que de cachorros.

— Eu gosto de gatos. Gosto de cachorros também. Mas não na minha cama, e não saio por aí dando beijos neles. — E então ela olhou para Perninha. — E sorte a sua por ter Ari como dono. Senão, você dormiria no quintal lá fora como todo bom cachorro que se preze. — Ela cortou uma fatia de queijo e deu para Perninha. — É assim que se ama um cachorro.

— Não, mãe, é assim que se suborna um cachorro.

Eu e meu pai examinamos os materiais de acampamento.

— Então, você e Dante vão acampar?

— Por que você está com esse sorriso?

— É que estou tentando imaginar Dante em um acampamento.

Não consegui segurar o riso.

— Vou ter muito trabalho pela frente. Ele vai se virar.

— A gente vivia indo acampar.

— Por que a gente parou?

— Não sei. Você adorava acampar. Sempre foi um menino muito

sério. Mas, quando ia acampar, parecia relaxar. Ria muito e ficava admirado com tudo ao redor. Pegava tudo que conseguia e ficava virando de um lado para o outro como se estivesse tentando chegar às origens de um mistério. Lembro a primeira vez que acendi uma fogueira com você. O brilho de fascínio nos seus olhos. Você devia ter uns quatro anos e pegou a mão da sua mãe e gritou: "Mãe! Olha! Fogo! O papai fez fogo!". Era mais fácil para mim quando você era pequeno.

— Mais fácil?

— Um homem como eu. — Ele parou. — Um homem como eu consegue demonstrar afeto para uma criança, mas é mais difícil... — Ele parou. — Você se acostuma a não falar. Se acostuma ao silêncio. É difícil, sabe, quebrar um silêncio que se torna parte de como você se vê. O silêncio se tona um estilo de vida, Ari...

Ele baixou o olhar, depois voltou a me encarar.

Eu sabia que havia lágrimas escorrendo pelo meu rosto. Nem tentei contê-las.

— Não é que eu não te amasse. É só que, bom, sabe.

— Eu sei, pai.

Entendi o que meu pai estava tentando dizer. Encostei nele, tremendo sem parar... e, então, me peguei chorando no ombro do meu pai feito um garotinho. Ele me abraçou. Eu sabia que estava acontecendo algo entre nós, algo importante — não havia palavras para o que estava acontecendo. Embora as palavras fossem importantes, não serviam para tudo. Muitas coisas aconteciam fora do mundo das palavras.

Eu não sabia se chorava por causa do que meu pai tinha dito. Acho que em parte, sim, mas, na verdade, eu chorava por muitas coisas, por mim e meu desejo pelo corpo de outro menino, o que era misterioso, aterrorizante e confuso. Chorava pelo meu irmão, cujo fantasma me assombrava. Chorava porque percebi o quanto amava meu pai, que estava se tornando alguém compreensível para mim. Não mais um desconhecido. Chorava porque tinha perdido muito tempo pensando merdas sobre ele, em vez de vê-lo como o homem pacato e bondoso que havia passado por um inferno chamado guerra e sobrevivido.

É por isso que eu chorava.

Minha mãe tinha dito que ela e meu pai eram apenas pessoas. Ela tinha razão. Talvez fosse mesmo um sinal de que eu estava crescendo, saber que meus pais eram pessoas e que sentiam as mesmas coisas que eu — só que eles vinham sentindo aquelas coisas por muito mais tempo e tinham aprendido o que fazer com os sentimentos.

Soltei meu pai devagar e assenti. Ele assentiu em resposta. Quis memorizar o sorriso suave estampado em seu rosto e o levar comigo aonde quer que eu fosse. Quando virei para sair do porão, vi minha mãe ao pé da escada. Finalmente entendi o que significava quando as pessoas diziam que alguém chorou "lágrimas de alegria".

Vinte e nove

Querido Dante,

Antes eu estranhava meninos como você, que choravam — e agora, porra, me tornei um deles. Não sei se gosto disso. Quer dizer, não que eu esteja chorando sem motivo, quer dizer, caramba, sei lá o que quero dizer. Estou mudando. E é como se todas essas mudanças estivessem vindo de uma vez para cima de mim. E as mudanças não são ruins. Quer dizer, são boas. São mudanças boas.

Eu não gostava de quem eu era.

E agora simplesmente não sei quem sou. Bom, sei quem sou. Mas estou basicamente virando alguém que não conheço. Não sei quem vou me tornar.

Mas estou melhor, Dante. Sou uma pessoa melhor — embora isso possa não dizer muita coisa.

Quando a gente se conheceu, lembro que você me disse que era louco pelos seus pais. E pensei que essa era a coisa mais estranha que eu já tinha ouvido da boca de outro menino. Sabe, às vezes não sei de porra nenhuma. Acho que sempre amei meu pai e minha mãe. Talvez eu só não achasse que meu amor por eles fosse tão importante assim. Afinal, eles eram meus pais, certo? Sempre pensei que eu era meio invisível para eles. Mas era o contrário. Eles que eram invisíveis para mim.

Porque eu não era capaz de enxergá-los.

Acho que sou como um filhote de gato, que nasceu com os olhos fechados, andando por aí e miando porque não enxergava aonde estava indo.

Mas, Dante, adivinha? Esse porra de filhotinho aqui abriu os olhos. Eu enxergo, Dante, eu enxergo.

Trinta

NA NOITE ANTES DE SAIRMOS PARA ACAMPAR, OS Quintana me convidaram para jantar. Minha mãe assou uma torta de maçã.

— Não é educado chegar à casa de alguém de mãos abanando.

Meu pai sorriu e disse:

— Sua mãe age como imigrante. Ela não consegue se conter.

Achei aquilo muito engraçado. Minha mãe também, na verdade.

— Mandar uma torta não é coisa de imigrante.

— Ah, é, sim, Lilly. Pode não ser *tamales* e *chiles* assados, mas continua sendo coisa de imigrante. Você só colocou um disfarce americano. Torta de maçã? Mais americano, impossível.

Minha mãe deu um beijo na bochecha dele.

— Cala a boca, Jaime. *Estás hablando puras tonterías.* Vai lá fumar seu cigarro, vai.

Normalmente vou a pé para a casa de Dante, mas decidi pegar a caminhonete. Me imaginei derrubando a torta na calçada e quis evitar o drama. Fiquei traumatizado quando derrubei um prato de porcelana cheio dos biscoitos de Natal da minha mãe aos sete anos. Tinha sido a última vez que eu chorei, sem contar os eventos mais recentes. E olha que minha mãe nem ficou chateada. Na verdade, foi ela quem ficou me consolando — o que só piorou tudo.

Deu para ver que minha mãe concordava plenamente com a minha decisão.

— Você está demonstrando sinais de sabedoria.

— Mãe, talvez eu só esteja demonstrando sinais de praticidade.

— Bom, ser sábio e prático não são mutuamente excludentes.

Concordei.

— Você está ficando bom em não revirar os olhos para mim. Isso demonstra autocontrole.

Deu para ouvir a risada do meu pai do outro cômodo.

— Mãe, acho que você nunca vai aprender a tirar sarro direito.

Ela sorriu para mim e me entregou a torta.

— Divirta-se. Manda beijo para os pais do Dante.

— Mãe, eles não precisam do seu beijo — falei, de saída. — Precisam é da sua torta de maçã.

Deu para ouvir a gargalhada dela enquanto eu fechava a porta delicadamente e me dirigia à casa de Dante.

No curto caminho, eu sorri... eu sorri.

A sra. Quintana atendeu a porta. Me senti um pouco tímido e um pouco tonto ali parado, segurando uma torta de maçã.

— Oi — eu disse. — Minha mãe mandou um beijo e esta torta de maçã.

Nossa, a sra. Quintana poderia ganhar um concurso de sorrisos.

Ela pegou a torta. Só consegui pensar que eu não tinha derrubado a torta e que ela estava a salvo nas mãos de alguém que tinha experiência em manusear tortas. Entrei na sala de jantar, onde o sr. Quintana estava servindo uma grande bandeja cheia de tacos.

— Fiz meus tacos mundialmente famosos — ele disse e sorriu para mim.

Dante entrou na sala, usando uma camisa rosa com um jacarezinho. Tentei não notar como o rosa contra sua pele clara quase o fazia brilhar. Nossa, como ele era bonito. Dante. Caralho. Nossa.

— E eu fiz o arroz.

— Você cozinha? Quem diria!

— Ah, só sei fazer arroz e esquentar sobras.

Aquela expressão doce em seu rosto. Dante sabia ser humilde.

Devo admitir que o sr. Quintana faz uns tacos nota dez. E o arroz mexicano de Dante era de chorar. Não tão soltinho quanto o da minha mãe, mas, ainda assim... Eu e Dante devoramos cinco tacos cada, o sr. Quintana comeu quatro, e a sra. Quintana se desculpou por comer três.

— Normalmente como só dois, mas estou comendo por duas pessoas. E ele não para de chutar.

Os olhos de Dante brilharam.

— Ele está chutando agora?

— Com certeza. — Ela fez sinal para ele. — Vem sentir.

Dante levantou em meio segundo e parou perto da mãe. Ela pegou a mão dele e a posicionou na barriga.

— Viu?

Dante não disse uma palavra — até que, finalmente, falou:

— Ai, mãe, que incrível. Ai, meu Deus, isso é, isso é vida. Você tem toda essa vida dentro de você. Ai, mãe. — Depois de um tempo, ele tirou a mão devagar e beijou o rosto da mãe. — Sabe, mãe, quando brigo com você, é da boca para fora.

— Eu sei. Quer dizer, exceto pela questão dos sapatos.

— É — ele disse, sorrindo —, exceto pela questão dos sapatos.

— Por falar nisso, Ari, vou te nomear delegado dos sapatos. Dante só tem permissão de andar descalço em White Sands.

— Pode deixar comigo.

— Você vai ficar do lado dela?

— Não responda a essa pergunta — o sr. Quintana disse. — Não existe resposta certa.

Dante lançou um olhar ácido para o pai.

— Meu pai acha que ele é a Suíça. Sempre escolhendo a neutralidade.

— Não. Eu escolho a sobrevivência.

Dei risada.

— Bom, já esperei tempo demais para comer uma fatia da torta de maçã da Lilly. Vamos para a sobremesa e podemos conversar sobre como vocês dois vão se comportar no acampamento.

Ai, meu Deus, pensei que fosse morrer. Ela não podia falar sobre sexo. Quer dizer, a verdade era que eu só pensava naquilo, o que só prova que eu era como todos os outros meninos de dezessete anos do planeta. Fiquei paralisado. O bom é que a sra. Quintana estava ocupada cortando e servindo a torta de maçã. Senão, ela poderia ter notado na minha cara que eu queria me esconder embaixo da mesa.

— Nada de fumar maconha nem beber cerveja. Entendido?

— Sim, senhora — falei —, entendido.

— Ah, não estou preocupada com você, Ari. Esse sermão é mais para o meu Dante.

— Mãe, até parece que consigo arranjar maconha do nada.

— Não sei, não, Dante; você tem seus recursos.

— Ah, mãe, vai me dizer que você e o pai nunca fumaram maconha nem tomaram cerveja quando eram menores de idade?

— O que seu pai fazia e o que eu fazia quando éramos menores de idade, um, não é da sua conta e, dois, é irrelevante para a sua situação. Sou mãe, e você pode achar que meu único desejo é controlar você, mas estaria enganado. Só não quero que se metam em nenhuma encrenca. Vocês já têm que lidar com muita coisa. E sabe do que estou falando, então não teima comigo.

Ela beijou a testa de Dante enquanto servia uma fatia de torta para ele.

O sr. Quintana soprou um beijo para a sra. Quintana.

— Viu — Dante disse. — Viu que ele acabou de mandar um beijo para ela? Está dizendo *Bom trabalho, amor*. E depois ainda vem achar que é a Suíça. — Ele fez uma careta, deu uma garfada na sua fatia de torta e, quando a provou, antes mesmo de engolir, arregalou os olhos como nunca. — Ai, meu Deus, puta que pariu, é a melhor torta que já comi na vida.

A sra. Quintana baixou a cabeça e fez que não.

— Estou prestes a lavar sua boca com sabão. Sei que você adora esses palavrões, assim como você sabe que eu odeio. Você tem um vocabulário enorme, e tenho certeza de que consegue encontrar outras palavras para substituir.

— Procurei outras palavras. Mas nem se comparam.

— Está vendo minha cara de decepção? Posso não conseguir impedir você de falar palavrão quando não estiver na minha presença, mas não use essas palavras na minha frente. Nunca.

81

— Desculpa, mãe. De verdade. Mesmo. — Ele apontou o garfo para o pedaço de torta. — Experimenta.

Ela lançou um de seus famosos olhares para Dante, depois experimentou a torta de maçã.

— Ai, meu Deus, Ari, onde sua mãe aprendeu a fazer torta?

— Não sei. Ela sempre mandou bem na cozinha.

— Ela é tão boa na sala de aula quanto é na cozinha?

— Tenho impressão que sim.

A sra. Quintana assentiu enquanto dava mais uma mordida.

— Também tenho essa impressão — ela disse. — E quase consigo perdoar você por usar essa palavra.

Dante fez uma cara vitoriosa.

— Não fica se achando. Eu disse "quase".

Então notei que o sr. Quintana estava se servindo de um segundo pedaço da torta da minha mãe.

— Sam, você sentiu o gosto da torta? Ou só cheirou?

— Ô, se senti. Podem ficar conversando aí. Estou ocupado apreciando a torta de maçã da Lilly.

Dante sorriu para mim.

— Deus abençoe a torta da sua mãe. Fez a minha parar de dar sermão.

— Você não sabe parar quando está ganhando, né, Dante?

A sra. Quintana não conseguiu segurar o riso.

Levamos, sim, mais um breve sermão da sra. Quintana — mas não liguei. Ela se importava. Também me ajudou a entender de onde Dante havia puxado sua teimosia. Da mãe, claro. Quando acabou, ela deu um beijo nas nossas bochechas. Depois olhou para mim.

— Dante nunca vai deixar de tentar ser mais teimoso do que eu. Ele nunca vai conseguir, mas isso não vai impedi-lo de tentar. E fala para a Lilly que ela é genial e que vou devolver a travessa de torta dela amanhã.

O que significava que nossas mães ficariam falando sobre os filhos enquanto estivéssemos fora.

* * *

Eu e Dante sentamos na escada da frente e olhamos para o fundo da escuridão. Dante tirou os sapatos.

— Quando estávamos falando besteira ao telefone, você não sabia o que significava "ilustre", sabia?

Eu nem precisava olhar para saber que ele estava com aquela cara de *Sou mais inteligente que você*.

Decidi ignorar o tom; eu já estava acostumado.

— Não, acho que nunca tinha ouvido antes. Não fazia ideia. Mas agora adicionei uma palavra nova ao meu léxico.

— Léxico?

— Léxico — repeti. — Ilustre. Significa digno de elogios. Do latim *"illustris"*. Brilhante.

— Olha só você, Aristóteles Mendoza.

— É, olha só eu.

— Daqui a pouco vai estar falando como um dicionário.

— Nem fodendo. Nem fodendo.

Dante me levou até a caminhonete.

— Estou te beijando agora.

— Também estou te beijando — falei, e saí com o carro.

Trinta e um

Querido Dante,

Não consigo parar de pensar em você. Não consigo parar de pensar em como vai ser dormir com você. Nós dois pelados. Como vai ser a sensação de te beijar e beijar e beijar. E tenho muito medo. Não sei por que tenho tanto medo. Nunca estive tão animado, nem tão feliz, nem com tanto medo.

Você também está com medo, Dante?

Por favor, diz que está com medo.

Trinta e dois

PASSEI A NOITE EM CLARO. NÃO CONSEGUIA PEGAR no sono. Dante. Dante. Dante.

Quando amanheceu, saí para correr. Eu sentia o sal do meu suor escorrendo pelo rosto, e pensei no meu próprio corpo. Talvez meu corpo fosse como um país e, se eu fosse um cartógrafo, a primeira coisa que eu teria que fazer seria mapear meu corpo. E aproveitar para mapear o de Dante.

Quando eu estava no chuveiro, sussurrei o nome dele. Dante.

Dante, Dante, Dante. Ele era como um coração que batia em todos os poros do meu corpo. Seu coração batia no *meu* coração. Seu coração batia na minha cabeça. Seu coração batia na minha barriga. Seu coração batia nas minhas pernas. Seu coração batia nos meus braços, nas minhas mãos, nos meus dedos. Seu coração batia na minha língua, nos meus lábios. Não era de admirar que eu tremia. Tremia, tremia, tremia.

Trinta e três

A CAMINHONETE DO MEU PAI FICOU LOTADA COM nossos equipamentos de camping. Meu pai não me deixou levar minha própria caminhonete. Tivemos uma conversa quando voltei do jantar na casa dos Quintana.

— Aquela caranga é boa para dirigir pela cidade, mas você precisa de um veículo confiável.

— Está dizendo que minha caminhonete não é confiável, pai?

— Você está me olhando como se eu tivesse acabado de te ofender.

— Talvez você tenha ofendido.

— Não invista demais sua personalidade naquela caminhonete — minha mãe disse.

— Você está falando que nem a sra. Quintana.

— Vou encarar isso como um elogio.

Nem eu nem Dante conseguiríamos ser mais teimosos do que nossas mães.

Enquanto eu corria, minha mãe preparou um saco de burritos para mim. Olhei para a sacola, todos eles enrolados em papel-alumínio.

— Que tipo?

— *Huevos con chorizo y papas.*

Não consegui conter o sorriso. Ela sabia que eram meus preferidos.

— Melhor mãe do mundo — falei.

Ela penteou meu cabelo com os dedos.

— Você e Dante tomem cuidado. Voltem a salvo para mim.

Fiz que sim.

— Prometo, mãe, vou tomar cuidado.

Ela me beijou… e fez o sinal da cruz na minha testa.

— E divirtam-se.

Meu pai me entregou as chaves da caminhonete.

— Não destrua minha caminhonete enquanto eu estiver fora — falei.

— Espertalhão.

Ele me ofereceu um pouco de dinheiro.

— Eu tenho dinheiro, pai.

— Toma.

Aceitei. Meu pai estava me dando algo. E não era dinheiro. Era uma parte de si mesmo.

Eles acenaram para mim do alpendre enquanto eu ligava a caminhonete. Perninha olhava para mim como se eu a tivesse traído por não levá-la para o acampamento. Bom, quer dizer, ela não parecia tão triste assim sentada entre meus pais. Afinal, meu pai amava aquela cachorra quase tanto quanto eu.

Acenei de volta para eles.

Eles pareciam tão cheios de vida, minha mãe e meu pai. Pareciam cheios de vida porque eram cheios de vida em um sentido que a maioria das pessoas não é.

Dante e seus pais estavam sentados no alpendre quando cheguei à casa dele. Enquanto eu estacionava, Dante desceu os degraus saltitante, com mochila e tudo. Seus pais acenaram para mim.

— Se vocês se meterem em alguma encrenca, é só pegar um telefone e ligar para nós a cobrar.

— Pode deixar! — gritei.

Notei que o sr. Quintana estava abraçando a sra. Quintana e beijando a bochecha dela. Sussurrava alguma coisa.

Enquanto subia na caminhonete, Dante gritou para os pais:

— Amo vocês.

Os pais de Dante agiam como se tivessem acabado de se casar. Eu gostava tanto disso. Havia algo entre eles que me fazia pensar que seriam jovens para sempre. Dante era como eles. Também seria jovem para sempre. Agora eu? Já agia que nem um velho.

Virei a chave, e não sei se meu sorriso era pequeno ou grande. Dante tirou os tênis, e disse:

— Estou escrevendo um poema para você. Ainda não terminei, mas o final já está pronto. "Você é todas as ruas em que já andei. É a árvore em frente à janela, é um pardal em pleno voo. É o livro que estou lendo. É todos os poemas que já amei."

Senti como se eu fosse o centro do universo. Só Dante me deixava assim. Mas eu já sabia a verdade: nunca seria o centro do universo.

Trinta e quatro

QUANDO PEGAMOS A ESTRADA, APONTEI PARA O SACO no banco.

— Trouxe burritos. Minha mãe fez.

— Sua mãe é demais.

Dante me deu um burrito e pegou um para si. Tirou o papel-alumínio e pegou um guardanapo do saco. Deu uma mordida.

— Tá bom pra caralho — falou.

— Tá, sim. Minha mãe fez as tortilhas ontem à noite.

— Tortilhas caseiras? Nossa. Será que ela ensina minha mãe?

— E se sua mãe não quiser aprender?

— Por que ela não iria querer?

— Porque dá trabalho. E, quando as pessoas descobrem que você sabe fazer, já era. Minhas irmãs se recusaram. Elas compram.

Dante sorriu.

— Bom, talvez sua mãe *me* ensine a fazer.

— Acho uma boa. Você pode fazer quantas tortilhas quiser para mim.

— Ha, ha, ha, ha, ha. Acha que vou ficar fazendo tortilhas para você o tempo todo? De jeito nenhum. As suas você pode comprar na loja.

— Suas tortilhas provavelmente não ficariam boas mesmo.

— Por quê?

— Porque precisa de paciência para aprender a fazer tortilhas.

— Está dizendo que não sou paciente?

— Estou dizendo o que estou dizendo.

— Se continuar falando assim, vai ter que me beijar de novo.

— Paciência, meu bom homem, paciência.

Fizemos palhaçada por todo o caminho até White Sands. Estar com Dante me deixava brincalhão. E, por algum motivo, nós dois estávamos com muita fome. Quando chegamos, cada um de nós tinha comido três burritos. E ainda estávamos com fome.

Trinta e cinco

NO SEGUNDO EM QUE ESTACIONEI AO PÉ DE UMA duna de gipsita gigantesca, Dante abriu a porta e saiu correndo pelo oceano de areia branca diante de nós.

— Ari! Que demais! Caralho, que demais!

Lá se foi a camisa enquanto ele subia até o topo da duna.

— Ai, meu Deus!

Eu adorava olhar para ele, Dante sem censura, Dante sem medo de agir como um menininho, Dante sem medo de agir como um pateta, sem medo de ser ele mesmo, sem medo de ser parte do todo ao seu redor. Observei enquanto ele se virava e abria os braços. Ele pegaria a paisagem inteira no colo se fosse possível.

— Ari! Ari! Olha! É infinito!

Tirei a camisa e peguei o protetor solar do porta-luvas. Subi a duna devagar. A areia era macia e fresca, os elementos ásperos incapazes de roubar a inocência remanescente da terra. Lembrei da primeira vez em que minha mãe e meu pai me levaram lá. Minhas irmãs me enterraram na areia, e eu assisti ao pôr do sol de mãos dadas com minha mãe. Ficamos para alguma programação noturna, e lembro do meu pai me carregando nos ombros na volta para o carro.

— Ari? Você está perdido em pensamentos?

— Desculpa.

— Em que estava pensando?

— Você.

— Mentiroso.

— Você me pegou. Estava pensando na primeira vez em que vim aqui com minha mãe, meu pai e minhas irmãs. Eu devia ter uns cinco anos.

Dante pegou o protetor solar de mim e em seguida senti o frescor das suas mãos ensopadas de loção nas minhas costas e nos ombros. Pensei no dia em que ele me banhou com uma esponja depois do acidente e das lágrimas em seu rosto e em como o odiei porque era eu quem deveria estar com o rosto cheio de lágrimas. Aquelas lágrimas dele diziam *Você salvou minha vida, Ari*, e eu não queria pensar naquilo. Naquela época, naquele momento, achei que o odiasse, sem nem saber o motivo, mas ao mesmo tempo pensava em como era impossível odiá-lo — sem perceber que na verdade era porque o amava muito.

— Vira — ele disse, e obedeci.

Ele passou o protetor no meu peito, ombros e barriga, e ri porque meio que fez cócegas.

— Eu te amo, Aristóteles Mendoza — sussurrou.

Eu não disse nada. Só olhei no fundo de seus olhos castanho-claros, e acho que eu estava sorrindo, porque ele disse:

— Sorriso maravilhoso.

Ele me deu o protetor. Enquanto eu passava no peito, nos braços e nas costas dele, só pensava em como ele era perfeito, seu corpo de nadador, sua pele. Bem ali, senti meu coração bater como se quisesse saltar do meu peito para o dele e ficar lá para sempre.

— Em que você está pensando, Ari? Me diz.

— Estou pensando que, se eu morresse agora, por mim tudo bem.

— Ninguém nunca me disse algo assim antes. É uma coisa muito bonita de dizer. De verdade. Mas eu não gostaria de que a gente morresse aqui e agora.

— Por que não?

— Porque você ainda não fez amor comigo.

Aquilo me fez sorrir. Sorrir de verdade.

— Você sabia que isso já foi um oceano? Imagine toda essa água.

— Eu poderia ter ensinado você a nadar nesse oceano.

— E poderia ter me ensinado a mergulhar nessas águas.

Ele fez que sim e sorriu.

— Por outro lado — falei —, a gente poderia ter se afogado nessas águas.

— Sério? Você tinha mesmo que falar isso?

Ele pegou minha mão.

Entramos nas dunas eternas de areia branca e logo estávamos longe de todas as pessoas do mundo. Todas haviam desaparecido do universo, exceto o jovem de mão dada comigo, e tudo que já havia nascido e tudo que já havia morrido existia onde sua mão tocava a minha. Tudo — o azul do céu, a chuva nas nuvens, o branco da areia, a água nos oceanos, todas as línguas de todas as nações, e todos os corações partidos que haviam aprendido a bater mesmo assim.

Não conversamos. Era o momento mais silencioso que eu já tinha vivido. Até meu cérebro agitado estava quieto. Tão quieto que me senti numa igreja. De repente me ocorreu que meu amor por Dante era sagrado, não porque eu fosse sagrado, mas porque o que eu sentia por ele era puro.

Não, não conversamos. Não precisávamos conversar. Porque estávamos descobrindo que o coração podia fazer música. E estávamos ouvindo a música do coração. Vimos raios ao longe e ouvimos o eco do trovão. Dante se encostou em mim… e o beijei. Ele tinha gosto de suor e um vestígio dos burritos da minha mãe. O tempo não existia, e não importava o que o mundo pensasse de nós, porque não vivíamos no mundo de ninguém além do nosso naquele momento.

Parecia que *tínhamos* mesmo nos tornado cartógrafos de um mundo novo, mapeado um país nosso e apenas nosso. E embora soubéssemos que aquele país desapareceria, quase tão rapidamente quanto havia surgido, tínhamos cidadania plena ali e éramos livres para nos amar. Ari amava Dante. Dante amava Ari.

Não me senti perdido quando beijei Dante. Nem um pouco perdido. Eu tinha encontrado o meu lugar.

Habitando na terra do que importa

Há uma voz no universo que detém a verdade de todos aqueles que caminham sobre a terra. Acredito que nascemos por motivos que não entendemos — e cabe a nós descobrir esses motivos. Essa é sua única missão. Se tiver coragem para parar e escutar a voz do universo no silêncio que habita dentro de você, sempre saberá o que importa — e saberá também que você importa mais para o universo do que jamais poderá supor.

Um

A COR DA TERRA MUDA COM A LUZ. A VOZ DO MEU PAI na minha cabeça. A luz no deserto era tão diferente da luz nas montanhas filtrada pelas árvores. A inclinação da luz fazia tudo parecer puro, intocado e suave. A luz no deserto era uma pancada, e nada tocado por ela era suave — tudo tinha uma casca grossa porque só com uma casca grossa dava para sobreviver. Talvez por isso eu também fosse casca-grossa... porque era como o deserto que eu amava. Dante não, porque vinha de um lugar mais suave, onde havia água e folhas tenras que filtravam a luz na medida certa para impedir que seu coração virasse pedra.

— Quantos quilômetros já viajamos?

Sorri.

— Esse é seu jeito de perguntar se já chegamos?

Dante me lançou um daqueles olhares como se estivesse se segurando para não revirar os olhos.

— Uns cento e trinta quilômetros — respondi. — Acho que faltam uns quarenta quilômetros até chegarmos a um lugar para acampar.

— Acampar. Sabe a origem dessa palavra?

— Por que você gosta de saber de onde as palavras vêm?

— Não sei. Me apaixonei por dicionários quando tinha seis anos. Minha mãe achava melhor eu brincar de Lego, mas, sei lá, meus pais sabiam que eu não ligava muito para brinquedos. Então pararam de tentar me transformar em alguém que eu não era.

— É isso que faz deles bons pais.

— É, acho que você tem razão. Quando eu tinha oito anos, eles me deram a edição compacta do dicionário de inglês Oxford. Melhor presente de Natal que já ganhei.

— Aos oito anos, me deram uma bicicleta. Melhor presente de Natal que já ganhei.

Dante sorriu.

— Viu, somos exatamente iguais.

— Então — falei —, você ia me contar da palavra "acampar".

— Mas você não liga.

— Me conta mesmo assim. Você não pode começar um pensamento e não terminar.

— Essa é uma regra nova?

— É.

— Vai ser mais difícil para você seguir do que para mim.

— Não duvido que você vá chamar a minha atenção por isso.

— Pode apostar.

— Essa resposta foi muito Ari.

— Você está me influenciando.

— Você está numa baita enrascada, então.

— Talvez você fosse exatamente o tipo de enrascada que eu estava procurando.

Eu nunca tinha me divertido daquela forma com ninguém além de Dante.

— Então, qual é a da palavra "acampar"?

— "Acampar" vem de campo. Era um termo para descrever um lugar geográfico plano usado para exercícios militares. Mas *camp*, em inglês, é também uma gíria que se refere a um certo exagero ligado aos homens homossexuais, principalmente quando estão em destaque.

Dei risada. Mas não sabia se estava entendendo bem. Dante reparou na minha cara de dúvida.

— Sabe, quando um cara se comporta de um jeito, sabe, supergay de propósito ou se alguém… Chamam isso de *camp*. E qualquer um que tenha péssimo gosto… é… — Ele parou. Dava para ver que tinha pensado em algo. — O Village People: eles são *camp*. A essência deles é *camp*.

Eu sorri.

— O Village People? Cacete, o Village People.

Dante começou a cantar "Macho Man". Ele entrou no clima, rindo sozinho. Finalmente, disse:

— Você acha que pareço gay?

De repente, com aquela única pergunta, parou de fazer palhaçada e ficou pensativo e sério.

— Como assim? Tipo, você é gay, não é? E eu também sou gay. Nossa, é engraçado falar isso. Sabe, aquela vez na sua casa que você me falou que sua mãe era inescrutável? Eu não sabia o que essa palavra queria dizer, então fui para casa e pesquisei. Assim descobri essa palavra e ela começou a morar dentro de mim. Essa palavra ficou diferente, porque passou a ser minha. Com a palavra "gay" é a mesma coisa. Acho que vai levar um tempo até ela morar dentro de mim.

Dava para ver que Dante estava pensando.

— Não existem palavras na nossa língua para descrever você, Ari Mendoza. Não existem palavras em nenhuma língua.

— Porra, a gente está numa rasgação de seda.

— Que ridículo. Acabei de dizer uma coisa ótima sobre você. Só agradece. — E então ele começou a cantarolar "YMCA", uma música que eu detestava, mas que todo mundo parecia gostar. Seu rosto se iluminou com um sorriso que me lembrava a luz no deserto logo antes de o sol se pôr. — Sabe, Ari, você não parece o tipo de cara que gosta de outros caras.

— Seja lá o que isso significa.

— Você sabe o que estou dizendo.

— Sim, eu *sei* o que você está dizendo. Não, não acho que você pareça gay… por exemplo, se você fizesse teste para entrar no Village People, acho que não passaria. E, enfim, gostar de outros caras significa que você tem que agir de determinada forma?

— Para alguns caras, acho que sim.

— Você pensa muito nisso, Dante?

— Acho que sim. E você?

— Não. Penso mais em você.

— Boa resposta.

— Palavra de homem.

— A gente deveria se acostumar a evitar usar essas expressões.

— Tem algum manual para homens gays?

— A gente deveria escrever um.

— A gente não sabe porra nenhuma sobre ser gay.

— Tem algum curso que a gente possa fazer?

Olhei para ele.

Ele passou os dedos no cabelo.

— E se o mundo inteiro soubesse?

— Sorte a nossa que o mundo está cagando para nós. Não somos importantes o bastante para sermos investigados pelo FBI ou coisa assim.

— É, acho que você tem razão. Talvez seja uma boa ideia tentar não ser *camp*.

— Bom, por enquanto, vamos ficar com o camping e deixar a estética supergay cafona de lado.

— Você nunca vai ser *camp*, Ari.

— Como você sabe?

— Não combina com você.

— Não sei bem o que combina comigo. Ninguém sabe o que vai ser no futuro. Mas você? Você, Dante, vai ser um artista famoso. Você *é* um artista. A arte não é só o que você faz, é o que você é.

Ele fez uma cara séria e feroz.

— É o que mais quero. Quero ser artista. Não preciso nem ficar famoso. Ou ganhar dinheiro. Desde sempre sonho em ser artista. E você, Ari?

Pensei na lista que tinha feito — das coisas que eu queria fazer. Pensei em dois itens que havia riscado: *Aprender a tocar violão* e *Fazer amor com Dante*. Se eu não seria bom em música, talvez pudesse ser bom em fazer amor com Dante. Mas como eu seria bom nisso se nunca tinha feito? E não havia nada na minha lista que fosse a longo prazo. Eu não tinha planos para a minha vida.

— Bom, estou escrevendo um diário. Acho que pode me ajudar em minha missão de me tornar um cartógrafo. E talvez eu nunca encontre uma grande paixão por alguma coisa, que nem você tem. Mas, quando envelhecer, não quero me questionar se minha vida foi importante. Porque, se só tiver sido um bom menino, se só tiver sido um bom homem, a minha vida vai ter sido boa. Acho que não parece muito ambicioso.

— Você tem algo que nunca vou ter. Você tem humildade. Essa palavra mora dentro de você. E você nem sabe.

Acho que sua ideia de mim era um pouco generosa.

— Não sou humilde. Gosto de brigar.

— Talvez seja seu jeito de proteger as pessoas.

— O que não me torna tão humilde assim, não é?

— Quer saber o que acho? Acho que tenho um gosto impecável para homens.

— Bom, não sou exatamente um homem, mas, poxa, se precisa de mim como justificativa para se autoelogiar, o que me custa entrar no clima?

Ele balançou a cabeça.

— Ari, acho que você entendeu que eu só estava fazendo um elogio indireto para você. Quando alguém disser algo bom sobre você, agradeça.

— Mas...

Ele não me deixou terminar.

— Obrigado. É tudo que você precisa dizer.

— Mas...

Ele me interrompeu de novo:

— Só porque você não se acha especial não significa que eu concorde com você.

— ÁRVORES! — DANTE GRITOU, COMO UM MENINO QUE nunca tinha visto uma macieira ou um pinheiro na vida.

Ele colocou a cabeça para fora da janela, o vento soprando seu cabelo, fechou os olhos e respirou fundo o ar fresco. Era natural para ele se tornar parte da paisagem. Talvez fosse por isso que não gostava de sapatos. Fiquei me perguntando se algum dia eu seria da terra como Dante.

— Até a forma da terra — ele disse. — Parece que está mudando.

Talvez a forma do coração mudasse com a forma da terra. Eu não sabia nada de física, de geometria, da forma das coisas, nem por que isso parecia importar tanto.

— Gravidade — ele disse.

— Gravidade?

— Você é gravidade.

Eu não fazia ideia do que ele estava falando.

Ficamos em silêncio de novo.

Tínhamos viajado para longe de uma cidade construída ao redor de uma montanha desértica e chegamos a andar descalços sobre dunas de areia branca. Enquanto eu dirigia lentamente a picape do meu pai e subia a estrada sinuosa, me dei conta de que minha caminhonete nunca teria aguentado a viagem. Que bom que eu tinha dado ouvidos ao meu pai. Me ocorreu que Dante estava sempre me perguntando em que eu estava pensando e eu quase nunca fazia a mesma pergunta para ele, então fiz:

— No que você está pensando?

— Eu estava pensando que as pessoas são muito complicadas. E as pessoas não têm conversas lógicas. Bom, porque as pessoas não são lógicas. Quer dizer, as pessoas não são tão coerentes, se você parar para pensar. Elas pulam daqui para lá para acolá porque, bom, como eu disse, as pessoas não pensam em linha reta, e tudo bem, é isso que torna as pessoas interessantes, e talvez seja isso que faz o mundo girar. E girar e girar e girar, sem ir a lugar nenhum, lugar nenhum, e muitas pessoas não sabem nem pensar, só sabem sentir.

— Como você.

— Não é bem aonde eu queria chegar. Sim, mas... então, sim, eu sinto. Talvez eu sinta demais. Não que haja alguma coisa errada nisso. *Mas também sei pensar.*

— Sempre intelectual.

— Você também é intelectual, Ari, então cala a porra dessa boca.

— Nunca disse que era — respondi.

— Você lê. E você pensa. E você não acredita nas merdas que todo mundo fala.

— Bom, só nas suas.

— Vou ignorar isso.

Tive que sorrir.

— Não é tão bom sentir se você não souber pensar. Então, minha pergunta é por que tantas pessoas brancas odeiam pessoas negras se foram as brancas que trouxeram as negras acorrentadas?

— Porque, bom, acho que porque elas se sentem culpadas.

— Isso. E não tem nada a ver com pensar. Viu, elas não se permitem se *sentir* culpadas, mas se sentem, *sim*, culpadas porque *deveriam* se sentir culpadas. Elas só enterram toda essa merda dentro de si, mas a enterram viva e a merda continua correndo lá dentro, e se mistura com todas as emoções até sair como ódio. E isso é doido pra cacete.

— Você inventou essa teoria toda sozinho?

— Não. Queria poder assumir o crédito. É a teoria da minha mãe.

Sorri.

— Ah, a terapeuta.

— Pois é. Ela é genial.

— Também acho.

— Ela é muita sua fã.

— Sim, bom, é porque...

Me segurei antes de falar. Nem sei por que aquele pensamento passou pela minha cabeça.

— É porque você salvou minha vida.

— Não salvei.

— Salvou, sim.

— Não vamos falar sobre isso.

Dante ficou em silêncio por um bom tempo.

— Você pulou na frente de um carro para que o carro não me atropelasse… e, ao fazer isso, você salvou minha vida. Isso. É. Um. Fato. E, Ari, essa porra desse fato não vai mudar.

Depois de ficar calado, falei apenas:

— É por isso que você me ama?

— É isso que você pensa?

— Às vezes.

— Bom, não quer dizer que seja verdade. Ari, amei você desde o primeiro dia que te vi flutuando na água.

— O deserto desapareceu — Dante disse. — Ou talvez sejamos nós que desaparecemos.

Às vezes eu me perguntava o que havia nele que me fazia chegar perto e não sair mais. Não que ele em algum momento ficasse longe, porque, quando eu não estava com ele, eu o carregava comigo e me perguntava se era normal. Eu não sabia direito como o amor deveria ser. Só sabia como era para mim. E, quando ele dizia coisas assim, eu sabia o porquê.

— As coisas que desaparecem sempre voltam a aparecer — falei.

— Como Susie e Gina.

Dante olhou para mim com uma pergunta pairando nos olhos.

— Por que elas te incomodam tanto? Elas são legais.

— Conheço as duas desde o jardim de infância. Pode ser que eu não dê valor a elas. Mas elas se esforçam demais. Passaram quase o verão todo viajando. Senão, teriam ficado me atormentando. E teriam convencido você a ser amigo delas. Eu nunca disse que elas não eram legais. São boas meninas que acham que querem ser meninas más mas não têm coragem de ser meninas más.

— O que há de tão ruim nisso? E qual é o problema de elas quererem ser minhas amigas? Acho superlegal. E as duas são muito bonitas.

— O que isso tem a ver? — Sorri. Eu sabia por que estava sorrindo. — Desconfio de que gosto mais de meninos bonitos do que de meninas bonitas. Não acredito que acabei de falar isso.

— Que bom que você falou. Porque quer dizer que está começando a entender quem você é.

— Acho que nunca vou entender quem eu sou.

— Bom, se algum dia quiser saber mais, é só me perguntar.

Balancei a cabeça e continuei dirigindo pelas estradas montanhosas com pinheiros amontoados e se atropelando pelas encostas. Ri comigo mesmo enquanto lembrava o dia em que meu pai nos levou por aquela mesma estrada na minha primeira viagem de acampamento.

— Qual é a graça?

Dante estava me observando como se fosse possível aprender tudo sobre mim. Seu insondável favorito.

Três

PARAMOS EM CLOUDCROFT, UMA CIDADEZINHA CHEIA de lojas, algumas galerias e dois ou três bares. Dante começou a perambular enquanto eu enchia o tanque da caminhonete.

Ele acenou para mim, fazendo sinal para que eu entrasse atrás dele em uma das galerias. Não havia ninguém na galeria além de uma mulher que tinha um ar calmo, simpático e sofisticado. Dante gostava da palavra "sofisticado". Eu entendia que significava uma pessoa rica que sabia ser gentil com pessoas não tão ricas. Talvez estivesse enganado. Mas ela parecia, *sim*, uma mulher rica que, por coincidência, também era gentil.

Cheguei perto de Dante enquanto ele admirava uma pintura, e eu queria encostar nele, pendurar o braço em seu ombro. Mas não fiz isso. É claro que não.

A mulher sorriu para nós.

— Que jovens bonitos — disse com delicadeza.

Dante sorriu para ela.

— A senhora está flertando com a gente?

Ela tinha um riso leve, e as rugas em torno dos olhos lhe davam um aspecto meio triste, de certa forma. Gostei de seus olhos pretos, que pareciam ainda mais pretos em contraste com a sua pele branca e pálida.

Percebi que estava olhando fixamente para ela. E, quando nossos olhares se encontraram, senti como se tivesse sido pego no flagra. Virei o rosto.

— Gostei desse — Dante disse.

O quadro não era nada além de uma lavagem de azul, difícil saber se era céu ou água. Talvez fosse o oceano. Havia um único olho que espiava com o que pareciam lágrimas caindo dele, mas não eram lágrimas, e sim uma linha reta de flechinhas apontando para baixo. Nos cantos da pintura, havia algum tipo de escrito, embora as palavras fossem quase indecifráveis.

— É incrível — disse ele.

Não achei a pintura incrível. Mas gostei. E gostei de que o artista estivesse tentando dizer alguma coisa — embora eu não soubesse o que ele estava tentando dizer. Mas me fazia querer parar e estudar o quadro, então talvez fosse aquilo o que Dante queria dizer por "incrível".

— Você gostou, Ari?

Fiz que sim. Não sei como, mas sabia que ele sabia que eu não sentia o mesmo entusiasmo que ele. Sempre achei que ele soubesse o que eu estava pensando — mesmo quando eu sabia que ele não sabia.

— É um dos quadros do meu filho. São todos do meu filho.

— Uau. Ele é muito talentoso.

— Ele era, sim.

— Era?

— Ele morreu faz pouco tempo.

Nós dois assentimos.

— Meus pêsames — eu disse.

— Ele era jovem. Era muito jovem. — Ela recuou, como se estivesse mandando a tristeza embora, e sorriu para Dante. — Que bom que gostou da pintura.

— O que o escrito diz? — perguntei.

— É um poema que ele escreveu. Está colado na parte de trás da pintura em um envelope.

— Podemos ler?

— Sim, claro.

Ela foi até onde estávamos e tirou o quadro da parede.

— Pegue o envelope — ela disse.

Dante cuidadosamente descolou o envelope da parte de trás do quadro. A mulher pendurou o quadro de volta na parede.

Dante segurou o envelope como se fosse muito frágil. Ficou olhando para ele. Consegui ver que dizia: *O que torna as coisas importantes?* Ele tirou uma folha de papel do envelope e a desdobrou. Ficou olhando para a letra. Ergueu os olhos para a mulher, que tinha voltado para a cadeira à mesa antiga onde estava sentada quando entramos. A mulher parecia perfeita e destruída ao mesmo tempo.

— Meu nome é Dante.

— Que nome bonito. Me chamo Emma.

Pensei que ela tinha cara de Emma. Não sei ao certo por que pensei isso.

— Me chamo Ari.

— Ari?

— Aristóteles.

Ela tinha um sorriso superbonito.

— Aristóteles e Dante. Que bonito. Os nomes combinam com vocês. Dante, o poeta, e Aristóteles, o filósofo.

— Dante é um poeta, isso com certeza. Mas acho que não posso ser chamado de filósofo. Nem agora, nem nunca.

— Hmm — ela disse. — Você não me parece um rapazinho superficial. Você pensa muito?

— Ele está sempre pensando — disse Dante.

Eu estava mesmo me perguntando quando ele entraria na conversa e daria sua opinião.

— Ele pensa sobre tudo o tempo todo — continuou. — E quando digo tudo, é tudo mesmo.

— Penso demais — falei.

— Não existe pensar demais. O mundo seria um lugar melhor se todos pensassem mais e falassem menos. Poderia haver muito menos ódio. — Ela olhou para nós dois como se estivesse tentando ver quem éramos de verdade. — Então, Ari, você pode ser exatamente o filósofo que acha que não é. A humildade é uma qualidade primorosa. Não a perca.

Dante apontou para o poema que estava segurando e depois para ela.

— Pode ler para nós?

— Não, receio que não. — Sua recusa não foi dura, foi suave, dava para ouvir o sofrimento em sua voz e eu sabia que ela vivia com uma dor dentro de si. — Por que *você* não lê para nós, Dante?

Ele encarou o poema.

— Não sei se estou à altura.

— Um poeta sabe ler um poema.

— E se eu o estragar?

— Tenho certeza de que não vai estragar — ela disse. — É só ler como se você o tivesse escrito. Esse é o segredo.

Dante assentiu. Ficou olhando para o escrito — e começou a ler, sua voz suave e segura enchendo a galeria vazia:

Isto não é uma pintura. E isto não é um poema.
Aquilo não é um oceano. E aquilo não é um céu. O lugar
das palavras não é em uma pintura. Palavras de um professor
de artes que me disse que eu nunca seria um artista. O lugar
dos poemas não é em uma pintura. E o meu lugar não é neste
mundo. Isto não é uma pintura. E aquele não é meu olho
que chora à noite pelo amor de alguém que não conheço.
Não se trata da minha dor nem da solidão das noites
que sofri no isolamento da minha própria prisão.

Estou ficando cego e logo não vou mais enxergar.
Mas o que vi e o que senti nunca importou
e o olho que espia vai desaparecer. Meus
olhos e meus poemas e minha arte não importam —
não em um mundo onde nada pode importar.

Minha mãe me ensinou que só o amor importa
— e o amor dela mora em meu coração
e não se pode comprar nem vender
e está aqui nesta pintura e neste poema e é
por isso que essa coisa que chamamos arte é tão importante.

Um homem que ama outro homem não importa
porque não é um homem — e suas pinturas e seus
poemas e o que quer que ele diga ou sinta não importam.
É nisso que as pessoas acreditam. Mas é mentira,
e não acredito em nenhuma dessas mentiras. Por isso
me tornei artista e poeta para pintar e escrever coisas
que importam — mesmo que apenas para mim.
E é só isso que importa.

Vi as lágrimas silenciosas que escorriam pelo rosto de Emma e pensei na palavra "digna", que era a única palavra que me vinha à mente para descrevê-la. Minha mãe tinha a mesma expressão no enterro da tia Ophelia. Emma olhou para Dante e disse, baixo:

— Você lê como um poeta. Foi adorável.

Dante sorriu.

— Bom, talvez não tão adorável quanto seu filho.

Dante... ele sempre sabia o que dizer.

Ela ficou ali sentada, apenas sentada, porque não tinha mais o que dizer. E eu e Dante ficamos ali parados, apenas parados, porque não tínhamos mais o que dizer. Pareceu haver uma espécie de paz naquela pequena galeria cercada não só pela obra de um homem que estava morto e que não conhecíamos, como também pelo amor de uma mãe, e eu nunca tinha pensado naquelas coisas antes, mas, tendo pensado, me questionei se queria mesmo pensar porque era doloroso. Eu não queria viver com aquela dor. Mas era muito melhor do que o ódio por si mesmo, que era apenas um jeito besta de viver.

Sorri para Emma e ela retribuiu o sorriso. Dante se encostou em mim, e deixei que ele se encostasse. O silêncio no salão era quase como uma música. Eu, Emma e Dante estávamos cantando a canção do silêncio. Às vezes, o silêncio era a única música que valia a pena cantar.

Há momentos na vida que a gente se lembra para sempre. A voz da minha mãe na minha cabeça. Fiquei feliz que a voz dela morasse dentro de mim. Eu sabia que sempre lembraria daquele momento e daquela mulher chamada Emma que eu conhecia e não conhecia. Mas uma coisa eu sabia: ela era uma pessoa que importava. Era tudo que eu precisava saber.

É engraçado, mas eu nunca prestava muita atenção nos adultos porque, enfim, simplesmente porque não pensava neles e no fato de que tinham vida, como eu também tinha. Acho que eu só pensava que eles estavam no comando e gostavam de dar ordens. Eu não tinha pensado muito sobre nada além do que eu sentia. Caramba, eu vivia num mundo pequeno pra cacete.

O mundo em que eu passara a viver agora era complicado e confuso — e doía um pouco saber que as outras pessoas sofriam. Adultos. Eles sofriam. E era bom saber aquilo. Era um mundo melhor aquele em que eu passara a viver. Era melhor. *E eu era melhor*. Era como se estivesse doente antes. E estivesse me recuperando de uma doença. Mas talvez não fosse verdade. Eu só era um menino idiota antes. E egoísta.

Talvez fosse aquele o significado de ser um homem. Certo, talvez eu ainda não fosse um homem. Mas talvez estivesse chegando perto.

Eu não era mais um menino, isso com certeza.

Quatro

DIRIGI POR UMA TRILHA NA FLORESTA EM BUSCA DE um lugar para acampar. Dante estava perdido em pensamentos, e, enfim, eu não esperava que ele fosse me ajudar a encontrar um lugar. Havia uma pequena bifurcação na estrada, e deu para ver que no fim dela havia uma pequena clareira que seria o lugar perfeito. Parecia mais tarde do que de fato era, por causa da sombra. Mas eu sabia que não tínhamos muito tempo até escurecer.

— Vamos ao trabalho.

— É só me dizer o que fazer.

— Quem diria!

Sorrimos um para o outro.

Havia pedras em um círculo, resquícios de uma fogueira. Eu e Dante pegamos a lenha que eu havia trazido de casa. Dispus algumas em meio às cinzas e a uma tora chamuscada. Peguei um balde que eu também havia trazido cheio de varas e gravetos.

— Por que você trouxe todas essas coisas de casa se poderíamos ter catado tudo aqui?

Peguei um punhado de terra.

— Está tudo úmido. Meu pai disse que deveríamos vir preparados para tudo. Porque nunca se sabe.

Sorri e joguei a terra bem no peito de Dante.

— Ei!

Ele não perdeu tempo. Começamos uma espécie de guerra de bola de neve, só que com terra úmida, e corremos em volta da picape até finalmente nos cansarmos.

— Não demoramos muito para nos sujar, não é?

Dei de ombros.

— Viemos para nos divertir — falei.

Dante limpou um pouco de terra do rosto. Então se aproximou e me beijou.

Ficamos ali nos beijando por um bom tempo. Senti meu corpo todo tremer. Eu o puxei para mais perto e os beijos esquentaram. Finalmente falei:

— Precisamos acabar de montar o acampamento. Antes que escureça.

Dante baixou a cabeça e chacoalhou meu ombro. Olhamos as nuvens amontoadas e escutamos o trovão ao longe.

— Vamos nessa.

Lá estava aquele entusiasmo que quase nunca faltava em seu tom. Mas dessa vez havia algo mais. Algo urgente e vivo.

Estávamos de casaco, sentados diante da fogueira. A brisa fria ameaçava se transformar em vento.

— Parece que vai cair uma tempestade — Dante disse. — Você acha que a barraca vai aguentar?

Assenti.

— Ah, Dante, homem de pouca fé. Vai aguentar, sim.

— Tenho uma surpresa.

— Uma surpresa?

Ele entrou na barraca e voltou com uma garrafa de bebida. Estava sorrindo e parecia orgulhoso.

— Roubei do armário de bebidas do meu pai.

— Seu doidinho. Seu doidinho, doidinho.

— Eles nunca vão descobrir.

— Até parece.

— Bom, imaginei que, se eu pedisse, eles poderiam ter dito que sim.

— Sério?

— Poderiam.

Lancei um olhar para ele.

— E sabe o que dizem: *É melhor pedir perdão do que pedir permissão.*

— Sério? — Balancei a cabeça e sorri. — Como você se safa de…

— De todas as coisas de que eu me safo? Sou o Dante.

— Ah, é essa a resposta? Isso, sim, é presunção.

— Então, sou um pouco presunçoso às vezes.

— Você roubou o uísque do seu pai.

— Pequenos furtos não fazem de mim um ladrão; fazem de mim um rebelde.

— Você vai dar um golpe de estado no seu pai?

— Não, estou tirando dos ricos e dando para os pobres. Ele é rico em uísque e nós somos pobres em uísque.

— É porque somos menores de idade. E sua mãe vai massacrar você.

— "Massacrar" é uma palavra muito forte.

— Não acredito que você roubou uma garrafa inteira de uísque do seu pai. É porque você gosta de drama?

— Eu não gosto de drama. Só que quero me sentir vivo e ir além dos limites e tocar o céu.

— É, bom, se você beber muito uísque, vai se ajoelhar no chão e vomitar as tripas.

— Certo, cansei desta conversa. O homem que amo não me apoia.

— E aquela história de não gostar de drama?

Ele ignorou minha pergunta.

— Vou servir para mim. Se não quer me ajudar a tomar uma bebida roubada, vou beber sozinho com o maior prazer.

Peguei um copo de plástico e estendi para ele.

— Serve.

Ficamos sentados em cadeiras dobráveis, um ao lado do outro. Nos beijávamos, depois conversamos. Estávamos, é claro, tomando nossa bebida muito adulta: uísque com coca-cola. Não sabia se adultos realmente bebiam uísque com coca-cola. Para ser sincero, não dava a mínima. Já estava feliz em ouvir Dante falar, ficar com ele encostado em mim e depois dar uns beijos. Só eu e ele, a escuridão ao nosso redor e a ameaça de uma tempestade, e uma fogueira que fazia Dante parecer estar saindo da escuridão, seu rosto brilhando à luz do fogo. Eu nunca tinha me sentido tão vivo e pensei que nunca amaria alguém ou algo como amava Dante naquele momento. Ele era o mapa-múndi e tudo que importava.

Então nossos beijos começaram a ficar sérios. Quer dizer, seriamente sérios. Era tão seriamente sério que meu corpo todo tremia. Eu não queria parar, e me vi gemendo e Dante gemeu também e era tão estranho, tão bonito e tão esquisito, e eu gostava dos gemidos. De repente caiu um raio e nós dois levamos um susto e rimos. Começou a chover e corremos para dentro da barraca.

Ouvimos a chuva bater na barraca, mas era seguro — por algum motivo, a tempestade nos passou segurança e então nos beijamos e tiramos as roupas um do outro, e a sensação da pele de Dante na minha, da tempestade, do raio e do trovão parecia vir de dentro de mim e eu nunca tinha me sentido tão vivo, meu corpo todo buscando por ele, por seu sabor e seu cheiro, e eu nunca tinha sentido aquilo, aquela coisa de corpo, aquela coisa de amor, aquela coisa chamada desejo que era uma fome, e quis que nunca terminasse, e veio uma eletricidade que disparou pelo meu corpo e pensei que talvez fosse como uma morte e eu não conseguia respirar e caí nos braços de Dante e ele sussurrou meu nome — Ari, Ari, Ari — e eu queria sussurrar o nome dele, mas não havia palavras em mim.

Eu o abracei.

E sussurrei seu nome.

E peguei no sono abraçado a ele.

Estava amanhecendo quando acordei.

Senti a calma do dia.

Ouvi a respiração constante do menino dormindo ao meu lado. Mas ele me parecia mais um homem naquele momento. Meu próprio corpo não parecia um corpo de menino. Não mais. Acho que existem, *sim*, momentos que nos mudam, momentos que mostram que não temos como voltar para onde começamos e não queremos voltar a ser quem éramos antes porque nos tornamos outra pessoa. Olhei para Dante. Estudei seu rosto, seu pescoço, seus ombros.

Eu o cobri e me afastei devagar. Não queria acordá-lo.

Abri o zíper da barraca. O ar estava frio e saí para a luz do sol, pelado. A brisa gelada atingiu meu corpo e estremeci, mas não me importei. Eu nunca havia notado meu próprio corpo, não daquela forma. Era tão novo, e me senti feito um bebê que fazia um barulho e de repente descobria que tinha voz. Era assim. Era um tipo de emoção que eu nunca havia experimentado, e sabia que nunca mais experimentaria. Só fiquei lá. Sem sorrir, sem rir, o mais imóvel que eu conseguia.

Respirei fundo uma vez. E depois outra.

Então ouvi um riso saindo de dentro de mim que nunca tinha ouvido. Eu me senti forte. Por um momento, senti que ninguém no mundo poderia me machucar.

Eu estava feliz, sim. Mas era mais do que apenas felicidade. Pensei que era aquela coisa que minha mãe chamava de êxtase.

Era isso. Êxtase.

Mais uma palavra que crescia dentro de mim.

Quando Dante acordou, eu estava deitado ao lado. Ele sorriu para mim e passei o polegar no seu rosto.

— Oi — sussurrei.

— Oi — ele sussurrou em resposta.

Não sei quanto tempo ficamos lá, olhando um para o outro, sem querer falar porque qualquer coisa que disséssemos seria errada. Errada porque qualquer palavra que usássemos estragaria o silêncio e a beleza daquele momento. Era verdade que as palavras poderiam levar ao entendimento, sim, mas também poderiam levar a mal-entendidos. Palavras eram imperfeitas.

O silêncio entre mim e Dante era o silêncio perfeito. Mas o silêncio tinha que ser quebrado em algum momento. Exatamente quando eu estava prestes a dizer alguma coisa, Dante disse:

— Vamos dar uma volta.

Eu o observei se vestir na barraca e não liguei que ele tivesse notado.

— Você gosta de me observar?

— Não. Só não tenho nada melhor para fazer.

Abri um sorriso para ele.

— Foi tão sua cara dizer isso — ele falou.

— Foi?

Ele amarrou o tênis e então abaixou e me beijou.

Ajeitamos os sacos de dormir, as cobertas e o travesseiro de Dante.

— Preciso do meu travesseiro.

Eu gostava do travesseiro dele. Tinha o seu cheiro.

Nos lavamos, escovamos os dentes e penteamos o cabelo usando os retrovisores da caminhonete. Dante passou muito tempo penteando o cabelo com os dedos, embora parecesse sempre despenteado. Era como se a brisa vivesse dançando em seu cabelo.

Eu às vezes sentia que tinha dormido por muito tempo — e que, ao conhecer Dante, comecei a acordar, e a ver não apenas Dante, mas o mundo cruel, terrível e impressionante em que vivia. O mundo era um lugar assustador onde se viver, e seria sempre assustador — mas dava para aprender a não ter medo. Acho que eu tinha que decidir o que era mais real, as coisas assustadoras ou... ou Dante. Dante, ele era a coisa mais real no meu mundo.

Eu estava apoiado na caminhonete, e Dante balançou a mão na frente dos meus olhos.

— Ei, Ari, cadê você?

Sua pergunta era baixa e doce e encostei a cabeça na dele.

— Perdido em pensamentos.

— No que você está pensando?

— Na verdade, estava pensando nos seus pais.

— Uau. Isso é meio legal.

— Bom, sua mãe e seu pai são meio legais.

Ele sorriu, tão vivo e brilhante sob o sol. Pensei em um dos discos de vinil de Dante e não lembrava o nome da música, mas conseguia ouvir a voz cristalina, que era cheia de melancolia e cantava algum verso sobre as flores que se curvavam na direção do amor e se curvariam assim para sempre. Aquele era Dante. Ele estava se curvando na direção do amor e eu estava me curvando na direção dele. Mas a parte do para sempre eu já não sabia.

O que era para sempre?

Dante pegou minha mão e andamos por uma trilha. Era silencioso e dava para ouvir um córrego ao longe.

— Eu gosto daqui — Dante disse. — É tão sem-gente.

— Acho que essa palavra não existe.

— Também acho. Mas você entendeu.

— Entendi — eu disse.

Acho que no fundo não estávamos olhando a paisagem, e acho que nenhum de nós ligava para o destino, e não importava. Estávamos apenas descendo uma trilha calma e solitária em que nunca tínhamos andado antes e, embora fosse solitário, a sensação não era solitária — e não importava que não houvesse nada de conhecido na trilha, porque eu não tinha medo. Talvez eu devesse ter medo, mas não tinha. Mas me ocorreu que Dante poderia ter medo, então perguntei:

— Está com medo de se perder?

— Não — ele disse.

— Não faço ideia de aonde estamos indo.

— Você liga?

— Não muito.

— Também não ligo. E, além disso, é impossível me perder quando estou com você.

— Não. Minha presença só significa que, se eu estiver perdido, você também está perdido.

— Se eu estiver perdido com você, não me sinto perdido, então não estou perdido. — Ele riu. Seu riso, naquele momento, me lembrou o som das folhas ao vento. — Viu, não devemos ter medo, é impossível se perder porque: Estamos. De. Mãos. Dadas.

Sorri. Sim, estávamos de mãos dadas, e ele estava descobrindo mãos, minhas mãos, e estava descobrindo um país chamado Ari, e eu estava descobrindo o país Dante. Tudo era tão sereno. Essa era a palavra.

Lembrei de Dante na cama e de mim sentado na poltrona enquanto ele lia a definição em seu dicionário já surrado: *Calmo, pacífico, imperturbado, tranquilo.* "Estamos ferrados, Ari", ele tinha dito. "Nenhum de nós é nada disso."

Ele tinha razão. Nem eu nem ele éramos serenos por natureza. Minha cabeça estava sempre atulhada de coisas, e a cabeça de Dante estava sempre criando algum tipo de arte. Seus olhos eram como câmeras que tiravam fotos e lembravam de tudo.

Seguimos o córrego, que formava um pequeno lago, olhamos um para o outro e rimos. Era como se estivéssemos disputando quem tirava as roupas mais rápido. Dante pulou e gritou:

— Caralho! Está gelada.

Entrei em seguida. Estava *mesmo* gelada. Mas não gritei nada.

— Ah — eu disse. — Você acha isso gelado?

Começamos a jogar água um no outro, e então me vi abraçando-o enquanto ele tremia.

— Talvez não tenha sido uma ideia tão boa — ele disse, e se apoiou em mim.

O sol estava brilhando através da pequena clareira, e apontei para uma pedra grande à beira do lago.

— Vamos nos secar lá.

Deitamos na pedra quente até ficarmos secos. Dante parou de tremer. Fiquei ali de olhos fechados. E então ouvi Dante rir.

— Bom, aqui estamos nós, dois meninos pelados. Fico pensando no que minha mãe diria.

Abri os olhos e virei para ele. Eu o peguei nos braços e o beijei.

— Você está pensando na sua mãe? Não era nisso que eu estava pensando.

Então o beijei de novo.

E o beijei e o beijei. E o beijei.

Não falamos uma palavra na volta para o acampamento. Quando dei por mim estava me perguntando em que ele estava pensando. E pensei que ele estava se perguntando em que eu estava pensando. Mas, às vezes, simplesmente não era preciso saber de tudo.

Acho que Dante queria saber tudo sobre mim. Fiquei contente que, naquele dia, ele não quisesse.

Ele pegou minha mão e olhou para mim.

Eu sabia o que ele estava dizendo. Ele estava dizendo: *Amo sua mão.*

As palavras às vezes eram mesmo muito superestimadas.

Quando voltamos ao acampamento, ainda era começo de tarde. Parecia que talvez fosse cair uma tempestade. Depois de comer, Dante me perguntou no que eu estava pensando.

— Estava pensando que talvez devêssemos tirar um cochilo.

— Estava pensando a mesma coisa.

Deitado, abraçando Dante, me peguei sussurrando:

— Estou com saudade da Perninha.

— Eu também. Queria que ela tivesse vindo. Você acha que ela vai ficar bem?

— Vai. Ela é uma cachorra durona. Talvez aprenda a fazer as pazes com gatos.

— Vai ser difícil.

— Sabe, às vezes acho que aquela cachorra salvou minha vida.

— Como você salvou a minha.

— Sério?

— Desculpa.

— Quer dizer, eu me sentia tão sozinho. Sabe, mais sozinho do que nunca. E estava correndo na frente da sua casa. E lá estava ela, Perninha, e ela me seguiu até em casa. E eu precisava daquela cachorra. Precisava de verdade dela. E ela é uma cachorra incrível. Leal, inteligente e carinhosa. Sabe, até minha mãe ama a Perninha.

— Sua mãe não gosta de cachorros?

— Ah, ela gosta. Só não dentro de casa. Mas, por algum motivo, deixou tudo isso acontecer. Às vezes acho que minha mãe ama aquela cachorra mais do que eu. Mas ela não demonstra.

— As mães podem ser assim — ele murmurou.

Eu sabia que ele estava pegando no sono. Então também cochilei.

Não sei por quanto tempo dormimos. Eu estava tendo um sonho, e devo ter gritado, porque Dante me chacoalhou para me acordar.

— É só um sonho, Ari. É só um sonho.

Me encostei nele.

— Foi com meu irmão. Já tive esse sonho antes. É como se ele não quisesse me deixar sozinho.

— Quer falar sobre isso?

— Não. Não quero… não posso… não posso falar sobre isso.

Deixei que ele me abraçasse. Embora eu não quisesse ser abraçado.

— Está escurecendo — eu disse.

— Já acendi a fogueira.

Olhei para ele.

— Eu aprendo rápido.

— Olha só! Dante, o Escoteiro.

— Cala a boca.

Assamos salsichas na fogueira. Não falamos sobre nada importante — só falamos da escola, das faculdades em que poderíamos querer estudar. Dante queria ir para a Columbia, ou para aquela faculdade em Ohio, Oberlin. E então ficamos em silêncio. Talvez não quiséssemos pensar que provavelmente não viveríamos na mesma cidade pelo resto da nossa vida e não ficaríamos juntos e que, seja lá o que Ari e Dante significasse, Ari e Dante não significava para sempre. E então ficamos em silêncio de verdade. Dante pegou dois copos plásticos e nos serviu de uísque e coca. As bebidas estavam um pouco fortes, e acho que eu fiquei um pouco, bem, um pouco bêbado.

— Acho que vou para a Universidade do Texas.

Ele sorriu para mim quando disse aquilo.

Sorri em resposta e brindamos.

— Um brinde a nós e à UT — ele disse.

— Um brinde.

Acho que nenhum de nós acreditava que a combinação de Ari e Dante e UT aconteceria. É, era uma ilusão. As pessoas adoram se iludir.

Não estávamos prestando atenção ao clima. De repente houve um trovão e o raio cortou a escuridão. Então veio o aguaceiro. Corremos para a barraca e rimos. Acendi uma vela e a luz suave deixou tudo suave, mas parecia haver sombras por toda nossa volta.

Dante estendeu a mão para mim. Me beijou.

— Você se importa se eu tirar sua roupa?

A pergunta me lembrou a vez em que ele me lavou com uma esponja porque eu não conseguia mexer os braços, nem as pernas. Mas eu não queria viver naquele tempo, nem naquele momento, então me vi dizendo:

— Não, não me importo.

Senti ele desabotoar minha camisa.

Senti seus dedos na minha pele.

Senti seus beijos. E me deixei levar. Só me deixei levar.

Cinco

POR ALGUM MOTIVO, ACORDAMOS DE BOM HUMOR.
Talvez tenhamos acordado com o som de um coração cantante. A
ideia de um coração cantante nunca havia passado pela minha cabeça
até aquele momento. Dante tentou me fazer cócegas — o que eu
odiava, mas me divertiu por algum motivo e, quando ganhei a
vantagem e consegui fazer cócegas nele, ele riu, gritando "Para!
Para!", até que nos beijamos e pensei que não era um jeito ruim de
começar o dia.

Desmontamos o acampamento, secando o máximo possível da
chuva da barraca e a dobrando. Guardamos tudo de volta na traseira
da picape. Dirigi devagar pela lama, torcendo para não atolarmos,
enquanto a caminhonete subia e descia. Devagar, devagar, voltamos
para uma estrada mais larga que não estava enlameada, e finalmente
entramos na estrada principal.

— Quer parar em Cloudcroft para tomar café?

— Boa, podemos visitar a Emma quando estivermos indo embora.

Dante pediu panquecas de morango. Eu pedi bacon, ovos e tor-
rada integral. Molho à parte. Ele tomou um copo de suco de laranja,
e tomei duas xícaras de café.

— Não gosto muito de café.

Não me surpreendeu.

— Eu gosto de café. Gosto bastante, na verdade.

Dante fez uma careta.

— E você toma preto? Argh. É amargo.

— Não vejo mal em amargo.

— É a sua cara.

— Nem tudo no mundo pode ser doce.

— Como eu?

— Você está forçando.

Ele me abriu um sorriso bobo.

— Você é um palhaço.

— E daí?

Levei a mão à carteira quando chegou a conta.

— Guarde seu dinheiro — disse Dante. — Essa é por minha conta.

— Que homem. De onde você tirou todo esse dinheiro?

— Sam.

— Sam? Seu pai?

— Ele disse que eu deveria pagar alguma coisa, já que não entrei com nada.

— Bom, você entrou com a bebida dele.

— Ha. Ha. — Ele tirou algumas notas e pagou a garçonete. — Fica com o troco — ele disse, como um homem rico.

Balancei a cabeça e sorri.

Saímos do restaurante e nos dirigimos à galeria.

— Quer saber, Ari? Está difícil para mim andar ao seu lado e não querer segurar sua mão.

— Finge que está segurando na sua cabeça.

— Não é justo. Olha — ele disse, apontando com o queixo para um menino e uma menina que estavam andando de mãos dadas à nossa frente. Nós os observamos quando eles pararam e se beijaram, sorriram um para o outro, depois voltaram a andar, de mãos dadas.

— Porra, não é justo.

Eu não sabia o que dizer. Ele estava certo — e daí? A maior parte do resto do mundo não via as coisas como nós víamos. O mundo olhava para aquele menino e aquela menina, sorria e pensava: *Que fofo*. Se o mundo me visse do mesmo jeito com Dante, faria uma careta e pensaria: *Que nojo*.

Paramos na porta da galeria. Estava aberta, um convite para os visitantes entrarem e darem uma olhada na arte. Emma estava perdida em pensamentos, lendo o *New York Times*. Eu conseguia ver a manchete: "Enfrentando a angústia emocional da aids".

Ela ergueu os olhos e sorriu.

— Aristóteles e Dante — disse. — Bom, parece mesmo que vocês andaram acampando. Se divertiram?

— Muito — Dante disse. — Nunca tinha acampado antes.

— Nunca?

— Não sou muito da natureza.

— Entendi. Você é mais de enfiar a cara nos livros.

— Tipo isso.

— Então Ari é o aventureiro.

— Bom, acho que dá para dizer que sim — eu disse. — A gente acampava duas ou três vezes por ano quando eu era criança. Eu amava acampar. El Paso é muito quente no verão. E é tão frio aqui.

— Você gosta de pescar?

— Não muito. Mas ia com meu pai. Acho que nós dois líamos mais do que pescávamos. Minha mãe é a verdadeira pescadora da família.

Havia algo nela. Era sofrimento, acho, por perder o filho. Ela deixava o sofrimento à mostra, mas não parecia fraca por isso. Eu sentia que ela era forte e obstinada. Lembrava minha mãe — o sofrimento que ela ainda carregava pelo meu irmão. Ele não estava morto, mas ela o havia perdido.

— Que bom que vocês vieram. Tenho uma coisa para vocês. — Era a pintura. Ela a havia embrulhado. — Quero que fiquem com isto.

Entregou para Dante.

— Não posso aceitar. É a obra do seu filho. E...

— Eu tenho minha obra preferida dele em casa. O restante está aqui na galeria. Quero que vocês fiquem com esta. Mas é para os dois.

— Como isso funciona?

— Ah, um de vocês fica com ela por um ano. E, no ano seguinte, vai para o outro. Indo e voltando assim. — Ela sorriu. — Vocês podem dividi-la pelo resto da vida.

Dante sorriu.

— Eu gosto da ideia.

Eu também gostava.

Conversamos por um tempo. Dante perguntou se ela tinha marido.

— Já tive. Eu o amava. Nem todos que a gente ama estão destinados a ficar na nossa vida para sempre. Não me arrependo de nada. Muitas pessoas vivem a vida em seus erros. Não sou uma delas.

Pensei nisso. Eu estava pensando que talvez fosse o tipo de cara que poderia simplesmente viver a vida nos erros que cometeu. Mas talvez não. Acho que eu descobriria mais cedo ou mais tarde.

Ela e Dante conversaram sobre muitas coisas, mas eu mais ouvi do que falei. Não prestei muita atenção ao que eles diziam — no fundo, não. Ouvi o som de suas vozes. Tentei escutar o que sentiam. Tentei aprender o que significava ouvir de verdade, porque eu nunca tinha sido um ouvinte muito bom. Era apaixonado demais pelo que estava pensando. Apaixonado demais, demais mesmo.

Antes de sairmos, ela nos disse para lembrarmos das coisas que importam e que cabia a nós decidir o que importava e o que não importava. Nos abraçou.

— E lembrem que vocês importam mais para o universo do que imaginam.

Seis

ENQUANTO DESCÍAMOS A MONTANHA, VOLTANDO PARA o deserto, Dante ficou com uma caderneta amarela no colo. Estava anotando mais sugestões para o nome do irmão.

— Você acha que ela lê essa lista?

— É claro que lê.

— Quanta influência você realmente acha que tem?

— Bom, estou prestes a descobrir. O que você acha destes nomes: Rodrigo, Máximo, Sebastian, Sérgio, Agustin ou Salvador?

— Gosto de Rodrigo.

— Eu também.

— Pode ser uma menina. Por que você não quer uma menina?

— Não sei. Só quero um irmão.

— Um irmão heterossexual.

— Isso. Exatamente.

— Você acha que seus pais vão amá-lo mais do que amam você?

— É claro que não. Mas ele vai dar um neto para eles.

— Como sabe que ele vai querer filhos? Como sabe que seus pais querem netos?

— *Todo mundo* quer filhos. E *todo mundo* quer netos.

— Não acho que isso seja verdade — eu disse.

— Na maioria dos casos é assim.

Dante fez uma cara de certeza.

— Não sei se vou querer ser pai — falei.

— Por que não?

— Não me vejo como pai. Não que eu pense muito nisso.

— Ocupado demais pensando em mim?

Ele sorriu.

— É, deve ser isso, Dante.

— Não, fala sério, Ari. Você não gostaria de ser pai?

— Não, acho que não. Isso te decepciona?

— Não. Sim. Não, é só que…

— É só que você acha que tem alguma coisa errada em alguém que não quer ter filhos.

Dante não disse nada.

Eu sabia que não era nada de mais, mas percebi que Dante era capaz de julgar os outros. Eu não tinha notado antes. Não que eu não julgasse ninguém. Todo mundo julgava — especialmente as pessoas que diziam não julgar. Acho que eu pensava que Dante era superior. Ele era um mero mortal como todos. Poxa, ele não era perfeito. Nem precisava ser. Eu com certeza não era. Nem de longe. E ele me amava. Por mais imperfeito e problemático que eu fosse. Legal. Fofo. Nossa.

Sete

EU QUERIA PERGUNTAR PARA DANTE O QUE ELE SABIA sobre aids. Queria perguntar se pensava no assunto. Mais de quarenta mil homens gays haviam morrido dessa doença. Eu tinha assistido ao jornal com meus pais, dois dias antes de sair para acampar. Vi imagens de vigílias à luz de velas em San Francisco e Nova York, e depois não conversamos sobre isso. Parte de mim ficou aliviada por não ter havido nenhum tipo de conversa. E eu tinha certeza de que Dante sabia algo sobre o assunto porque seus pais viviam conversando sobre as coisas que estavam acontecendo no mundo.

Fiquei me perguntando se eu e Dante só não estávamos prontos para conversar sobre algo que provavelmente afetaria nossa vida. E por que será que pensei nesse assunto quando estávamos nos arredores da cidade?

Quando estacionamos, minha mãe e Perninha estavam sentadas na soleira, minha mãe lendo um livro.

Perninha se empertigou e latiu. Pensei no dia em que a encontrei. Pensei em mim, minha perna engessada. Sentei perto dela e beijei sua cabeça.

Dante se agachou e abraçou minha mãe.

— Que gostoso — ela disse. — Vocês estão com cheiro de fumaça.

Dante sorriu.

— Ari me transformou num verdadeiro campista.

Ele sentou nos degraus e começou a brincar com Perninha.

Revirei os olhos.

— É, transformei Dante em um escoteiro completo.

Meu pai saiu da casa.

— Estou vendo que voltaram inteiros. — Ele olhou para Dante.

— Ele não pegou muito pesado com você, pegou?

— Não, senhor. E aprendi a montar a barraca.

O espertinho dentro de mim quase quis dizer: *E também aprendemos a transar.* De repente, senti uma certa vergonha. Quase me senti corar. Vergonha. De onde vinha essa palavra? Por um momento, me senti sujo. Senti como se tivesse feito algo muito imundo.

Era muito fácil estar com Dante. Quando nos tocávamos, era uma sensação pura. O difícil era aprender a viver no mundo, com todos os seus preconceitos. Os preconceitos conseguiram entrar no meu corpo. Era como nadar no mar durante a tempestade. A qualquer minuto, podia me afogar. Ao menos era o que parecia. No começo, o mar estava calmo. E de repente chegava a tempestade. O problema, comigo, ao menos, era que a tempestade vivia dentro de mim.

Era bom estar de volta à minha caminhonete. Dante começou a tirar os sapatos.

— Não acha que seria uma ideia melhor se chegasse usando tênis?

Dante sorriu e amarrou os cadarços de volta.

Quando estacionei na frente da casa dele, olhei de esguelha para Dante.

— Está pronto para enfrentar as consequências dos seus atos?

— É como eu disse: eles nem devem ter notado.

Dei de ombros.

— Acho que vamos descobrir. A menos que queira entrar sozinho.

Ele me disparou um olhar.

— Ah, que é isso, entra e dá oi para os meus pais.

O sr. Quintana estava sentado em sua poltrona lendo um livro, e a sra. Quintana lia uma revista. Os dois ergueram o rosto e sorriram quando entramos.

— Dá para sentir o cheiro de fumaça daqui — a sra. Quintana disse.

— Como foi o acampamento?

Olhei para o sr. Quintana.

— Dante aprende rápido.

— Sempre foi assim. — A cara da sra. Quintana me dizia que ela estava prestes a lançar uma bomba. Não parecia furiosa. Só, sei lá, tinha a postura de um gato prestes a pegar um rato. — Não vai nos perguntar o que fizemos enquanto você estava fora?

— Bom, para ser sincero, mãe, não.

Dante sabia o que estava por vir. A cara dele dizia: *Ai, merda, fui descoberto.*

— Bom, uns amigos vieram nos visitar umas duas noites atrás.

— Sim, verdade — o sr. Quintana disse. — E eu tinha comprado uma garrafa de Maker's Mark especialmente para a ocasião. É o uísque preferido do meu amigo.

Ele olhou para a sra. Quintana.

— E quando fui ao armário de bebidas... — A sra. Quintana parou. — Não precisamos terminar a história, precisamos, Dante?

Eu tinha que dar os créditos para o Dante. Ele podia se sentir como um rato preso em uma ratoeira, mas não deixou escapar nada para os pais.

— Bom, é o seguinte — Dante começou.

A sra. Quintana já estava revirando os olhos, e o sr. Quintana não se conteve: não parava de sorrir.

— Achei que seria legal se tivéssemos alguma coisinha para nos esquentar — continuou Dante —, porque fica bem frio nas montanhas, e achei de verdade que vocês não se importariam...

— Pode parar por aí — a sra. Quintana disse. — Sei exatamente aonde você quer chegar. Está prestes a dizer: *Bom, e se vocês se importassem, é melhor pedir perdão do que pedir permissão.*

Dante fez uma cara de *Fodeu.*

— Dante, conheço você por dentro e por fora. Conheço suas virtudes e conheço seus vícios. E um dos vícios em que você precisa trabalhar é achar que pode escapar de tudo. Esse é um defeito horrível, Dante, que você não puxou da gente.

Quando Dante ia dizer alguma coisa, ela se apressou a dizer:

— Ainda não terminei. Já conversamos sobre o uso de substâncias que alteram o humor, incluindo álcool, e você sabe as regras. Sei que não gosta das regras, e não conheço muitos meninos da sua idade que gostam, mas não é motivo para quebrá-las.

Dante tirou a garrafa da mochila.

— Viu, não tomamos quase nada.

— Você quer parabéns por isso, Dante? Você roubou o uísque do seu pai. E é menor de idade. Então, tecnicamente, violou duas leis.

— Mãe, você está brincando, né?

Dante olhou para o pai.

Então o sr. Quintana disse:

— Dante, você tinha que ver sua cara. — Ele desatou a rir, e a sra. Quintana desatou a rir, e então eu desatei a rir.

— Muito engraçado. Ha. Ha. Ha — disse Dante, e olhou para mim. — É por isso que você queria entrar, né? Para rir da minha cara. Ha! Ha!

Ele pegou a mochila e subiu batendo os pés. Eu estava prestes a ir atrás dele, mas a sra. Quintana me deteve.

— Deixa ele, Ari.

— Não foi maldade? Rir dele?

— Não, não foi maldade. Dante vive pregando peças em nós. Ele quer que todo mundo leve na esportiva. E normalmente ele também leva, mas nem sempre. Às vezes, gosta de apimentar a vida com um pouco de drama. Não é nada de mais, e acho que ele sabe disso. E, falando como mãe, Dante precisa aprender que não é ele quem cria as regras. Dante gosta de estar no comando. Não quero que se torne o tipo de homem que pensa que pode fazer o que quiser. Não quero que ele venha a pensar que é o centro do universo.

Concordei.

— Pode subir se quiser. Só não se magoe se ele não abrir a porta quando você bater.

— Posso passar um bilhete por baixo da porta?

A sra. Quintana fez que sim.

— Boa ideia.

O sr. Quintana me entregou uma caneta e uma caderneta amarela.

— Vamos dar um pouco de privacidade para você.

— Vocês são muito gentis — eu disse.

Não era muito minha cara dizer aquilo, mas as palavras escaparam.

— Você também é muito gentil, Ari — a sra. Quintana disse.

Ela era mesmo especial.

Sentei à escrivaninha do pai de Dante pensando no que escrever. Finalmente, escrevi apenas: *Dante, você me deu os três melhores dias da minha vida. Não te mereço. Não mesmo. Com amor, Ari.* Subi a escada, passei o bilhete por baixo da porta e fui embora. Na volta para casa, pensei em Dante, em como tinha sentido todos aqueles raios e trovões pelo corpo enquanto o beijava e apertava meu corpo contra o dele e em como era estranho e bonito o que meu corpo havia sentido e em como meu coração tinha se sentido tão vivo e embora eu já tivesse ouvido falar de milagres não sabia nada sobre isso mas pensei em como agora parecia ter aprendido tudo. Pensei que a vida era como o clima, podia mudar, e que Dante tinha o temperamento tão puro quanto um céu azul e às vezes sombrio como uma tempestade e que talvez, em certos sentidos, ele fosse exatamente como eu, e talvez isso não fosse tão bom — mas talvez também não fosse tão ruim. As pessoas eram complicadas. Eu era complicado. Dante também era complicado. As pessoas estavam incluídas nos mistérios do universo. O que importava é que ele era um mistério original. Que era bonito, humano e real e eu o amava — e pensei que nada nunca mudaria isso.

Oito

QUANDO ENTREI EM CASA, MINHA MÃE SORRIU. ELA estava segurando o telefone e o apontou para mim. Peguei o aparelho. Eu sabia que era Dante.

— Oi — eu disse.

— Só queria dizer... só queria dizer que te amo.

Nenhum de nós dois disse mais nada, apenas escutamos o silêncio na linha.

— E sei que você também me ama — ele disse, por fim. — E, embora eu não esteja de muito bom humor, não importa muito, porque um humor é apenas um humor.

Depois ele desligou o telefone.

Senti o olhar da minha mãe.

— Que foi? — perguntei.

— Você está tão bonito agora.

Balancei a cabeça.

— Preciso é de um banho.

— Isso também.

Notei que minha mãe parecia um pouco pensativa, quase triste.

— Aconteceu alguma coisa, mãe?

— Não, nada.

— Mãe?

— Só estou um pouco triste.

— O que foi?

— Suas irmãs vão se mudar.

— Quê? Por quê?

— Ricardo e Roberto estão trabalhando em um projeto. E foram transferidos para Tucson.

— Não é estranho que minhas irmãs tenham casado com homens que trabalham juntos?

— Não é estranho. Acho que é incomum, porque não acontece com muita frequência. Mas eles são bons amigos, e isso funciona para suas irmãs. Elas são inseparáveis. E esse trabalho é uma grande oportunidade. E eles são químicos, e o que fazem não é apenas um trabalho para eles.

Concordei.

— Então eles são como você.

Ela olhou para mim.

— Quer dizer, ensinar não é apenas um trabalho para você.

— É claro que não. Ensinar é uma profissão, mas tem gente que não concorda. Por isso, somos tão bem pagos.

Eu gostava do sarcasmo da minha mãe. Menos quando era voltado para mim.

— Quando elas vão embora?

— Vão se mudar daqui a três dias.

— Três dias? Que rápido.

— Às vezes as coisas acontecem rápido. Até demais. Acho que eu só não estava esperando. Vou sentir saudade delas. Vou sentir saudade dos meus netos. Sabe, a vida às vezes dá umas rasteiras. Acho que nunca fui boa em esquivar. Nunca aprendi direito a me defender.

Eu não sabia o que dizer. Não queria dizer nada besta como *Elas não vão estar tão longe assim*. Além disso, não havia nada de errado em ficar triste. Era normal ficar triste com algumas coisas. E às vezes não havia nada para dizer — mas eu odiava vê-la tão triste. Minha mãe não ficava triste com muita frequência. Pensei no poema que ela tinha emoldurado no banheiro. E me peguei repetindo o poema para ela.

— Alguns filhos partem, outros filhos ficam. Alguns filhos nunca tomam rumo.

Ela olhou para mim, quase sorrindo, quase à beira de lágrimas.

— Você é especial, Ari.

— Minhas irmãs são as que estão partindo. Meu irmão é o que nunca tomou rumo. E, mãe, acho que sou aquele que fica.

Vi as lágrimas da minha mãe escorrerem pelo rosto. Ela levou a mão à minha bochecha e sussurrou:

— Ari. Amo você mais do que nunca agora.

Tomei um banho quente e demorado, e, quando lavei o corpo, pensei em Dante. Não pensei nele de propósito. Simplesmente estava lá, na minha mente. Perninha estava deitada ao pé da minha cama. Ela não conseguia mais pular. Então a peguei no colo e a trouxe para cima. Ela apoiou a cabeça na minha barriga, e falei:

— Você é a melhor cachorra do mundo, Perninha. A melhor cachorra do mundo.

Ela lambeu minha mão.

Pegamos no sono.

Sonhei com meu irmão e minhas irmãs. Estávamos sentados ao redor da mesa da cozinha, conversando e rindo, e parecíamos todos felizes. Quando acordei, eu estava sorrindo. Mas sabia que era apenas um sonho e que aquele sonho nunca aconteceria. A vida não era um pesadelo, mas também não era um sonho bom. A vida não era nenhum tipo de sonho — era algo que tínhamos que viver. Como eu viveria minha vida? E Dante, como seria minha vida sem ele?

Acordei cedo e Perninha entrou na cozinha atrás de mim. Fiz café, tomei um suco de laranja e peguei meu diário:

Querido Dante,

Não sei por que não quero conversar sobre esse assunto com você — embora nós dois tenhamos entendido que o filho de Emma morreu de aids. Não sei muito sobre essa doença, mas sei que está matando homens gays, e assisto ao jornal à noite com meus pais e nenhum de nós nunca comenta nada. Sua mãe provavelmente sabe muito sobre o assunto. Não sei se você viu que a manchete do New York Times *que Emma estava lendo dizia: "Enfrentando a angústia emocional da aids". Ouvi meu pai falar para a minha mãe que quarenta mil homens gays morreram disso. Minha mãe disse que foram mais. Quarenta mil homens gays, Dante.*

Acho que a tristeza de Emma e a elegância com que ela enfrentava seu luto me comoveram muito. E ontem, quando voltamos, nos perdemos em nossos pequenos dramas e nos esquecemos da pintura que ela nos deu. Acho que deveríamos pendurá-la no seu quarto hoje.

O mundo não é um lugar seguro para nós. Há cartógrafos que vieram e fizeram um mapa do mundo como o viram. Eles não deixaram um lugar para escrevermos nossos nomes nesse mapa. Mas aqui estamos, estamos nele, neste mundo que não nos quer, um mundo que nunca vai nos amar, um mundo que preferiria nos destruir a abrir espaço para nós, embora haja espaço mais do que suficiente. Não existe espaço porque já se decidiu que o exílio é nossa única opção. Li a definição e não quero que essa palavra more em mim. Entramos no mundo porque nossos pais nos quiseram. Pensei sobre isso e no fundo sei que nossos pais nos trouxeram para este mundo pelos motivos mais puros. Mas, por mais que eles nos amem, seu amor não fará com que o mundo nos acolha, nem perto disso. O mundo é cheio de pessoas burras, maldosas, cruéis, violentas e horríveis. Acho que existe verdade no mundo em que vivemos, mas não faço ideia de qual seja. E há uma caralhada de filhos da puta que acha aceitável odiar quem bem entender.

Você é o centro do meu mundo — e isso me assusta porque não quero me perder em você. Sei que nunca vou falar nenhuma dessas coisas na sua cara porque, bom, porque existem coisas que preciso guardar para mim. Os homens que estão morrendo de aids têm um cartaz que diz SILÊNCIO = MORTE. Acho que sei o que significa. Mas para um cara feito eu, o silêncio pode ser um lugar onde fico livre das palavras. Você entende, Dante? Antes de conhecer você, eu não pensava nas

*palavras. Elas eram invisíveis para mim. Mas, agora
que se tornaram visíveis, acho que são fortes demais
para mim.*

*Agora minha cabeça está atulhada de palavras, atu-
lhada de amor e atulhada de pensamentos. Fico me
perguntando se pessoas como eu algum dia vão saber
o que é paz.*

Fechei o diário e terminei meu café. Vesti minhas roupas de corrida. Perninha fez uma cara triste.

Levantei o rosto e notei que minha mãe estava me observando.

— Conversando com a cachorra de novo?

— Isso.

— Li que pessoas que conversam com cachorros têm mais compaixão. — Ela penteou meu cabelo com os dedos. — Boa corrida.

Queria dar um beijo na bochecha dela. Mas não dei.

Corri. Corri como nunca tinha corrido antes. Corri, talvez por
raiva, talvez por amor. Ou talvez porque correr nem sempre era ruim.
Eu poderia correr sem parar — desde que tivesse uma casa para a
qual voltar.

Nove

ESTAVA ASSISTINDO AO JORNAL COM MEU PAI.

Era uma maneira de passar tempo com ele.

O que ele viu no jornal o fez explodir. Eu nunca tinha visto meu pai com raiva, e fiquei grato por não ser contra mim. Tinham entrevistado um veterano que falou mal de todos os manifestantes que marchavam pelas ruas de San Francisco. O homem disse que não lutou na guerra para que todos aqueles pervertidos pudessem ter oportunidade de desrespeitar o governo e causar confusão nas ruas. "Eles que se mudem para a China", declarou.

Meu pai disse:

— Queria botar esse filho da puta aqui, bem aqui nesta sala, e falar com ele de homem para homem, de veterano para veterano, para ver se ele falaria nesse tom metido a superior. Eu o obrigaria a ler a Constituição e a Declaração de Direitos em voz alta para ter certeza de que ele estava entendendo. Porque, pelo visto, ele nunca leu nada disso.

Levantou da poltrona e sentou de novo. Depois levantou. Depois sentou de novo.

— Me irrita quando as pessoas agem como especialistas só porque lutaram numa guerra. Eles se elegem para falar em nome de todos nós. E agora esse filho da puta acha que tem o direito de mandar as pessoas para a China. Vou falar uma coisa sobre muitos de nós, veteranos: adoramos reclamar do governo. Acho que só os veteranos ganharam o direito de fazer isso, o que é uma bobagem do caralho.

Eu tinha esquecido como meu pai gostava de falar palavrão.

— Essas pessoas marchando em San Francisco não são pervertidas, são cidadãs, e estão morrendo em uma epidemia que matou mais pessoas do que a guerra em que eu e ele lutamos. E o governo não está levantando nem um dedo para ajudar. Por quê? Porque essas pessoas são gays e acho que, para alguns, quer dizer que não são pessoas. Mas, quando entramos na guerra, nos falaram que estávamos defendendo as nossas liberdades. Ninguém avisou que estávamos lutando apenas pelas pessoas que concordavam com nosso maldito ponto de vista político.

"Sabe, vi muitos jovens morrerem naquela guerra. Segurei vários rapazes morrendo nos meus braços. E alguns não eram muito mais velhos do que você. Eles morreram, seu sangue encharcando meu uniforme, seus dentes batendo sob a chuva quente da selva. Não tiveram o direito de morrer em seu próprio país. Morreram em um solo que não era deles. E morreram com uma pergunta nos olhos. Não fazia nem uma hora que eram homens e morreram nos braços de outro soldado, que era a única família que eles tinham. Porra, era para eles estarem jogando basquete ou beijando suas namoradas ou seus namorados, beijando quem quer que eles amassem. Sei que muitos de nós que lutaram nas guerras do nosso país são vistos como heróis. Mas sei quem eu sou: não sou um herói. Não preciso ser um herói para ser um homem."

Meu pai estava chorando e falando com os lábios trêmulos.

— Sabe o que aprendi, Ari?

Ele olhou para mim. Vi toda a sua dor e soube que ele estava lembrando de todos os homens que morreram lá. Ele os carregava consigo porque era esse tipo de homem. E entendi que ele vivia com aquela dor todos os dias de sua vida.

— Aprendi que a vida é sagrada, Ari. Uma vida, a vida de qualquer pessoa, *a vida de todos* é sagrada. E esse filho da puta vem na televisão falar para o mundo inteiro que não lutou por eles porque eles não mereciam. Pois foi exatamente por eles que ele estava lutando. Ele estava lutando para que os direitos deles fossem ouvidos. E a vida dele não é mais sagrada que a dos outros.

Qualquer coisa que eu dissesse soaria barata. E eu não tinha nada para dizer que pudesse curar a dor e a decepção dele. Eu não sabia nada sobre nada.

Ele secou as lágrimas com a manga da camisa.

— Aposto que você não sabia que seu pai podia falar tanto.

— Gosto quando você fala.

— Sua mãe é melhor nisso do que eu.

— É, mas fica faltando uma coisa que você tem e ela não.

— O quê?

— Ela não gosta de falar palavrão.

Ele abriu um sorriso que era melhor do que uma gargalhada.

— Sua mãe acredita que deveríamos ser mais disciplinados com as palavras que usamos. Ela não acredita em violência, de nenhuma forma. Acha que falar palavrão é uma forma de violência. E não suporta que as pessoas mintam para ela gratuitamente. Acha que mentiras são o pior tipo de violência.

— Você já mentiu para ela sobre alguma coisa?

— Nunca menti para ela sobre nada importante. E, além disso, quem mentiria para uma mulher como sua mãe? Ela veria a verdade de longe.

Dez

— É VOCÊ, ARI?

Ergui os olhos e vi a sra. Alvidrez.

— Oi — eu disse. — Sou eu.

— Você está se tornando um homem tão bonito quanto seu pai.

De todos os amigos da minha mãe, a sra. Alvidrez era a de quem eu menos gostava. Sempre a achei meio falsa. Ela fazia muitos elogios, mas eu achava que eram todos da boca para fora. Tinha uma voz melosa, e não havia motivo para isso — exceto, claro, para compensar sua falta de delicadeza. Acho que eu só não a achava muito sincera, mas eu lá sabia de alguma coisa? Ela era uma das amigas da igreja, e elas cuidavam de boas ações como doações de roupas, doações de brinquedos no Natal e o banco de alimentos. Ela não deveria ser tão ruim, mas às vezes só temos um mau pressentimento sobre alguém — e não conseguimos ignorar a sensação.

— Sua mãe está em casa?

— Sim, senhora — eu disse, levantando dos degraus onde estava sentado. — Entre. Vou chamar.

Segurei a porta para ela.

— Você é tão educado.

— Obrigado — falei. Mas, por algum motivo, a maneira como ela disse… não parecia um elogio. Parecia que ela estava surpresa. — Mããe — gritei —, a sra. Alvidrez veio te ver.

— Estou no quarto — ela gritou em resposta. — Já vou.

Apontei para o sofá e sugeri que a sra. Alvidrez sentasse. Pedi licença e entrei na cozinha para pegar um copo de água.

Ouvi minha mãe cumprimentando a sra. Alvidrez.

— Lola, que surpresa. Pensei que você estivesse chateada comigo.

— Bom, não importa. Foi bobagem.

— E não era mesmo?

Houve um breve silêncio entre elas. Acho que talvez ela estivesse esperando um pedido de desculpas da minha mãe pela tal bobagem, mas minha mãe não mordeu a isca. Finalmente ouvi minha mãe quebrando o que interpretei como um silêncio constrangedor.

— Quer um café?

As duas entraram na cozinha, onde eu estava prestes a começar a escrever no diário. Sorri para elas. Minha mãe preparou um bule de café novo, depois se voltou para a sra. Alvidrez.

— Lola, tenho certeza de que você não veio apenas para tomar um café.

Dava para ver que minha mãe não considerava a sra. Alvidrez como uma de suas amigas mais próximas. Havia uma impaciência em sua voz que eu quase nunca escutava. Não era o mesmo tom que ela usava comigo quando estava irritada. Era o que usava com meu pai quando ele se recusava a parar de fumar.

— Bom, preferia conversar com você em particular.

Foi minha deixa para sair da cozinha. Comecei a levantar, mas minha mãe me deteve.

— Não há nada que você tenha a me dizer que não possa ser dito na frente do meu filho.

Dava para ver que minha mãe não gostava *mesmo* da sra. Alvidrez e, por algum motivo, se incomodava com a presença dela em casa. Eu nunca tinha visto minha mãe agir daquele jeito. Quando alguém aparecia de surpresa, ela largava tudo para fazer a pessoa se sentir bem-vinda, mas eu não estava sentindo uma energia de boas-vindas dessa vez.

— Não quero *mesmo* ter essa conversa na frente de crianças. Não é certo.

— Ari não é criança. Ele é quase um homem. Tenho certeza de que dá conta.

— Pensei que você fosse uma mãe mais discreta.

— Lola, em todos esses anos que a gente se conhece, esta é a segunda vez que você entra pela minha porta. A primeira foi para me consolar quando o nome do meu filho mais velho apareceu no jornal. Só que você não veio para me consolar. Veio para me condenar pelo tipo de mãe que eu era. Você disse, e lembro de todas as palavras: *Nada disso teria acontecido se você tivesse sido o tipo de mãe que Deus queria que você fosse.* Você vai me perdoar se eu disser que não dou a mínima para as suas opiniões sobre o tipo de mãe que eu sou.

— Acho que algumas pessoas não aceitam bem críticas construtivas. Minha mãe estava mordendo o lábio.

— Construtivas? Eu e você temos visões diferentes sobre o que essa palavra significa.

— Você nunca gostou de mim.

— Sempre te tratei com respeito, mesmo quando você não mereceu. E houve uma época em que gostei muito de você. Mas faz muito tempo que você não me dá motivos para ainda gostar.

Eu estava começando a gostar dessa discussãozinha entre minha mãe e a sra. Alvidrez. Se aquilo se tornasse uma briga, eu já sabia que a sra. Alvidrez sairia perdendo. Ela não tinha a menor chance. Baixei a cabeça. Não queria que elas notassem que eu estava sorrindo.

— Falo o que penso. Quando sei que algo é errado, minha fé exige que eu fale, sem me importar com o que os outros podem pensar.

— Você vai mesmo colocar sua fé no meio? O que quer que você tenha a dizer, Lola, diga, e tente deixar Deus de fora.

— Deus me acompanha em todo lugar que vou.

— Ele acompanha todos em todo lugar que vamos, Lola. É isso que o torna Deus.

— Sim, mas alguns de nós têm mais consciência da presença dele do que outros.

Eu nunca tinha visto aquela expressão no rosto da minha mãe. E a conhecia o suficiente para saber que ela não diria tudo que estava pensando.

— Agora que você definiu que Deus está do seu lado, Lola, vá direto ao ponto.

A sra. Alvidrez olhou no fundo dos olhos da minha mãe e disse:

— O filho da Lina morreu daquela doença.

— Que doença?

— Aquela doença que está matando todos os homens em Nova York e San Francisco.

— O que você está dizendo?

— Estou dizendo que Diego, que pelo visto escolheu um estilo de vida contrário a tudo que nossa religião defende, morreu de aids. E soube que o obituário vai dizer que ele morreu de câncer. Não aprovo essa mentira. E não acredito que ele deva ter um velório na igreja católica. E pensei que nosso grupo deveria conversar com o padre Armendariz e pedir para ele fazer a coisa certa.

Pude ver que minha mãe estava tentando respirar algumas vezes antes de falar. Finalmente, ela disse, com uma voz calma mas tão firme quanto um punho prestes a esmurrar aquela mulher:

— Quero que você me escute bem, Lola, para que meu ponto de vista fique claro. Já passou pela sua cabecinha como tudo isso deve estar sendo doloroso para Lina? Você faz alguma ideia ou sequer considerou o que ela está enfrentando agora? Ela é uma mulher boa e digna. É generosa e bondosa. Resumindo, tem todas as virtudes que você não tem. Não sei por que você acha que nossa religião gira em torno de condenar pessoas. Lina e a família dela não apenas devem estar sofrendo muito como também estão sentindo muita vergonha. Um velório para o filho na igreja que ela frequenta desde sempre é um consolo que ninguém tem o direito de recusar.

Ela não tinha terminado, mas parou e encarou a sra. Alvidrez, impedindo-a de falar o que quer que fosse.

— Lola, saia da minha casa. Saia e nunca mais pense em entrar na minha casa por nenhum motivo que seja. Em todos os meus anos andando por esta terra de meu Deus, nunca recusei minha hospitalidade a ninguém, por motivo nenhum. Mas para tudo tem uma primeira vez. *Então saia da minha casa.* E, se você acha que está levando Deus consigo, é melhor rever seus conceitos.

A sra. Alvidrez não pareceu nem um pouco magoada, apenas furiosa e louca para dar a última palavra, mas foi contida pelo olhar destemido da minha mãe. Saiu em silêncio da cozinha e bateu a porta.

Minha mãe olhou para mim.

— Juro que eu estava prestes a pular no pescoço dela. Poderia esganar essa mulher e ir a julgamento e, com toda a honestidade e sinceridade, alegaria homicídio justificável. E tenho certeza absoluta de que seria absolvida. — Ela foi devagar até uma das cadeiras da mesa da cozinha e sentou. Havia lágrimas escorrendo pelo seu rosto.

— Desculpa, Ari. Desculpa. Não sou uma pessoa tão boa quanto demonstro.

Ela não parava de balançar a cabeça. Estendi a mão sobre a mesa e ela a pegou.

— Quer saber o que acho? Acho que sou um cara muito sortudo por ter você como mãe. Sortudo de verdade. E estou começando a descobrir que você talvez seja um dos seres humanos mais decentes que vou conhecer na vida.

Adorei como ela sorriu para mim naquele momento. Ela sussurrou:

— Você está mesmo virando um homem. — Levantou, passou atrás de mim e me deu um beijo na bochecha. — Vou ajudar suas irmãs a encaixotarem as coisas. E, quando voltar à noite, vou sentar e pensar no que gostaria de levar para Lina e a família dela quando visitá-los. E vou mandar flores. Não para a funerária, mas para ela.

Se a palavra "aguerrida" ainda não existisse, teria sido inventada apenas para descrever minha mãe.

Ouvi minha mãe sair e, então, senti a cabeça de Perninha no meu colo. Fiz carinho nela por um bom tempo. E depois conversei com ela, mesmo sabendo que ela não entendia.

— Por que as pessoas não são tão sinceras quanto os cachorros? Me conta. Qual é o seu segredo?

Ela olhou para mim atentamente com seus olhos bem, bem escuros, e eu soube que, embora os cães não entendessem a língua dos humanos, entendiam a língua do amor.

Peguei meu diário, e não soube ao certo o que escrever. Não sabia por que, de repente, passei a ter essa relação com a escrita. Quer dizer, às vezes estou pensando em uma coisa e simplesmente dá vontade de escrever. Quero visualizar aquilo que estou pensando, talvez porque, se eu vir em palavras, possa avaliar se o que estou pensando é verdade ou não. Como saber o que é verdade? Acho que as pessoas podem fazer você acreditar que algo é verdadeiro se usarem palavras bonitas, e pode soar bonito, mas não quer dizer que seja bonito de verdade. Acho que não tenho que me preocupar com isso porque provavelmente nada do que vou escrever chegará perto de ser bonito ou, como Dante diria, "adorável". Mas por que isso me impediria? Não sou escritor. Não busco fazer arte. Tenho coisas dentro de mim a dizer e que preciso dizer a mim mesmo. Para entender sozinho. Se eu não disser as coisas que preciso dizer, elas vão me matar.

Querido Dante,

Minha mãe é uma boa pessoa. Não estou dizendo isso porque ela é minha mãe. Estou dizendo porque ela é uma boa pessoa. Dante, eu me achava invisível. Achava que minha mãe e meu pai não sabiam nada sobre mim ou o que eu sentia e quem eu era. E achava que eles não davam muita bola mesmo. Especialmente meu pai. Eu pensava que ele era só um cara triste que não via nada nem ninguém em mim. E queria que ele me amasse e o odiava por não me amar. E eu estava sempre bravo com minha mãe porque ela estava sempre se metendo nas minhas coisas e eu achava que ela só queria controlar minha vida e me dizer o que eu podia e não podia fazer. E, quando ela queria conversar comigo, eu achava que ela só queria me dar sermão ou me ensinar alguma coisa que achava que eu precisava saber, aí eu pensava: É, é, minha mãe, a professorinha, e estou preso na aula dela pelo resto da vida.

Não sou como você, Dante. Você sempre entendeu que seus pais te amavam. E você amava eles também. Nunca achou legal desprezar os pais. Nunca ligou para o que as outras pessoas pensavam, porque sempre soube quem você era. Você é gentil e é sensível (e, sim, um pouco temperamental, e talvez se magoe um pouco

145

fácil demais). Mas você sente. Você sente e é corajoso. Eu pensava que talvez você precisasse de mim por perto para te proteger. Mas você não precisa de proteção. Porque tem um tipo especial de coragem que a maioria das pessoas não tem e nunca vai ter. Nunca vou ter o tipo de bondade que vive dentro de você. Mas você me ensinou muitas coisas. Todas essas coisas que eu pensava sobre meus pais, bom, era quase tudo mentira, e eu acreditava nas minhas próprias mentiras. Meu pai notou, mesmo antes de mim, que eu amava você. E ele não me julgou. Estou começando a me dar conta de que ele me ama. E, sim, ele me ama porque sou filho dele, mas também não me julga por amar outro menino. E isso porque ele é uma boa pessoa. Cara, Dante, eu nunca os via como pessoas. Não de verdade. Sabe, fui um lixo por muito tempo. Não quero mais ser esse lixo.

E minha mãe é como você. Ela sabe quem é e sabe o que pensa, porque é o tipo de pessoa que se recolhe e reflete sobre as coisas.

E, Dante, minha mãe é uma mulher ótima, fantástica e aguerrida. E se minha vida vai ser uma guerra porque amo você, porque gosto de homens, no fim das contas sou um homem de sorte por ter minha mãe combatendo essa guerra ao meu lado.

Temos sorte, Dante. Não apenas porque nossos pais nos amam, mas também porque são boas pessoas.

Eu nunca tinha pensado nisso até hoje.

Eu te amo, Dante. E isso mudou tudo na minha vida — e isso importa. Mas não sei bem o que vai significar para a vida que vou viver. Há muitas coisas que não sei. Muitas coisas que nunca vou saber.

Onze

OUVI A VOZ DE DANTE AO TELEFONE.

— Oi — eu disse.

— Eu sou um babaca. Eu... tipo... tipo, agi feito um menino de cinco anos ontem. Não sei o que tem de errado comigo. Às vezes acho que não passo de um monte de emoções emaranhadas no meu corpo que não sei como desemaranhar.

— Você é mesmo um poeta — falei. — Fala feito poeta. Pensa feito poeta. E não tem nada de errado com você, Dante. Seus pais estavam dando um susto em você, e talvez tentando dar uma lição, mas também estavam brincando.

— Eu sei, é só que... sei lá. Sei que eles não queriam me magoar, e que você também não queria. Sei que tenho um bom senso de humor, mas às vezes esse senso de humor me abandona. E você pensa que sou algum tipo de santo. Mas não sou, Ari, não sou.

— Não acho que você seja algum tipo de santo. Não acho que santos façam amor com outros meninos. Mas às vezes acho que você é algum tipo de anjo.

— Anjos também não fazem amor com outros meninos.

— Bom, talvez alguns façam.

— Não sou um anjo e não sou um santo. Sou só o Dante.

— Por mim tudo bem. Posso passar aí? Acho que vou levar a Perninha na caminhonete.

— É uma ideia estupenda.

— A palavra "estupenda" mora em mim? Se sim, não me avisaram.

Desliguei o telefone. Tive que pegar Perninha no colo e deixá-la no banco da frente. Ela ficou lambendo meu rosto enquanto eu dirigia. Um dos mistérios do universo é por que os cachorros vivem tentando lamber nossa boca.

Doze

QUANDO CHEGUEI À CASA DE DANTE, TIREI PERNINHA do banco da caminhonete e a coloquei na calçada. Ela subiu os degraus sem dificuldade — e lambeu o rosto de Dante, que estava lá sentado.

— Minha mãe me deu uma bronca hoje de manhã. Sério, essa mulher sabe dar sermão como ninguém em todo o Hemisfério Ocidental. "E é meu trabalho lembrar você que existem consequências para os seus atos, por menores ou maiores que sejam esses atos. Não vou permitir que você fique se safando das coisas com seu charme, porque se safar com seu charme é manipulação. Não existem atalhos em uma vida que valha a pena ser vivida." Sabe, Ari, ela é como uma chama à noite e não importa se vem um vento ou uma tempestade, porque nenhuma tempestade é forte o suficiente para abafar a chama que é a minha mãe.

Eu queria dizer algo importante para ele, mas não sabia dizer coisas importantes. Então apenas sussurrei:

— Dante, um dia você vai ser essa chama. Talvez já seja essa chama.

— Talvez você veja o que quer ver.

— Isso é pecado?

— Talvez seja, Aristóteles Quintana. Talvez seja.

Treze

QUANDO CHEGUEI EM CASA, MINHA MÃE ESTAVA NA cozinha fazendo uma travessa de enchilada. Duas travessas de enchilada. Uma vermelha, outra verde.

— Para que toda essa comida, mãe?

— Vou levar para a casa dos Ortega e dar meus pêsames para Lina.

— Por que se leva comida quando alguém morre? De onde surgiu isso?

— Seu pai diria que é comportamento de imigrante.

— O que isso quer dizer?

— A maioria das pessoas que vieram para este país não veio porque estava tendo sucesso em seu país de origem. As pessoas eram pobres. Quando alguém morria, muita gente passava para visitar e as famílias não tinham nada para oferecer. As pessoas são orgulhosas. Então iam visitar e deixavam comida, e não existe nada como compartilhar comida, comer com as pessoas. E isso torna o velório um tipo de celebração.

— Como você sabe todas essas coisas?

— É a vida, Ari.

Reparei que minha mãe sempre tinha conversado comigo e me dito coisas e eu nunca tinha dado ouvidos de verdade a nada do que ela dizia. Naquele momento, senti vergonha de mim. Sempre quis escapar da presença dela como se fosse algum tipo de prisioneiro. Estava sempre querendo sair de casa, não porque tivesse algum lugar para ir, mas só porque queria ir.

Enquanto observava minha mãe cobrir as travessas de papel-alumínio, pensei em como se tornara fácil estar perto dela. Ela era inteligente e interessante e tinha senso de humor, e coisas que não importavam não a incomodavam, nem atrapalhavam seu dia. Antigamente, eu achava que ela queria que eu fosse outra pessoa. Mas não era ela que queria que eu fosse outra pessoa — era eu. Ela me impulsionava e me desafiava. E eu não gostava. Mas não era porque ela queria estragar meu dia. Ela era, em alguns sentidos, como a mãe de Dante. As duas esperavam que seus filhos fossem seres humanos decentes — e fariam de tudo para isso. E deixavam bem claro para nós quando não estávamos entendendo.

Eu tinha lição de casa para fazer, mas decidi ir com minha mãe para dar os pêsames à família Ortega.

— Por que hoje, se o velório é só amanhã?

— Porque é nossa tradição cercarmos os enlutados de amor. Nossa presença dá consolo a quem se sente inconsolável. É importante.

Enquanto meu pai nos levava de carro para casa dos Ortega, ele disse que tinha uma teoria sobre a importância de ir aos velórios.

— Velórios são muito mais importantes do que casamentos. As pessoas não vão lembrar se você for ao casamento do filho delas, mas *vão* lembrar se você não for ao velório da mãe. No fundo, vão se magoar por você não ter estado do lado delas quando mais precisavam. E é bom lembrar que ir ao velório não é apenas sofrer pelo morto, mas celebrar a vida dele.

Eu estava sentado no banco de trás, e minha mãe virou a cabeça e piscou para mim.

— Seu pai tem um registro de presença péssimo em casamentos. Mas, quando o assunto é velório, a presença dele é perfeita.

Meu pai soltou algo que lembrava uma gargalhada.

— Liliana, alguém já disse que você fala como uma professora?

— Talvez seja porque sou professora. Meu marido, por outro lado, se aposentou do exército há dezoito anos, e ainda fala palavrão como se fosse um soldado do exército.

— Não falo tanto palavrão assim, Lilly.

— Só porque você não fala muito.

Eles estavam brincando — como eu e Dante brincávamos às vezes em nossas conversas.

— O que você não entende é que falar palavrão é tão divertido para mim agora que estou mais velho como era quando eu tinha a idade de Ari. É a única parte de mim que ainda é jovem. Sou adulto demais para o meu gosto. O Vietnã matou a maior parte do menino que existia em mim. Mas ainda restou algo dele vivendo em algum lugar aqui dentro, e esse menino gosta de falar palavrões.

— Essa é uma das justificativas para falar palavrões mais emocionantes que já ouvi — respondeu minha mãe, com os olhos marejados.

— Você nunca fala sobre a guerra. Deveria falar mais. Se não por você, por mim.

— Estou tentando, Lilly. Estou tentando de verdade. E, sabe, mesmo antes da guerra, eu não era muito de falar. Mas juro que sei ouvir.

— Sabe, sim — ela disse, e secou as lágrimas. — Bem quando acho que sei tudo que há para saber a seu respeito, você me surpreende. É muito manipulador. Você me obriga a me apaixonar de novo.

Eu não via o rosto do meu pai, mas sabia que ele estava sorrindo.

Uma pequena viagem de carro bastou para descobrir algo sobre meus pais que eu já sabia *mas não tanto*. Que em trinta e cinco anos eles continuavam apaixonados um pelo outro. Sempre ouvi que em todo casamento um dos dois ama mais. Como calculavam isso? Bom, acho que em muitos casamentos ficava óbvio que um se importava e que o outro não dava a mínima. Mas, no caso da minha mãe e do meu pai, eu diria que era empate.

E que mania era essa do ser humano de medir o amor como se fosse possível medir esse tipo de coisa?

No país das amizades

Cada ser humano — sem exceção — é como um país. Você pode construir muros ao redor para se proteger, para manter os outros longe, nunca deixar ninguém visitar, nunca deixar ninguém entrar, nunca deixar ninguém ver a beleza dos tesouros que você carrega. Construir muros pode levar a uma existência triste e solitária. Mas podemos dar visto para que algumas pessoas entrem e vejam com seus próprios olhos toda a riqueza que temos a oferecer. Você pode resolver deixar que seus visitantes vejam sua dor e a coragem que você teve para sobreviver. Deixar que outras pessoas entrem — deixar que vejam seu país — é a chave para a felicidade.

Um

QUANDO EU ERA PEQUENO E ENTRAVA EM UM CÔ-modo cheio, eu contava as pessoas. Contava e recontava — e nunca soube por que fazia aquilo. Eu perdia muito tempo contando as pessoas, e a contagem não tinha nenhuma finalidade. Talvez eu não visse as pessoas como pessoas, apenas como números. Eu não entendia as pessoas — e, embora também fosse uma pessoa, vivia muito longe delas. Sem motivo nenhum, pensei nisso quando chegamos à casa dos Ortega. Eu sabia que a casa estaria cheia e que aquelas pessoas eram pessoas e não números — e que eram pessoas que tinham coração. E que justamente por isso estavam lá.

Eu segurava uma das travessas, e meu pai, a outra. Acho que tanto minha cara quanto a dele diziam *Não derruba*.

Quando a sra. Ortega atendeu a porta, ficou óbvio que gostava muito da minha mãe. Ela abraçou minha mãe e começou a chorar.

— Desculpa — ela disse.

— Está se desculpando por quê? — minha mãe perguntou. — Não é uma festa de Ano-Novo... você acabou de perder um filho.

Ela sorriu e tentou se recompor.

— Obrigada pelas flores, Lilly, foi muito atencioso. Você é sempre muito atenciosa. E que bom que veio.

Nós a seguimos até a sala e a sra. Ortega abriu espaço para deixarmos as travessas da minha mãe na mesa de jantar. A sra. Ortega olhou para mim e abanou a cabeça.

— Sei que você odeia ouvir os elogios das amigas da sua mãe. Mas tenho que dizer que é um rapazinho muito bonito.

Muitos adultos tinham algo a dizer sobre a minha aparência, o que sempre achei interessante. Meu rosto havia mudado totalmente desde que nasci. Não significava que eu era boa pessoa. Nem significava que era má pessoa.

— E sou a cara do meu pai — falei.

— E você é a cara do seu pai — ela disse. — Mas tem os olhos da sua mãe.

Fiquei constrangido e não soube o que dizer em seguida, então apenas abri a boca e soltei:

— Sinto muito que esteja sofrendo.

Ela começou a chorar de novo. Me senti mal por isso.

— Eu não queria... Sabe, estou sempre falando a coisa errada.

Ela parou de chorar, abanou a cabeça e sorriu para mim.

— Ah, Ari, não seja tão exigente. Você não disse nada de errado.

— Então me deu um beijo na bochecha. — Você é tão atencioso quanto a sua mãe.

Não tinha ninguém da minha idade. Várias crianças pequenas corriam de um lado para o outro e me fizeram sorrir, porque pareciam felizes. Duas das meninas Ortega também estavam lá — e eram mais velhas. Não tão mais velhas, mas o suficiente para não me darem bola, assim como não dei bola para elas. E havia Cassandra. Ela era a caçula. Tinha a minha idade, e eu poderia dizer que estudávamos juntos, mas "juntos" não era exatamente a palavra.

Cassandra me odiava. E o ódio era recíproco. Era uma sociedade da desadmiração mútua, embora eu não ache que exista a palavra "desadmiração". Eu torcia para não dar de cara com ela e ver aquela expressão de puro desdém. Sua aparência só aumentava seu senso de superioridade. Fiquei aliviado por não ver nem sinal de Cassandra.

Depois de um tempo, cansei dos amigos da minha mãe perguntando: "Ari, quando foi que você virou um homem?". Eu levava na esportiva, mas, lá pela quinta vez, o espertinho dentro de mim queria dizer: *Ontem. Acho que foi ontem, sim. Acordei e olhei no espelho, e lá estava eu, um homem!* Eu estava ficando um pouco entediado de ouvir pessoas falando — ainda que bem — de outras pessoas que eu não conhecia. Servi um pouco de comida em um pratinho descartável e estava procurando um lugar para sentar onde eu pudesse ficar invisível. Foi quando a sra. Ortega veio até mim.

— Cassandra está lá fora no pátio. Talvez ela queira companhia.

Imaginei que Cassandra quisesse mesmo companhia, mas provavelmente preferiria a de um rato, até uma ratazana bem grande, uma ratazana bem grande infestada de doenças, à minha. Me senti indo para uma batalha com um rifle descarregado, uma missão suicida. A sra. Ortega não pôde deixar de reparar na cara que fiz.

— Ari, sei que vocês não se gostam muito. Mas odeio vê-la tão sozinha. E talvez você a distraia de toda essa tristeza.

— E se ela me bater? — Nossa, eu falei aquilo mesmo?

Pelo menos, fiz a sra. Ortega rir.

— Se ela bater em você, eu banco suas despesas médicas.

Ela ainda estava rindo, e fazer alguém rir era melhor do que fazer alguém chorar. Ela me levou gentilmente até a porta dos fundos.

Fui para o pátio, que era mais como uma sala de estar ao ar livre, com plantas, móveis e luminárias. Vi Cassandra sentada lá. Parecia uma personagem de um romance trágico, uma figura solitária condenada a viver em um mar de tristeza.

Havia uma poltrona com almofadas que pareciam bem confortáveis perto do sofá em que Cassandra estava. Ela era tão bonita que chegava a intimidar. Tinha olhos castanhos capazes de destilar desprezo e fazia você se sentir uma *cucaracha* se arrastando pela casa prestes a levar um pisão e ter sua vidinha miserável estraçalhada.

— Se importa se eu sentar aqui?

Ela voltou de onde quer que estivesse e me lançou o olhar que acabei de descrever.

— Que. Merda. você. Veio fazer aqui?

— Vim com meus pais.

— Bom, como você não tem amigos, acho que tem que se contentar em sair com seus pais.

— Gosto de sair com meus pais. Eles são inteligentes e interessantes, e a maioria dos babacas da escola não chega nem perto disso.

— Ué, e você não é um dos babacas? Pelo visto nem todos são amigos.

— Ela poderia até ser um ser superior, mas não era motivo para fazer as pessoas se sentirem mal por respirar. — Que cara petulante é essa?

— Eu deveria ter simplesmente aceitado que você me odeia e deixado por isso mesmo.

— Quer que eu peça desculpas por odiar você?

— Você não me deve desculpas. E eu também não te devo.

Ela virou a cara, o que me pareceu uma pose treinada. Tive a impressão de que era uma atriz. Não que todo aquele desprezo por mim fosse encenação. Era a mais pura verdade.

— Você é um pirralho. Não gosto de pirralhos. Prefiro adultos.

— Esqueci que você é adulta desde os doze. Talvez seja por isso que não tem compaixão. Você simplesmente não tem empatia com ninguém.

— Obrigada, dr. Freud. Me diga, quando você começou sua prática psiquiátrica? Tenho algumas observações também. Você se mete em brigas porque isso faz você se sentir machão. E se acha muito inteligente.

— Não me acho tão inteligente assim.

— Bom, atencioso é que você não é. Você magoa as pessoas. Magoou Gina e Susie, que gostam muito de você. Elas tentam ser suas amigas, e você não dá a mínima. Susie tem uma teoria. Diz que você não é nem um pouco arrogante. Só se odeia mesmo.

— Bom, talvez seja isso.

— Tem muito motivo para se odiar mesmo. Posso dar umas sugestões para a sua lista.

— Para que se dar a todo esse trabalho? Para alguém que não me conhece, você parece saber tudo sobre mim.

— Não é preciso interagir com alguém para conhecer. Sabia que você nunca, mas nunca, me cumprimentou na escola?

— Você não é exatamente a Miss Simpatia. Você olha para mim como se estivesse prestes a me estapear. Mas, enfim, você olha para todo mundo assim.

— Você acha que pode entrar na minha casa e me ofender? Vai se foder.

Guardei meu *Vai se foder, Cassandra* para mim.

— Quando você deixa as pessoas te colocarem para baixo é porque está morto. Sabe o que você é, Cassandra? Você é uma assassina. Você usa sua aparência como arma. Você é uma arma carregada disfarçada de menina.

— Você não sabe *nada* sobre mim. Não faz ideia do que é perder alguém. Acabei de perder um irmão, e ele não morreu de câncer. Morreu de aids, e muita gente já sabe disso, graças à sra. Alvidrez. A última vez que o vi, ele estava em um hospital em San Francisco. Nem o reconheci. Ele já estava morto. Ele sempre me tratou como se eu fosse importante.

Ela estava chorando — não apenas lacrimejando, mas chorando de soluçar — e suas lágrimas eram lágrimas de perda, lágrimas de raiva, lágrimas de dor e lágrimas que diziam: *Nunca mais vou deixar que ninguém me machuque. Nunca mais.*

— Sabe como é estar de mãos atadas diante de um irmão moribundo? Ele era brilhante e valente… e era gay, o que significava que não era um homem. Não era nem humano. Eles que morrem. Pessoas como você não se importam. Você não sabe pelo que um homem como meu irmão passou só por ter nascido. Você nunca vai entender o tipo de coragem dele.

— Como você sabe?

— Porque pirralhos héteros são filhos da puta insensíveis.

Eu não sabia que diria o que disse, mas simplesmente saiu.

— Como você sabe que sou hétero?

Ela olhou para mim. Continuou me observando com uma cara confusa e não disse nada, não conseguiu dizer nada, mas havia uma pergunta em seu rosto.

— Como você sabe que não sou gay? — Eu tinha dito, e parte de mim estava contente e outra parte arrependida. — Cassandra, eu sou gay. Tenho dezessete anos, e tenho medo. — O silêncio entre nós pareceu durar uma eternidade. — Desculpa. Eu não tinha a intenção de contar para você. Simplesmente saiu. Desculpa, eu…

— Shhh — ela sussurrou. Era como se toda a dureza nela tivesse simplesmente desaparecido. Seu olhar era tão doce que eu nunca tinha visto ela assim. — Bom, talvez você não devesse ter me contado. Porque essas coisas só se contam para pessoas de confiança, e você não tem motivos para confiar em mim. Mas você contou. E eu ouvi. E não tenho como desouvir. — Acho que ela estava tentando encontrar a coisa certa a dizer… mas não havia uma coisa certa. — Acho que isso explica muitas coisas. Ai, meu Deus. Ai, meu Deus, sou tão cretina. — Ela estava chorando de novo, chorando muito. — Ari, eu sou, ai, meu Deus, sou tão cretina. Sou...

— Ei, ei, me escuta. Não. Não fala isso. Você não é cretina. Sério. Não é mesmo. São poucas as pessoas que sabem. Cinco. Com você, seis. E agora que contei, sinto que só dei mais um fardo para você carregar. E não queria isso. Não mesmo. Sei que todos os ativistas gays estão dizendo que o silêncio é a morte, mas meu silêncio, pelo menos agora, é sobrevivência.

Ela só continuou olhando para mim. Estava me estudando. Não mais chorando. Tentou sorrir. E depois disse:

— Levanta.

— Quê?

— Mandei levantar.

Olhei para ela com aquela pergunta quase cínica no rosto.

— Certo, se você diz.

Então levantei, e ela me abraçou. E chorou no meu ombro. Eu a abracei e deixei que chorasse. Não sei por quanto tempo ela chorou e, por mim, poderia ter chorado no meu ombro para sempre, se fosse o tempo necessário para que ela botasse para fora toda a dor que guardava.

Quando ela parou de chorar, me deu um beijo na bochecha. Depois sentou e olhou para o meu prato cheio de comida.

— Você vai comer isso? — perguntou.

— Pode pegar.

Ela apanhou o prato.

— Estou faminta.

E avançou na comida. Não aguentei, só comecei a rir.

— Que foi? Qual é a graça?

— Uma menina tão bonita, devorando a comida feito um homem.

Ela me lançou um olhar de desprezo, quase brincalhão.

— Posso fazer muitas coisas feito um homem. Posso lançar uma bola de beisebol tão bem quanto qualquer menino, e sou uma rebatedora melhor do que você.

— Bom, como não jogo beisebol, não é tão difícil assim.

Ela sorriu.

— Tenho uma ideia.

— Qual?

— Por que você não faz a gentileza...

— Pensei que estivesse claro que eu não era gentil.

Eu estava sorrindo, sim. Ela retribuiu meu sorriso petulante.

— É verdade. Mas pelo visto as regras do jogo mudaram, e vejo agora que você tem potencial. Isso pede novas estratégias.

— Novas estratégias?

Aquilo me fez abrir um sorriso sincero.

— Isso. Então, como eu estava dizendo, por que você não faz a gentileza de servir mais dois pratos de comida para nós?

Balancei a cabeça e fui até a casa. Enquanto abria a porta dos fundos, dei meia-volta e perguntei para ela:

— Você é sempre tão mandona?

— Sempre — ela disse. — É uma das minhas especialidades.

— Bom, a prática leva à perfeição.

Deu para ouvir a gargalhada dela enquanto eu entrava na casa.

Eu e Cassandra conversamos por muito tempo. Ela me contou de seu pai violento, que tinha espancado o irmão dela quando ele se assumiu — e que isso foi o fim do casamento dele com a mãe. Ela tinha doze anos quando ele foi embora.

Riu quando me contou que a mãe tinha conseguido depenar o pai porque descobriu que ele estava tendo um caso. Quem forneceu essa informação privilegiada foi ninguém menos do que a sra. Alvidrez.

Cassandra tinha uma vida solitária. Mas, enquanto desabafava, não havia nenhum traço de autopiedade. Ela não havia perdido tempo sentindo pena de si mesma. Já eu, não sabia fazer outra coisa.

— Então você tem um namorado chamado Dante.

— Tenho. Essa palavra, "namorado", ainda soa muito estranha. Mas não sei de que outro jeito chamar.

— Você ama ele?

— Sou louco por ele. Descobri que se apaixonar por alguém é uma forma de insanidade. Você já se apaixonou?

— Quase. Fiquei quase perdida.

— O que aconteceu?

— Ele era mais velho. Estava na faculdade. Eu me via como uma mulher. Ele me via como uma menina. Ele se achava um homem. Eu o achava um menino. Eu sabia que estava fadada a um desastre, então falei para ele esquecer meu número.

— Mandou bem, Cassandra Ortega. Mandou bem.

Quando saímos da casa dos Ortega, a sra. Ortega e Cassandra nos levaram até o carro. Meus pais estavam falando sobre alguns detalhes de última hora do funeral, e entendi que minha mãe estava envolvida. Eu e Cassandra ficamos para trás.

— Cassandra, você tem boa memória?

— Quase fotográfica.

— Nem sei por que precisei perguntar. Então vou te dar meu número e você pode anotar no seu cérebro fotográfico.

Enquanto dizia meu número para ela, eu traçava os dígitos no ar com o dedo. Ela repetiu o número.

— Entendido — ela disse.

Meu pai tinha entrado no carro, mas minha mãe e a sra. Ortega ainda estavam conversando.

— Imagino que você não tenha falado nada para Gina nem para Susie.

— Não, não falei.

— Ari, você deveria contar. — Havia uma súplica real na voz dela. — Elas nunca te trairiam. E gostam muito de você. Entendo que você é uma pessoa reservada e que não precisa contar para ninguém, por questões de sobrevivência. Mas juro que Susie e Gina e eu vamos ajudar você. Desculpa, isso foi meio condescendente. É um costume meu. Gina e Susie são fiéis, sabe. Você deveria confiar nelas.

Fiz que sim.

— Vou contar. Parece que a gente inventou um jogo em que elas me enchem e eu me irrito, e a gente meio que se acostumou com essa brincadeira. Elas sempre souberam que não era exagero meu quando eu ficava de saco cheio. Mas sinceramente não sei o que fazer ou dizer quando estou perto delas.

— Está na hora de aprender. — Ela me beijou na bochecha. — Está na hora de aprender, Aristóteles Mendoza. — Ela abanou a cabeça, virou e voltou para a porta de casa.

Sussurrei seu nome:

— Cassandra Ortega.

Não importava o que aquele nome significava para mim antes; passara a significar algo completamente diferente. Seu nome, antes assustador, passara a soar como um convite para visitar um mundo novo.

Dois

ANTES DE IR PARA A CAMA, QUIS ESCREVER NO MEU diário. Então peguei o caderno e uma caneta e pensei por um momento. Eu não sabia bem o que precisava escrever — mas sabia que precisava escrever alguma coisa. Talvez fosse uma forma de me tornar um cartógrafo. Eu estava mapeando minha própria jornada.

Querido Dante,

Quando me contou que minhas irmãs estavam se mudando, minha mãe disse que a mudança seria em três dias. E que às vezes a vida dá umas rasteiras. Eu sei o que essa expressão significa, embora não lembre quando ou onde aprendi, nem saiba de onde vem. Significa que a vida pode mudar sem a gente nem perceber. Em um momento você está indo em uma direção e de repente está em outra. Algo inesperado acontece e, subitamente, tudo muda e você se vê indo para um lugar aonde nunca pensou ir.

Dante, você mudou minha vida e mudou meu rumo. Mas a mudança não foi súbita. Tive uma conversa com Cassandra Ortega hoje, e não lembro se já falei dela para você. Porque eu a odiava com um ódio que era quase puro. Mas hoje, a vida me deu uma rasteira. E, de repente, uma menina que eu odiava se tornou uma menina que admiro. Uma menina que era minha verdadeira inimiga se tornou minha verdadeira amiga. Nunca na vida fiz uma amiga de maneira tão instantânea. Mas, subitamente, ela se tornou importante para mim.

E sinto que estou um pouco diferente... mas não sei exatamente como.

Eu achava que dava para encontrar todos os segredos do universo na mão de alguém.

E acho que é verdade. Realmente encontro todos os segredos do universo na sua mão. Na sua mão, Dante.

Mas também acho que dá para encontrar todos os segredos do universo quando uma menina que é mais mulher do que menina chora toda a dor dela em seu ombro. E também dá para descobrir toda a dor que existe no mundo em suas próprias lágrimas — basta escutar a música que suas lágrimas cantam.

Se tivermos sorte. Se tivermos muita sorte, o universo vai nos enviar as pessoas de que precisamos para sobreviver.

Três

UMA SEMANA. EU VOLTARIA À ESCOLA DALI A UMA semana. Aquela palavra, "escola", pairava sobre nós como abutres sobre uma carcaça morta. Era sábado. Não que sábados fizessem muita diferença durante as férias. Saí para correr. Sempre gostei do suor que me cobria depois de uma corrida.

Depois, sentei na soleira para pensar. Ri sozinho. *Ari, e você achou que não tinha nenhum hobby.*

Minha mãe saiu e sentou ao meu lado.

— Não fica muito perto, mãe. Estou bem fedido.

Ela riu.

— Eu trocava suas fraldas.

— Aff. Que nojo.

— Tem certas coisas que os filhos nunca vão entender.

Concordei, e uma ideia passou pela minha cabeça.

— Mãe, você tem planos para hoje?

— Não, mas estou a fim de cozinhar.

— É perfeito.

— Por quê? Você está a fim de comer?

— E você se pergunta de onde puxei meu jeito respondão. — Passei para a minha ideia. — Mãe, posso chamar umas amigas para almoçar?

Ela fez uma cara ótima.

— Acho uma ideia maravilhosa. Mas quem é você? E o que fez com meu filho?

— Ha! Ha! Bom, acho que preciso contar para Susie e Gina sobre mim... e pensei em chamar as duas para almoçar e, sabe...

— Susie e Gina, as meninas de quem você vive reclamando porque não te deixam em paz? As meninas que você sempre afastou por terem a audácia de quererem ser suas amigas?

— Já entendi o recado, mãe. — Me senti um escroto. — Acho que estou começando a entender. Pode parecer estranho. Mas elas são o mais próximo que já tive de amigos desde a primeira série. Não quero mais excluir as duas. E é como você disse, vou precisar de alguns amigos. Eu e Dante não podemos embarcar nessa sozinhos.

— Ari — ela sussurrou. — Eu tinha praticamente perdido as esperanças de que você abriria os olhos e veria o quanto aquelas meninas gostam de você. Estou orgulhosa.

— Só demorei doze anos.

— Antes tarde do que nunca. — Ela me mandou um beijo. — Você tem razão. Está bem fedido. Toma um banho. Vou cozinhar alguma coisa especial.

Liguei para Dante e perguntei o que ele ia almoçar.

— Nada. Está planejando me levar para um encontro de verdade?

— Minha mãe vai fazer almoço. Ela está a fim de cozinhar. E, quando ela está a fim de cozinhar, rola um banquete.

— Ótimo! Você ainda me ama?

— Que pergunta besta.

— Não é uma pergunta besta. Uma pergunta besta é quando você está descendo a rua com um amigo e está chovendo e seu amigo pergunta: *Você acha que vai chover hoje?* Uma pergunta besta é minha mãe entrar na sala parecendo convincentemente grávida e eu perguntar para ela: *Mãe, você tem trinta e sete anos. Não está grávida de verdade, está?* Essa seria uma pergunta besta.

— Certo, não é uma pergunta besta. Eu deveria ter dito o seguinte: *Não me pergunte o que você já sabe, senão eu vou...*

Eu não fazia ideia de como completar a frase.

— Vai o quê?

— Vou beijar você. Mas vou beijar de má vontade.

— Acho que isso seria impossível.

— E por quê?

— Porque sou eu. — Ele tinha o tom exagerado que usava quando estava brincando. — Porque, quando você encostar os lábios nos meus, não vai conseguir controlar a paixão que provoco em você.

— Um talento você tem, Dante: escrever romances de banca de jornal.

— Jura? Vou dedicar todos a você.

— A gente se vê daqui a pouco. E, por favor, traga o Dante inteligente com você e deixe o cabeça de vento com quem estou conversando ao telefone em casa.

— Beleza, vou deixar o cabeça de vento morrendo aqui de coração partido.

Desliguei o telefone. Ele era um palhaço, esse Dante. Eu admirava a capacidade que ele tinha de tirar sarro de si mesmo. Eu ainda não tinha desenvolvido aquela arte.

Talvez nunca a desenvolvesse.

Quatro

RESPIREI FUNDO — E DECIDI LIGAR. FAZER A TEMIDA ligação, como eu a chamava na minha cabeça. Sabe, eu já temi muita coisa. Antes de conhecer Dante, eu temia acordar de manhã. Era um pavor real. Cassandra tinha razão. Susie e Gina mereciam saber que eu era gay. Era esquisito pra caralho. Cheguei a treinar no espelho. Olhei no espelho, apontei para meu reflexo e disse: "Ari, você é gay. Agora repete: *Eu sou gay*". Era idiota, eu sei, mas talvez não fosse tão idiota assim. Normalmente eu não era o tipo de pessoa que fazia bobeiras como essa, porque não era muito fã de bobeiras, nem mesmo da palavra "bobeira". Dante dizia que todas as palavras mereciam respeito. Eu achava admirável. Mas às vezes tínhamos respeito demais por certas palavras. Como a palavra "foda". Eu não queria perder meu respeito por essa palavra. Ou talvez não tivesse que respeitar essa palavra para usá-la. Sei qual lado da discussão meu pai tomaria, e nem preciso adivinhar o que minha mãe pensaria.

Eu sabia que estava enrolando, pensando naquilo tudo, porque queria adiar a temida ligação. *Ari, você deveria contar*. A voz de Cassandra na minha cabeça. Porra, que ótimo. Mais uma voz morando na minha cabeça.

Procurei o número de Susie na agenda telefônica. Ouvi o telefone tocar, e então ouvi a voz de Susie do outro lado da linha.

— Susie? Aqui é o Ari.

— Ari? Aristóteles Mendoza está ligando para Susie Byrd? Nossa, vai chover.

— Corta essa. Não é nada de mais. Conheço você desde a primeira série.

— Bom, isso é verdade. Você me conhece desde a primeira série. E nunca ouvi sua voz na linha telefônica.

— E o que impedia você de pegar o telefone?

— Você, Ari. É o que me impedia. *Ah, acho que vou dar uma ligada para Ari, ver o que ele anda fazendo*.

— Tá, tá, saquei. — E então o espertinho em mim tomou conta e disse: — Então, Susie, o que você anda fazendo?

— Ah, nada. Estava só esperando sentada por uma ligação do meu amigo Ari, na esperança de que hoje fosse o dia em que ele finalmente me ligaria.

Então ela riu, visivelmente se achando muito engraçada.

— Susie, você está começando a me irritar.

— Se eu ganhasse uma moeda cada vez que você diz isso para mim...

— Quer que eu peça desculpas por esperar doze anos para ligar para você?

Ai, merda, pensei. Eu estava fazendo um papelão. Comecei a pensar que talvez um pedido de desculpas não fosse uma ideia tão ruim.

Houve um breve silêncio do outro lado da linha.

— Ari, você escutou o que acabou de me falar?

— Infelizmente, depois que eu disse, sim, escutei. — E então soube qual era a coisa certa a dizer. — Desculpa, Susie. Ser amigo das pessoas não é meu forte. Não tenho muita prática. E eu sabia que você e Gina não estavam só me enchendo o saco por diversão. Eu gostava de ser invisível, mas não era para você e para Gina. Queria que vocês me deixassem sozinho. E vocês não aceitaram isso. E fico feliz, de verdade, que tenham parado para prestar atenção em mim.

Eu sabia o que estava por vir. Ela estava chorando. Afinal, ela era chorona. Suas lágrimas eram parte de como ela vivia no mundo. Esperei ela parar.

— Sua solidão me deixa triste, Ari. E existe algo em você. O que quero dizer é que as pessoas são como países, e eu e Gina, e seu amigo Dante, somos todos países... e talvez você tenha dado um visto para seu amigo Dante. Mas, ainda que tenha feito isso, ele é só um. E só uma pessoa não basta. Ter amigos é como viajar. Eu e Gina oferecemos a você um visto para viajar para nossos países sempre que você quisesse. Então, Ari, quando *você* vai dar um visto para *nós*? Queremos muito visitar você. Queremos muito que você nos mostre seu lindo país.

Ela começou a chorar de novo.

Antigamente, as lágrimas dela me incomodavam. Mas, naquele momento, pensei que era muito bonito ser tão sensível.

— Bom, é exatamente por isso que eu estava ligando — falei. — Queria informar que toda a papelada foi processada e seu visto foi aprovado para entrar no país Ari. Mas você vai entrar por sua conta e risco.

Eu sabia que ela estava sorrindo. E fiquei feliz por ter ligado. Foi difícil — mas mudar não era uma coisa fácil, e eu estava começando a descobrir que a mudança não acontecia de uma hora para a outra... eu tinha que fazer acontecer.

— Escuta, queria convidar você e Gina para almoçar hoje. Sei que está meio em cima da hora e sei que vocês devem estar ocupadas...

Ela me interrompeu.

— Estaremos aí. Pode deixar.

— Mas você ainda não conversou com Gina. Como sabe que ela não está ocupada?

— Acredite em mim, ela vai se desocupar. — E então ela fez uma pausa e disse: — Longe de mim questionar sua sinceridade, Ari, mas não posso deixar de pensar que você está tramando alguma coisa.

— Bom, talvez eu esteja tramando alguma coisa. Mas não é nada nefasto.

— Nefasto. Adoro essa palavra.

— Eu sei. Foi você que me apresentou.

Ela riu.

— Meio-dia. Você tem o endereço.

Desliguei o telefone. E notei que estava tremendo. Eu não sabia o que faria. O Ari que eu era antes nunca se comportaria daquela forma. Mas o Ari que eu era antes estava desaparecendo, embora eu soubesse que deixaria partes dele para trás. E o Ari que eu estava me tornando ainda não havia chegado completamente. Eu não conseguia parar de tremer. Estava com medo. Não sabia como fazer nada daquilo. Por um momento, uma espécie de pânico me dominou, e não consegui respirar. Senti enjoo — corri para o banheiro e vomitei.

Respirei fundo. Depois de novo. E de novo. E fiquei repetindo que tudo ficaria bem.

Eu estava fazendo a coisa certa. Não gostava de colocar minha vida nas mãos de outras pessoas. Não tinha nada a ver com Cassandra, Susie ou Gina. Mas no fundo eu já sabia que minha vida toda estaria nas mãos de outras pessoas. Senti uma raiva em mim, tremi de novo e me perguntei se era assim que a terra se sentia durante um terremoto, mas então pensei: *Não, não, é assim que um vulcão se sente quando está prestes a explodir.* Eu me sentia zonzo e enjoado, e vomitei tudo que restava em meu estômago no vaso sanitário. Não sei por que, mas estava chorando e não conseguia parar, nem queria parar.

Até que não senti nada e quis sentir alguma coisa, então sussurrei o nome de Dante e comecei a sentir de novo. Por um instante, quis ser outra pessoa ou uma outra versão de mim, uma versão que gostasse de meninas, e sentir como era ser parte do mundo e não apenas viver nas margens. Mas, se eu fosse essa versão, não amaria Dante como amava, e nosso amor era a coisa mais dolorosa e bonita que eu já havia sentido e eu nunca queria viver sem isso.

Eu estava pouco me fodendo que fosse jovem, que tivesse acabado de fazer dezessete anos, e estava pouco me fodendo se alguém me achava jovem demais para sentir as coisas que eu sentia. Jovem demais? Fala isso para o meu coração.

Cinco

EU E PERNINHA ESTÁVAMOS SENTADOS NA SOLEIRA, e ela simplesmente não era mais um filhote. Ela virou na direção de Dante enquanto ele subia a calçada. Ele se ajoelhou e a abraçou. Sorri quando ele falou para ela o quanto a amava.

Ele sentou ao meu lado, olhou a rua e, quando viu que não tinha ninguém, me deu um beijo no rosto.

— Tenho uma história para te contar.

Contei para ele tudo que havia acontecido entre mim e Cassandra. Não deixei nada importante de fora, e contei para ele que Cassandra estava certa sobre contar para Gina e Susie, e que eu as havia convidado para um almoço mas não fazia a mínima ideia de como começaria a conversa ou a revelação ou a saída do armário ou seja lá como se chamava. Eu o observei enquanto ele me escutava sem nunca tirar os olhos de mim.

Quando terminei, ele disse:

— Às vezes te amar me deixa angustiado. E às vezes te amar me deixa muito, mas muito feliz.

Fiquei contente que ele tivesse me contado que às vezes me amar o deixava angustiado, porque às vezes amá-lo me deixava angustiado também. E assim eu não me sentia tão bosta. Também soube que tinha acabado de deixá-lo feliz.

— E você sabe que agora pode parar de amar odiar a Cassandra — disse ele. — Era o dia todo Cassandra isso, Cassandra aquilo.

— Não lembro de falar tanto dela assim.

— Tá, eu exagerei. Mas lembro de comentar que gostaria de conhecer essa tal de Cassandra e você disse: *Ah, não gostaria, não.*

Naquele momento, o Volkswagen de Gina Navarro estacionou na frente da casa. Enquanto ela e Susie subiam pelo calçamento, Dante levantou e deu um abraço em cada uma delas. Era assim que funcionaria? Porra. Dante já estava estabelecendo um padrão de comportamento que simplesmente não era como eu demonstrava afeto, mas, certo, certo, levantei e abracei cada uma delas.

E então Gina disse:

— Você foi abduzido por um óvni? Mexeram com a sua cabeça e transformaram você em outra pessoa, uma versão mais legal de quem você era? — E então ela olhou para Dante e disse: — Dante, confessa, onde você escondeu o verdadeiro Ari que eu e Susie adorávamos odiar?

Olhei bem nos olhos de Gina e disse:

— Não é verdade. Vocês nunca me odiaram.

— Tem razão. Mas bem que eu queria. Não conta?

— Não — eu disse.

— Bom, você nos odiava.

— Eu queria, mas não.

Gina riu e olhou para mim.

— E isso conta.

— Não é justo. Como isso funciona? Que tipo de matemática é essa?

— Se você não descobriu até agora, as meninas fazem contas de maneira muito diferente dos meninos. Nós crescemos mais rápido. A matemática dos meninos é muito básica, um mais um é igual a dois. A das meninas é teórica, o tipo de matemática que as pessoas estudam no doutorado.

Observei Dante, e ele não disse nada em minha defesa. Então o cutuquei para que ele dissesse algo.

— Você não vai nem comentar os exageros de Gina?

— Não — ele disse —, hoje sou um antropólogo cultural, e estou observando comportamentos de jovens homens e mulheres que se conhecem há quase doze anos e, tendo ficado presos em uma espécie de êxtase emocional, estão tentando examinar seus comportamentos a fim de aprofundar habilidades interpessoais que apoiem e promovam a estabilidade emocional. Para manter meu papel como cientista social, devo manter minha objetividade.

Gina e Susie olharam uma para a outra, e Gina disse:

— Eu gosto desse cara.

Olhei para Dante.

— Objetividade? Você foi até Gina e Susie e as cumprimentou com um abraço. E assim criou a expectativa de que eu também as cumprimentaria com um abraço. E lá estava eu, abraçando Susie e Gina.

Susie abanou a cabeça.

— Você não vai morrer se abraçar a gente.

— Bom, não espere isso de abraços no futuro. Dante pode abraçar se quiser. Ele abraça qualquer um. Eu reservo abraços para ocasiões especiais, além de ímpetos espontâneos, que podem ou não acontecer de tempos em tempos.

— O que você chama de ocasiões especiais?

Susie cruzou os braços.

— Aniversários, Dia de Ação de Graças, Natal, Ano-Novo, Dia dos Namorados, que é um feriado falso, mas, enfim, entra também, e dias muito tristes, mas dias de mau humor não, e dias muito felizes quando acontece alguma coisa que pede comemoração. Dia do Trabalho, Dia da Independência e outros feriados não são dias de abraço.

— Entendi o recado.

O tom de Gina deixava claro que tudo que eu tinha acabado de dizer era besteira e que ela não pretendia seguir nenhuma das minhas regras porque eram ridículas.

— Entendeu mesmo o recado, Gina? Você não pode me transformar em outra pessoa.

— Idem, Ari.

— Estamos brigando? — Susie estava com sua cara de *Não estou contente*. — Como você nos convidou para almoçar, pensei que seria mais educado. Vamos ser convidadas educadas e você vai ser um anfitrião educado.

— Objetivamente falando, tenho que concordar com Susie.

— Antropólogos culturais observadores não têm o direito de falar nada.

— Ah, isso não é verdade.

— Objetivamente falando? Sério? Você é alérgico à objetividade.

Ele pensou por um momento.

— Você tem razão. Só estava tirando uma com a sua cara. Eu daria um péssimo antropólogo cultural. Já o senhor seria ótimo.

Eu queria dar um beijo nele. Eu estava sempre querendo dar um beijo nele.

Naquele momento, ouvi a voz da minha mãe.

— Alguém com fome?

É claro que minha mãe abraçou Gina e Susie. Afinal, ela as conhecia desde sempre, embora não a fundo. Mas gostava das duas e, às vezes, as mulheres tinham uma solidariedade mútua que os homens não tinham — talvez porque precisassem disso, e os homens, não. Eu as observei, e elas pareciam ter um afeto sincero e natural umas pelas outras. Talvez porque as mães sentissem um tipo de amor por todos os adolescentes da vizinhança. E minha mãe conhecia os pais de Gina e Susie — das reuniões de pais e professores, da igreja e da associação de moradores. Nas caminhadas que fazia com meu pai, ela parava para conversar e perguntar sobre a vida. Minha mãe era uma boa vizinha, e acredito que, para ela, era um forma de amar as pessoas.

Eu pensava em amor como algo íntimo que acontecia entre duas pessoas. Eu estava errado.

Minha mãe encheu nossos pratos com seus tacos e sopa de arroz e *chiles rellenos*. Depois que serviu todos, disse:

— Não quero atrapalhar a conversa de vocês. — Ela olhou para mim. — Vou comer com seu pai quando ele voltar.

Susie fez que não.

— Você tem que ficar e comer com a gente. A gente quer que você fique.

— Não quero sentir que estou atrapalhando. Não quero que vocês se sintam censurados.

— Mãe, quero que você fique aqui.

Acho que ela viu algo em meu rosto e entendeu que eu realmente queria, até precisava, que ela ficasse e comesse com a gente. Ela sorriu, serviu mais um prato e sentou na cadeira vazia entre Susie e Dante.

— Ai, meu Deus! — Gina tinha acabado de enfiar uma garfada de *chile relleno* na boca. — Isto é incrível!

Àquela altura, estávamos todos devorando a comida.

— Sra. Mendoza, a senhora precisa dar essas receitas para a minha mãe.

— Dante, tenho certeza de que sua mãe já tem todas essas receitas.

— Não, não tem. A comida dela não tem esse gosto. — Depois ele olhou para ela. — Mas não conta para ela que falei isso. Só convida minha mãe aqui e começa a cozinhar. Sabe, para ela ver.

— Eu nunca insultaria sua mãe com uma tática tão óbvia. Tenho certeza de que ela é uma excelente cozinheira.

— Tem uma diferença entre uma excelente cozinheira e uma chef.

Dante estava muito orgulhoso do que tinha dito.

Minha mãe não conseguiu se conter e fez carinho no cabelo dele.

— Você é um galanteador, Dante. Sobre isso não há dúvidas.

Pensei que, já que todo mundo estava comendo e se concentrando na comida da minha mãe, eu deveria simplesmente intervir e, sabe, sair logo do armário e acabar com isso. Virei para Susie e Gina.

— Susie, lembra que você me disse que achou que eu estava tramando alguma coisa? Então, eu estava.

Senti um frio na barriga. Eu estava dividido e em guerra: parte de mim queria falar e outra parte queria esquecer de todas as palavras que eu já tinha aprendido e viver em um silêncio que eu nunca conseguiria quebrar. Pigarreei.

— Tenho um anúncio a fazer. — Meu coração estava batendo mais devagar. — Susie. Gina.

E então as palavras ficaram entaladas na minha garganta.

Susie continuou olhando para mim.

— Não gosto da cara séria que você está fazendo, Ari.

— Só me dá um segundo.

Senti a mão da minha mãe no meu ombro, e só de ter sua mão ali me senti melhor.

Eu quase podia ver um ponto de interrogação piscando sobre a cabeça de Susie.

— Tem certeza de que você está bem, Ari?

— Tenho. Eu tinha, sim, segundas intenções ao chamar vocês aqui hoje. O que tenho a dizer pode não ser nada de mais para vocês, mas, aparentemente, é mais importante para mim do que jamais imaginei.

— E então comecei a falar sozinho em voz alta. — Caramba, Ari. Fala logo de uma vez.

Susie riu.

— Susie? Gina? Gostaria de apresentar vocês para Dante Quintana. Ele é meu namorado, e eu o amo. Sei que não sei muito sobre amor, mas o que sei foi minha mãe e Dante que me ensinaram.

Susie Byrd começou o chororô. Isso eu já estava esperando.

Mas Gina não chorou.

— Tenho duas coisas a dizer. A primeira é que não achei sua revelação nada de mais porque para mim ser gay não é nada de mais, mas sei que, para você, é muito importante, e acabei de ver como você está sofrendo por isso e, portanto, aos meus olhos, você é muito corajoso. E a segunda coisa que quero dizer é que você tem um gosto para homens melhor do que o meu.

Aquilo fez minha mãe soltar o tipo de gargalhada que eu quase nunca, ou nunca mesmo, via ou ouvia — e consequentemente o resto da mesa gargalhou também.

Susie olhou para a minha mãe.

— Bom, a senhora parece estar aceitando numa boa, sra. Mendoza.

— Ele é meu filho, Susie. Eu e Jaime sempre acreditamos que criar os filhos é um ofício sagrado. E nunca vamos abdicar ou renunciar desse ofício só porque as coisas ficam difíceis. Minha irmã, Ophelia, era lésbica. Minha família a abandonou. Mas eu e Jaime a amávamos. Aliás, sei que Jaime amou Ophelia mais do que amou os próprios irmãos. E, tirando meu marido e meus filhos, nunca amei ninguém como amei minha irmã.

Ela sorriu. Eu já tinha presenciado algumas aulas e alguns sorrisos dela. Sabia que ela estava prestes a entrar no papel de professora. Com uma compostura perfeita e alerta e no comando, ela disse:

— Gina? Susie? Vou contar uma coisa para vocês que nunca, jamais, contei para ninguém. Tenho uma confissão a fazer: SOU UMA MULHER HETEROSSEXUAL.

Gina e Susie olharam para a minha mãe, depois uma para a outra...
e caíram na gargalhada.

— Sra. Mendoza, a senhora é uma palhaça.

Embora também estivesse rindo, ela disse:

— Por que é tão engraçado? Porque o que acabei de falar é ridículo. Mas é totalmente verdade. Nunca disse essas palavras. E sabem por quê? Nunca precisei dizer. Ninguém nunca me perguntou. Mas agora que contei algo que nunca tinha contado para ninguém, o que vocês sabem sobre mim?

— Nada — Susie respondeu.

Gina concordou.

— Nada.

— É exatamente isso que vocês sabem sobre mim. Nada. Mas o mundo em que vivemos não joga limpo. Se todos soubessem que Ari e Dante são gays, muitas pessoas pensariam saber tudo que precisam saber sobre eles para os odiar. Não tem muito que eu possa fazer quanto ao que o mundo pensa. Tenho certeza de que seria julgada por encorajar um comportamento que alguns dizem que não deveria ser encorajado, mas nunca vivi minha vida de acordo com a opinião dos outros a meu respeito. E não é agora que vou começar a viver.

A conversa mudou de rumo e assumiu um tom mais leve, quase como se todos só precisássemos relaxar um pouco. Dante tinha ficado praticamente em silêncio, mas não demorou para que Susie e Gina começassem a interrogá-lo sobre como nosso namoro começou. Dante sentiu o maior prazer em ser interrogado. Ele adora falar sobre si mesmo — e não digo isso com maldade.

Gostei de ouvir a conversa deles. Todos os três sabiam ser engraçados para caramba. E, em algum momento, as entrevistas viraram uma conversa de verdade. Fiquei mais prestando atenção na minha mãe. Eu sabia pela expressão em seu rosto que havia muita felicidade vivendo dentro dela — ainda que a felicidade estivesse vivendo lá apenas por um momento.

Meu pai surgiu na porta da cozinha. Ele estava suado, e seu uniforme de carteiro parecia um pouco gasto. Ele estava mais falante do que o normal.

— Olha só... Acho que nunca vi nada assim na cozinha da Lilly. — Ele pareceu se animar. — Susie, como estão seus pais?

— Estão bem, sr. Mendoza. Ainda são hippies em recuperação, mas estão progredindo.

— Bom, acho que ser um hippie em recuperação é muito mais fácil do que ser um católico em recuperação.

Minha mãe deu uma olhada nele, que decidiu se corrigir.

— Mas, sabe, não tem nada de errado em ser hippie, assim como não tem nada de errado em ser católico. Então, em recuperação ou não... está tudo certo.

Então olhou para minha mãe, e eu sabia que o olhar estava perguntando: *Melhorou?*

— Ah, Susie, você me faria o favor de entregar para seu pai os livros que peguei emprestados? — disse ele.

— Claro. Ele disse que queria conversar com você sobre um romance que vocês dois leram. Mas não lembro qual era.

— Acho que sei de qual ele estava falando.

Minha mãe perguntou se meu pai estava com fome, mas ele disse que não.

— Vou tomar um banho, me trocar e descansar um pouco.

E desapareceu no corredor. Olhei para Susie.

— Seu pai conversa de livros com meu pai?

— O tempo todo.

— E você nunca me contou?

— Por que eu contaria algo que pensei que você já soubesse?

Me perguntei quantas outras coisas não sabia. Não que eu pudesse culpar alguém. É como minha mãe me disse uma vez. Se a gente sabe que faltou no dia da fotografia, não tem por que ficar surpreso ao encontrar um pequeno desenho dizendo FOI NAMORAR, PERDEU O LUGAR onde deveria estar nossa foto no mural da escola. Acho que eu tinha passado tempo demais namorando.

Minha mãe levantou e começou a tirar a mesa.

— Mãe, deixa que cuido disso.

— Aristóteles Mendoza, nos dezessete anos que você vive nesta casa, nunca ouvi se oferecer para lavar a louça.

Ouvi a condenação dura de Gina:

— Você nunca lava a louça?

O julgamento de Susie foi ainda mais duro:

— Você é um garoto mimado.

Pensei que não faria mal entrar no clima.

— Alguém quer acrescentar alguma observação, comentário, corte, antes de eu fazer isso?

— Não é tão difícil assim colocar os pratos na lava-louças.

— Não temos lava-louças. — Minha mãe deu de ombros. — Nunca gostei dessas máquinas. Eu e Jaime somos os lava-louças.

Gina e Susie olharam para a minha mãe com uma cara de *Ah, nossa*. Susie não foi muito convincente quando disse:

— Bom, lavar a louça à moda antiga é muito melhor mesmo. Muito melhor.

Às vezes o jeito de falar não convence ninguém — nem mesmo a pessoa que falou. Susie e Gina trocaram um olhar que dizia: *Sério que vocês não têm lava-louças?*

Minha mãe interveio.

— Ari, você sabe lavar louça?

— Não deve ser tão difícil.

— Não é nada difícil — Dante disse. — Eu sei. Posso ensinar o Ari.

Eu duvidava muito de que Dante já tivesse sequer chegado perto da pia.

— Você sabe mesmo lavar louça?

— Sei. Quando eu tinha oito anos, minha mãe me disse que estava na hora de eu aprender. Ela disse que o jantar poderia ser dividido em três partes: cozinhar, comer e lavar. E que eu passaria a ser responsável pela parte três. Falei que gostava da dois. Ela me olhou daquele jeitinho. Perguntei se seria pago e soube em dois segundos que tinha feito a pergunta errada. Tudo que ela disse foi que nem ela nem meu pai eram pagos para cozinhar e que eu não receberia um centavo por limpar. Depois de um tempo, minha mãe cansou de me ver todo tristonho e mal-humorado enquanto lavava a louça. Então, um dia, colocou uma música, me fez dançar com ela e cantamos e lavamos a louça juntos. Nos divertimos bastante. Depois disso, toda vez que eu lavo a louça, ouço música e danço. Dá certo.

Eu e Dante ficamos conversando enquanto recolhíamos os pratos. Minha mãe tirou o avental.

— Sua mãe é uma mulher genial, Dante.

Enquanto minha mãe saía da cozinha, eu disse:

— Mãe, sabe, isso de lavar a louça não é nada de mais.

— Que bom — minha mãe disse. — Então você pode começar a lavar a louça depois do jantar daqui para a frente.

Deu para ouvir o riso dela no corredor. Eu gostava quando minha mãe se comportava como algo entre a boa professora e a garotinha que ainda vivia dentro dela.

Seis

DEPOIS DO ALMOÇO, EU E PERNINHA SENTAMOS NA soleira. Gina e Susie levaram Dante embora. Elas estavam mais do que dispostas a dar uma carona para ele em troca de mais informações sobre como Ari e Dante se tornaram Ari e Dante. De mim é que elas não tirariam nada — e sabiam bem. Mas não liguei; já imaginava que Dante viraria uma das pessoas favoritas de Susie e Gina. Eu estava descobrindo que não era ciumento.

Perninha ergueu o focinho para mim, como os cães fazem.

— Eu te amo, Perninha — sussurrei.

Falar "eu te amo" para sua cachorra é fácil. Falar essas palavras para as pessoas ao seu redor, nem tanto.

Sete

DANTE PERGUNTOU SE PODIA IR AO VELÓRIO DO IRmão de Cassandra comigo.

— Sei que não conheço Cassandra e sei que não conheci o irmão dela. Mas sinto que deveria demonstrar um pouco de solidariedade. Faz sentido para você?

— Faz, Dante. Faz todo o sentido. Tenho certeza de que Cassandra não vai achar ruim.

Minha mãe me disse que iria ao velório de vestido branco — o que achei esquisito. Ela explicou que todas as Filhas Católicas fariam uma procissão usando vestido branco.

— Pela ressurreição — ela disse.

Eu e meu pai estávamos de camisa branca, gravata preta e terno preto. Estávamos na sacada, esperando minha mãe, e ele não parava de olhar impaciente para o relógio. Não sei por que meu pai ficava impaciente em momentos como aqueles. A Igreja Católica de Nossa Senhora de Guadalupe ficava perto, em cinco minutos estávamos lá.

— Vou buscar Dante — eu disse. — Encontro vocês na igreja.

Foi então que minha mãe atravessou a porta da frente. Vi uma expressão no rosto do meu pai que eu nunca tinha visto. Talvez aquela expressão tivesse estado presente muitas outras vezes — eu só não tinha notado. Minha mãe ainda conseguia fazer meu pai perder o fôlego.

Eu e Dante sentamos ao lado do meu pai. O padre estava prestes a abençoar o caixão para a entrada na igreja. Susie e Gina sentaram com a gente. Nos cumprimentamos. Cheguei perto de Susie e cochichei:

— Não sabia que você era católica.

— Não seja besta. Não precisa ser católica para ir a um velório católico — ela sussurrou em resposta.

— Você está bonita — sussurrei.

— Pelo menos você está aprendendo a compensar as besteiras que fala.

— Shhh — Gina disse.

Meu pai assentiu e cochichou:

— Concordo com a Gina.

O hino de abertura começou, e as vozes do coral cantaram. As Filhas Católicas entraram em fila, duas de cada vez, em uma procissão lenta e silenciosa. Devia ter umas sessenta, talvez um pouco mais. Aquelas mulheres entendiam de solidariedade. Vi uma expressão de luto em muitas, incluindo na minha mãe. O luto da sra. Ortega era o luto delas. Sempre achei que elas estivessem um pouco entediadas com a vida e que elas mesmas fossem um pouco entediantes — e que por isso tinham se tornado Filhas Católicas. Mais um erro meu. Elas tinham motivos muito melhores. Nunca tive problemas em ficar de boca calada — mas talvez devesse pensar em me segurar mais mentalmente também na hora de julgar as atitudes alheias que eu não entendia.

A missa foi uma típica missa de velório, só que mais longa. E havia muitos rapazes lá com mais ou menos a idade de Diego, homens de vinte e poucos anos, todos sentados no fundo da igreja. Havia muita tristeza em seus olhos e eles pareciam saber que não eram bem-vindos, e tive raiva do ambiente hostil. Raiva, lá estava ela de novo, e acho que eu estava começando a entender que ela nunca iria embora e que era melhor eu me acostumar.

Eu e Dante entramos na minha caminhonete e nos juntamos à procissão para o cemitério. Pensei nos meus pais. Eu concordava com meu pai e suas opiniões sobre a religião em que eles foram criados — e a religião em que fui criado. E soube que, em algum lugar dentro dele, meu pai ainda se considerava católico. Minha mãe era cem por cento a boa católica que demonstrava ser. Ela não tinha nenhuma dificuldade para perdoar a igreja pelas suas falhas.

Oito

EU E DANTE NÃO FALAMOS MUITO ENQUANTO SEGUÍA-mos a longa fileira de carros até o cemitério. Pensei na fotografia ampliada de Diego que tinha sido colocada em um cavalete na frente da igreja. Ele era um homem bonito, com a barba aparada e olhos escuros límpidos quase tão pretos quanto seu cabelo, os mesmos olhos de Cassandra. Ele estava rindo, e devia ter sido uma foto espontânea porque o vento parecia estar brincando com seu cabelo grosso. Tentei imaginar o dia em que foi tirada, antes do vírus entrar em seu corpo e levá-lo deste mundo. Tentei imaginar os milhares de homens que haviam morrido, que tinham nomes e famílias e pessoas que os amavam e pessoas que os odiavam.

Eles já estiveram vivos em algum momento e sabiam uma coisa ou outra sobre amar e ser amado. Não eram apenas números que alguém contabilizava. Dante me perguntou no que eu estava pensando.

— Meu pai me contou que, durante a Guerra do Vietnã, havia uma contagem de mortos. Ele disse que o país estava contando corpos quando deveria estar estudando o rosto dos jovens que tinham sido mortos. Eu estava pensando que a mesma coisa está acontecendo com a epidemia de aids.

— É exatamente isso que está acontecendo — Dante disse. — Preferimos ver um número a uma vida. Perguntei para a minha mãe por que tantas pessoas nos jornais e na mídia se referiam à aids como uma epidemia quando na verdade era uma pandemia que estava se espalhando pelo mundo. Ela disse que minha pergunta era bastante astuta e que ficava feliz de saber que eu estava olhando para o mundo de olhos abertos. A impressão dela era que talvez eles não quisessem dar à aids essa importância. Que a maioria das pessoas queria minimizar a doença. O que você acha, Ari?

— Acho que sua mãe está certa sobre quase tudo.

Eu tinha visto Cassandra apenas de relance quando ela saiu pelo corredor com a mãe ao fim da missa. Fiquei procurando por ela e finalmente a avistei na beira da multidão ao redor do caixão do irmão. Ela estava usando um vestido preto e tinha um lenço mexicano de seda dourada sobre os ombros. Ali, tinha o mesmo ar de figura triste e solitária que eu vira quando entrei em seu quintal. Só que um pouco diferente. Além da tristeza, havia algo mais. Ela não estava com a cabeça baixa por nenhum tipo de vergonha. A luz da tarde parecia brilhar sobre ela e apenas sobre ela. E ela tinha uma expressão de resistência. Ela não estava destruída, e não seria destruída.

Fiz sinal para Susie e Gina, que também avistaram Cassandra. Todos assentimos e fomos até ela. Gina parou de um lado, e eu, do outro. Cassandra manteve o olhar no caixão enquanto os carregadores o tiravam do carro funerário. Nem pareceu notar que estávamos ali. Mas então senti que ela tomou minha mão e a apertou com firmeza. E notei que ela também apertava a mão de Gina.

— Quando você está sozinho — ela sussurrou —, as pessoas que notam são as que ficam ao seu lado. Essas são as pessoas que amam você.

Ela beijou cada um de nós na bochecha, e fez isso com a elegância de uma mulher.

Nove

Querido Dante,

Todo ano, *antes da volta às aulas, tenho vontade de me esconder embaixo da cama e ficar lá. Não sei qual é o lance da escola que me deixa ansioso. Sempre senti que minhas férias eram desperdiçadas — bom, até conhecer você.*

E este verão está sendo incrível. Tocar em você e sentir seu toque. O verão sempre vai ser a Estação de Dante.

Não sei o que estou tentando dizer. Não mesmo.

Mas uma coisa é certa. Este vai ser o último ano da minha estação escolar. E depois as estações universitárias vão começar.

Acho que não quero que minha estação de Dante termine.

E tenho medo.

Talvez esta seja a estação que mude tudo. Estou quase animado. Mas principalmente com medo.

Vamos mapear o ano, Dante. Vamos escrever nossos nomes e traçar alguns caminhos. E vamos ver o que nunca vimos. E ser o que nunca fomos.

NA NOITE ANTES DO PRIMEIRO DIA DE AULA, DANTE me telefonou. Ele nem disse oi.

— Sabia que "escola" em inglês vem de uma palavra grega que significa "tempo livre"?

— Não, não sabia disso. E não faz sentido, faz? E oi, Dante. Como você está? Bem? Eu estou bem, aliás.

— Eu ia perguntar.

— Claro que ia. Eu só estava brincando.

— Claro que estava. E "tempo livre" faria sentido se você morasse na Grécia Antiga. Se você tem um tempo livre, o que você faz com seu tempo livre?

— Penso em você.

— Boa resposta, Aristóteles. Qual é a resposta verdadeira?

— Bom, além de passar tempo com você, corro, leio, escrevo no meu diário.

— Eu não sou tempo livre.

— Tem razão. Você dá muito trabalho.

— Errado. Fique você sabendo que me encaixo na categoria prazer.

— Sabia.

— É claro que sabia. Agora, voltando à sua resposta. Você corre, mas isso se encaixa na categoria exercício, o que não é tempo livre. Mas ler e escrever se encaixam em coisas que se fazem no tempo livre. Então é exatamente isso que os gregos pensavam. Se tinham tempo livre, eles usavam esse tempo para pensar, o que hoje poderia ser chamado de "fins educativos". Então, se olhássemos para a escola como tempo livre, talvez tivéssemos uma postura diferente em relação a ela. E seríamos muito mais felizes.

— "As coisas do mundo se dão tão à vontade que deveria ser nossa a alegria da majestade."

— Você está me zoando? Você está me zoando.

— Não estou te zoando. Só estou lembrando. E por acaso estou sorrindo, e não é um sorriso de quem está zoando.

— Então tenho outra ideia para fazer você sorrir. Amanhã, o primeiro dia de aula, é o último primeiro dia de ensino médio que vamos ter. E, depois disso, não haverá mais primeiros dias de aula para

Aristóteles Mendoza no Austin e não haverá mais primeiros dias de aula para Dante Quintana na Cathedral. É o último primeiro dia de aula e, em todos os acontecimentos que têm algo a ver com a escola, podemos dizer agora com um sorriso no rosto que é a última vez que fazemos seja lá o que estivermos fazendo nesse acontecimento. E isso deve aliviar nossos fardos.

Comecei a rir.

— Não odeio tanto assim a escola, e você também não.

— Bom, eu gosto do aprendizado, e você finalmente admitiu para si mesmo que também gosta. Mas o resto é um pé no saco.

— Você é engraçado. Em um minuto está falando de um puta jeito sofisticado, se morasse em Londres, estaria até falando inglês da BBC. E, no minuto seguinte, fala que nem um menino do nono ano.

— Qual é o problema do nono ano? Você não gosta de alunos do nono ano?

— Você usou alguma coisa?

— Sim, definitivamente. Estou chapadão. Estou chapadão e estou nas nuvens porque estou profunda, intensa, extasiada, completa e muito veementemente apaixonado por um cara chamado Aristóteles Mendoza. Você o conhece?

— Não, acho que não. Eu conhecia. Mas ele se transformou em outra pessoa. E não acho que o conheço. Mas ele é um cara de sorte, afinal, todo esse amor que é profundo, intenso, extasiado, completo e veemente, bom, é um amor e tanto para esse tal de Aristóteles.

— Ah, também tenho sorte. Sei de fonte segura que esse Aristóteles Mendoza que você diz não conhecer sente a mais pura e sincera forma de amor por mim. E, se o vir, diga para ele... bom, não, se o vir, não vai reconhecê-lo. Porque você o conhecia, e agora não o conhece... não adianta nada pedir para você mandar um recado para ele.

— Bom, nunca se sabe, pode ser que eu trombe com ele na escola e há uma chance de que eu o reconheça e, se isso acontecer, vou ter o maior prazer em transmitir seu recado para ele, se eu souber qual é o recado.

— Bom, se por acaso você tiver a sorte de trombar com ele, diga que Dante Quintana era um menino que não tinha nenhum amigo de verdade. Não que não ter amigos de verdade o tornasse infeliz, porque ele era feliz. Ele amava seus pais e adorava ler e ouvir discos de vinil e adorava arte. Ele adorava desenhar, e era bastante popular na escola, então, sim, ele era feliz. — Então, houve um silêncio do outro lado da linha. — Mas, Ari, eu não era feliz-feliz. Eu era apenas feliz. Só descobri o que era ser feliz-feliz no dia que você me beijou. Não na primeira vez. Naquela primeira vez não fiquei feliz-feliz. Não fiquei nem feliz. Fiquei angustiado. Mas, na segunda vez que você me beijou, eu soube o que era ser feliz-feliz. E acho que só queria agradecer você por acrescentar essa camada de felicidade à minha felicidade.

— Bom, eu tinha uma camada de felicidade sobrando, então decidi dar para você.

Todos foram para a escola mais cedo no primeiro dia de aula. Só para ter tempo de sondar as coisas. Quando eu estava prestes a entrar pelas portas da frente, quem eu vi? Cassandra. E Gina. E Susie.

Chamei a atenção delas com aquele fiu-fiu que ninguém usava mais mas que fazia minha mãe e meu pai darem risada.

— Esse assobio foi para nos objetificar sexualmente?

— Não sou de objetificar sexualmente as pessoas. Nem sei direito o que isso quer dizer.

— Até parece.

É claro que eu não as estava objetificando sexualmente. Eu era gay. Mas era uma boa brincadeira, e as pessoas nos ouviriam. E entraríamos numa certa discussão porque a escola toda sabia que Susie era feminista — embora essa parecesse uma palavra muito datada, mas Susie tinha me explicado o que significava quando estávamos no segundo ano.

Olhei para Cassandra.

— Você se sentiu objetificada sexualmente pelo meu fiu-fiu?

— Não, não muito. Mais do que qualquer coisa, fico com vergonha por você.

Nossa, ela tinha um sorriso e tanto.

— Obrigado por fazer por mim o que sou incapaz de fazer sozinho.

— Você não deveria agradecer as pessoas da boca para fora.

— Como você sabe que é da boca para fora?

— Sei reconhecer insinceridade.

— E eu sei reconhecer uma mulher bonita.

— Isso foi sincero.

— Foi? Por quê?

— Sinceridade fantasiada de insinceridade. Isso, sim, é sincero.

— Cassandra, você é maluca.

— Você é tão maluco quanto eu. Na verdade, é mais. Você é homem, e até os melhores representantes do seu gênero são mais malucos do que qualquer mulher.

— Por quê?

— Você gosta de ter um pênis?

— Que tipo de pergunta maluca é essa?

Gina não tinha dito uma palavra, mas decidiu que era um bom momento para entrar na conversa.

— Responde à pergunta. Você. Gosta. De. Ter. Um. Pênis?

— Bom, bom. Bom, sim.

— Bom, sim? — Susie não seria deixada de fora.

— Ô, se gosto! Sim, gosto de ter um pênis. Deveria pedir desculpas por isso?

— Então, não sei o que Gina e Susie acham, mas eu diria que sim. Acho que é preciso pedir desculpas por gostar de ter um pênis.

— Você acha que vocês deveriam pedir desculpas por gostar de ter uma, digo, por ter uma, por ter uma...

— Vagina? É essa palavra que você está buscando?

Eu gostava da cara petulante que Cassandra estava fazendo.

— Isso. É essa a palavra.

— Você não consegue nem dizer a palavra. Veja só, é o seguinte: nenhuma mulher se acha capaz de comandar o mundo só por ter uma vagina. Na verdade, é quase como se não estivéssmos aptas a comandar o mundo justamente por termos vagina. Da nossa parte, nenhum pedido de desculpas é necessário.

Eu sabia aonde ela queria chegar. E estava muito à frente. Peguei um caderno e um lápis, escrevi seis palavras, arranquei a página e dobrei no meio enquanto ela falava.

— Os homens, por outro lado, se acham qualificados para dominar o mundo porque têm pênis. E isso é doentio. É por isso que o mundo está uma merda. É por isso que temos tantas guerras. Tem muitas mulheres protestando pelo direito de ser soldadas como os homens. Eu não. São seres humanos com pênis que começam essas guerras. Então que sejam os seres humanos com pênis que morram lutando. Por isso que, sim, você deveria pedir desculpas por ter um pênis.

Entreguei o bilhete para ela, que o desdobrou e leu minhas seis palavras. *Você está certa. Mas sou gay.*

Ela pegou uma caneta da bolsa. *Mesmo assim você tem pênis.*

E me entregou o bilhete. Escrevi: *Com ou sem pênis, sou desqualificado para dominar o mundo. Mas pelo menos isso também me desqualifica para entrar no exército e ser morto em uma guerra começada pelos seres humanos com pênis.* Ela sorriu enquanto lia o bilhete. Mostrou as anotações para Gina e Susie, que assentiram e ficaram olhando uma para a outra.

— Bom — Gina disse —, não vai ser a Cassandra, mas alguém precisa dizer. Parabéns, Ari! Você acaba de ganhar a primeira rodada de um debate de um ano que terá sabe Deus quantas rodadas, e eu e Susie vamos manter o registro. E que vença o melhor humano, com ou sem pênis. E, só para esclarecer, não haverá pontos extras para quem tem pênis... e...

Cassandra a interrompeu:

— Sim, já sei, e não haverá pontos extras para quem tem vagina. E não deveria ser *que vença o melhor humano*. Deveria ser *que vença o melhor intelecto*.

As meninas — ou, devo dizer, as duas quase mulheres e a mulher que já era uma mulher — trocaram sorrisos como se estivessem trocando medalhas.

Cassandra me deu um beijo na bochecha.

— Não há dúvidas sobre o resultado. Me apaixonei por você, Aristóteles Mendoza, mas vou fazer picadinho de você, como farei com este bilhete.

Ela o guardou na bolsa.

— Ei, isso é meu.

O primeiro sinal tocou. Tínhamos dez minutos para chegar na aula. Cassandra pegou meu braço.

— Você vai acabar perdendo esse bilhete. As pessoas podem achar e talvez descobrir o que não têm o direito de descobrir. Nas minhas mãos, está seguro. Como eu disse, vou fazer picadinho dele como vou fazer de você.

— Bobagem. Você não vai rasgar o bilhete. Vai ficar com ele.

— Claro, porque sou uma manteiga derretida.

— Sinceridade disfarçada de insinceridade. Isso, sim, é sincero.

— Vou tirar esse sorriso da sua cara aos tapas.

— Você não deveria falar coisas da boca para fora.

Ela me lançou um olhar que não consegui interpretar direito. Eu realmente não sabia o que ela estava sentindo, nem por quê.

— Pela primeira vez desde que entrei no Austin, realmente acho que este pode ser um ótimo ano.

Ela virou à esquerda, e eu, Gina e Susie viramos à direita — e fomos para a aula de inglês do sr. Blocker. Meus dias letivos começariam bem. Eu seria trucidado. Isso me daria um bom motivo para correr até Dante. Ele me consolaria com beijos. Não me parecia nada mal. Não mesmo.

Dez

NÃO ME METI EM BRIGA NO PRIMEIRO DIA DE AULA. Esperei o segundo. Não fui eu que comecei. E não estou dizendo isso para me sentir melhor. Já menti para mim mesmo sobre muitas coisas, mas nunca sobre as brigas em que me metia.

Quando entrei no estacionamento, havia cinco caras cercando um baixinho. Eu sabia quem era o baixinho. Sim, ele era afeminado, uma palavra que Dante me ensinou. Ele era um bom menino, inteligente, nerd e com um jeito muito melodioso de falar. Mas não incomodava ninguém. Andava com um grupo, todos desajustados de uma forma ou de outra. Ele estava na mesma turma que eu, embora não parecesse ter mais de catorze anos. Seu nome era Rico e eu tinha ouvido seus amigos o chamarem de Rica, mas como se fosse uma piada, e era a piada interna deles.

Cercando-o, os caras o chamavam de nomes previsíveis que esses caras usavam para se referir a caras como Rico. *Joto, maricón, pinche vieja*, viado, bicha. Eles achavam muita graça. Sim, engraçadíssimo. Eu não sabia exatamente o que aconteceria, mas, quando um deles deu um chute na virilha do menino, fazendo com que ele caísse no chão, eu me enfiei na rodinha antes que me desse conta. Um dos caras tentou me dar um soco, mas não precisei dar dois socos para ele beijar o asfalto — daí os outros vieram para cima de mim. Do nada, um fortão tatuado apareceu ao meu lado. O cara era baixo, mas musculoso, e sabia brigar. Ele poderia ter me dado umas aulas. Parou bem ao meu lado e riu.

— São dois para cada um, amigo. Esses putos pensam que estão com a vantagem. É assim que eles vão perder.

A briga não durou mais do que cinco minutos até eu e o tatuado fodão deixarmos todos cara a cara com os pneus dos carros estacionados.

— Meu nome é Danny — ele disse. Não pude deixar de notar que ele era um cara bonito. — Danny Anchondo.

— Sou Ari Mendoza.

— Você não deve ser parente dos Mendoza que conheço. E os Mendoza que conheço não são parentes uns dos outros. Mas devo dizer, *vato*, que nunca conheci um cara com esse sobrenome que não soubesse brigar. Esses putos aqui só puxam briga com caras como Rico.

Um dos caras caídos no chão estava tentando levantar. Danny pisou nas costas dele.

— Nem tente. Relaxa. Calminha aí.

— Porra, vou me atrasar pra aula.

Danny repetiu as palavras dele.

— Atrasar pra aula. Na próxima vez que eu vir você ou que meu amigo Ari vir você atormentando Rico ou qualquer um dos amigos dele, vou te esfolar vivo.

Danny foi até Rico e o ajudou a levantar do chão.

— Tudo bem, Rico?

— Tudo.

Ele estava chorando, mas tentando não chorar.

Danny o repreendeu.

— Não deixe que eles vejam isso. Nunca mostre seu melhor lado pra esses cuzões.

Rico secou as lágrimas e abriu um sorriso para Danny.

— Isso aí, rapaz. Agora sim. Bola pra frente.

Ele assentiu e pegou sua mochila. Começou a se afastar, depois virou e gritou:

— Todo mundo chama vocês de encrenqueiros. Não sabem de porra nenhuma.

Baixando a cabeça, ele virou e se dirigiu para a primeira aula.

Virei para Danny e disse:

— De onde você conhece Rico?

— Minha irmã anda com ele. Ela não curte meninos. Não leva desaforo pra casa. Gosta de mandar o mundo se foder. Mas vive ajudando os outros. Ela é legal. — E depois ele olhou para mim, como se soubesse algo a meu respeito. — Sei quem você é. Você acabou com a raça de um colega meu.

— Foi mal.

— Foi mal? Pelo quê? Ele e uns outros caras pegaram um dos seus amigos beijando outro menino. Botaram o cara no hospital. Ele está bem?

— Está, sim.

— Você fez a coisa certa. Um cara que não defende um amigo não é amigo porra nenhuma. Além disso, que babaquice mandar um homem para o hospital por beijar outro homem. Se não curte, não beija. Qual é o problema, porra? As pessoas vivem me perguntando por que saio por aí enchendo os outros de porrada. É porque o mundo está cheio de filhos da puta, por isso.

Aquilo me fez rir. Não consegui me segurar.

— Está rindo por quê?

— Porque às vezes a gente dá de cara com alguém que sabe a verdade. Então a gente ri. A gente ri porque alguém deixou a gente feliz.

— Certeza que não faço muita gente feliz, não.

— Bom, como você disse, o mundo é cheio de filhos da puta. O que você fez pelo Rico, Danny, foi uma coisa bonita.

— É, mas Rico é meu amigo. E você nem o conhece. Você, seu puto, que fez o gesto bonito.

Danny, ali estava outro que poderia arrasar o mundo com um sorriso.

Demos um toquinho.

— A gente se vê, Mendoza.

— A gente se vê, Danny.

Foi engraçado. Eu nem conhecia Danny — mas sabia algo sobre ele que me passou confiança. Fiquei triste em pensar que as pessoas não viam a coisa mais óbvia nele: seu coração nobre. Tive um pressentimento engraçado de que sempre pensaria nele como um amigo. E também tive um pressentimento de que não era a última vez que o veria.

Esse jeito do mundo de julgar e menosprezar certas pessoas — e deixá-las de lado, apagar seus nomes do mapa-múndi — era um reflexo do sistema. Talvez a irmã de Danny soubesse exatamente o que fazer diante de todos os preconceitos voltados para ela: ajudar as pessoas quando possível e mandar o resto se foder.

Eu nunca havia percebido aquilo em mim antes. Eu tinha algo de rebelde. Pela primeira vez, descobri uma característica minha que não precisava mudar.

Onze

O SR. BLOCKER ME CHAMOU DEPOIS DA AULA.
— O que aconteceu com seus dedos? Estão sangrando.
— Trombei com uns caras.
— Por que você se mete nessas coisas?
— Não me meti em nada. Mas acho que aqueles caras acham que me meti com eles.
— O que fazemos com os outros...
— Fazemos com nós mesmos — completei. — Já sei. Mas o senhor não entende que...
— Que o quê, Ari?
— Que o senhor entende muitas coisas.
— Como o que te faz arrumar tantas brigas tendo muito mais habilidade na mente e na imaginação do que nos punhos?
— O que faz o senhor pensar que não uso minha inteligência e minha imaginação quando entro numa briga?
O sr. Blocker ficou calado, depois disse:
— Sei que você acha que não entendo nada do que você está vivendo. Mas está errado.
Ele viu algo no meu rosto.
— Você tem o olhar de um jovem que quer me esmurrar porque no fundo acha que não sei nada a seu respeito. E isso te irrita.
— Tipo isso.
— Eu cresci em Albuquerque. Morei em uma vizinhança difícil para um gringuinho. Longe de mim reclamar. As crianças com quem cresci passaram por mais dificuldades do que eu. Quando fiz treze, decidi que queria ser boxeador. Entrei para o Golden Gloves. Sabe o que é?
— É claro que sei.
— É claro que sabe. Quando fiz dezoito, virei o boxeador campeão

do Golden Gloves. Só para você saber que não é o único no mundo que recorre aos punhos para sobreviver a momentos difíceis.

Bem no momento em que odiei o sr. Blocker, ele disse algo que me fez gostar dele de novo. Que ódio.

Doze

ENTREGUEI O BILHETE DO SR. BLOCKER PARA A ENfermeira, sra. Ortiz.

— O sr. Blocker é gente boa, não é? Aposto que também é bom professor.

Ela mergulhou meus punhos em uma tigelinha cheia de gelo. Ela cuidava de mim enquanto falava.

— É, sim — eu disse. — Tive aula com ele no ano passado também. Mas às vezes ele é meio intrometido. Não gosto disso.

Eu sabia que estava fazendo cara de dor.

— O gelo dói. Mas deixe os punhos aí. Vou falar para você a hora de tirar.

Estava doendo muito.

— Não seja frouxo. Se você aguenta se meter em brigas, aguenta um pouquinho de gelo.

Ela estava buscando uma gaze, e eu sabia que enfaixaria meus punhos. E todo mundo perguntaria: O *que aconteceu com você, Ari?*.

— Ai, meu Deus — ela disse —, acabei de me dar conta de quem você é. Você é filho da Liliana. Assim que botei os olhos em você, achei que tinha algo familiar em seu rosto. Você é a cara do seu pai.

— Então eu disse comigo mesmo: *Mas tem os olhos da sua mãe*. E foi exatamente o que ela disse. — Mas tem os olhos da sua mãe. Eu era a melhor amiga dela no primário. Somos amigas desde então.

Ela gostava de falar. E como gostava!

— Só relaxa que vou deixar você novinho em folha, sr. Aristóteles Mendoza. — Ela sorriu de orelha a orelha. — Liliana Mendoza. Que mulher maravilhosa.

Treze

EU ESTAVA SENTADO SOZINHO NO ALMOÇO, E AS VI se dirigirem a mim: Cassandra, Susie e Gina. Sentaram ao meu redor. Eu me senti encurralado. Sabia o que estava por vir.

— Desembucha — Susie disse. — Está todo mundo perguntando para Gina: "O que aconteceu com Ari? Ele se meteu em outra briga, não foi?". E Gina veio me falar no corredor: "Ari se meteu em outra briga". E daí fui para a aula seguinte e tinha um cara chamado Kiko com o olho roxo. E não que eu seja amiga dele, mas você me conhece, tive que perguntar, e ele disse: "Pergunta para o seu amigo Ari".

— E ninguém me perguntou nada. Ninguém sabe ainda que somos amigos. Prefiro que continue assim. — Não dava para saber se Cassandra estava irritada ou não. — Mas ouvi um grupo de *vatos* falando que uns caras se meteram em uma briga no estacionamento e um deles foi parar no hospital com umas costelas quebradas. É você o responsável, Ari?

— Pode ser. Ou pode ser obra do meu parceiro, um tal de Danny Anchondo.

— Danny. Ele é um ano mais novo que a gente — Cassandra retrucou. — É um dos poucos caras que conversa comigo direito. E é um dos poucos caras que respeito. Um doce de pessoa.

— Concordamos — Susie disse. — Gina saiu com ele uma vez.

— É, não rolou muito clima. Mas meio que viramos amigos. Ele é difícil de odiar.

Olhei para Cassandra.

— Enfrentamos cinco caras. Aquele doce de pessoa é um lutador de rua nato.

— Vocês enfrentaram cinco caras?

— Então, eu tinha dado conta de um antes de Danny entrar em cena. Daí enfrentei dois, e Danny, dois. Se for para se meter numa briga, é melhor saber onde está se metendo, senão você pode parar no hospital com algumas costelas quebradas.

Susie estava olhando para mim.

— Sei que você gosta de brigar. Mas não consigo imaginar você numa briga.

— Na verdade — Gina disse —, eu também não.

— Eu consigo — Cassandra disse, com convicção. — Por falar nisso, bem à minha frente e à esquerda, Amanda Alvidrez. Ela é tão ruim quanto a mãe. E acabou de nos ver. Não olha, Gina. Não prestamos atenção nela. Ela é invisível para nós, mas registra cada passo que a gente dá. Então, Ari, me mostra suas mãos para eu dar um beijo.

— Está falando sério?

— Muito sério.

— Esse era meu medo.

Mostrei minhas mãos enfaixadas para Cassandra, que beijou as palmas em um momento de ternura. Claro que não havia nada de terno nisso, mas foi o que pareceu aos observadores. Ela conseguiu manter a compostura, mas sei que queria rir.

— Cassandra, você é terrível.

— Não sou terrível, Susie, estou dando à colunista de fofoca ali algo para publicar na coluna. Tenho que ensaiar se quiser ser uma boa atriz.

Não contive o sorriso.

— Você já é uma boa atriz.

— Sim, mas gostaria de ser paga por isso um dia.

— Como assim? Nossa amizade não é pagamento suficiente?

— Nem de longe, sr. Mendoza. Mas tenho certeza de que você vai encontrar uma forma de me recompensar por ter te tornado o centro das atenções do intervalo.

— Exatamente o que eu queria ser, o centro das atenções.

— Ah, você sempre chamou atenção — Gina disse. — Só porque gostava de sentar sozinho no canto não quer dizer que não chamava atenção.

Susie riu.

— Ari, você realmente achava que conseguia ser invisível?

— Ah, sim, acho que sim.

— Para um menino tão inteligente, você consegue ser bem burro — desdenhou Susie.

Quis falar que exatamente aquilo já havia passado pela minha cabeça — mais de uma vez.

Catorze

ENSINO MÉDIO.

Professores.

Alunos.

Alguns alunos prefeririam não ter professores. Alguns professores prefeririam não ter alunos. Mas não era assim que funcionava. Em algum momento da história, as escolas de ensino médio nasceram. Esse era o lugar onde o país dos professores e o país dos alunos se encontravam, onde os dois países se abraçavam, colidiam, entravam em conflito, batiam de frente, lutavam e, por meio dos esforços conjuntos dos cidadãos de ambos os países, acontecia algo chamado aprendizado. Eu pensava muito nessas coisas, talvez porque minha mãe fosse professora.

Acho que, tendo mãe professora, eu era um aluno melhor. Ou talvez não. Mas sei que, tendo mãe professora, eu olhava para meus professores com uma perspectiva diferente. Eu os via como pessoas; enquanto muitos dos meus colegas talvez não vissem.

Acho que no ensino médio aprendíamos mais sobre pessoas do que qualquer outra coisa, sobre quem elas eram e o que as fazia mudar ou recusar a mudança ou se tornarem incapazes de mudar. Era a melhor parte do ensino médio. E os professores também eram pessoas. As melhores e as piores. E os melhores professores, assim como os piores, ensinavam tanto sobre pessoas quanto os alunos no corredor.

O país dos professores.

O país dos alunos.

O país do ensino médio.

O país do aprendizado.

Só porque todos tinham vistos para entrar nesses países, não significava que todos os usariam.

Uma das minhas professoras tinha acabado de se formar na faculdade. Aquele era seu primeiro emprego como professora. Seu nome era sra. Flores e ela era extremamente inteligente. Alguns professores eram cheios de um tipo de energia intelectual. Eu pensava na sra. Flores como uma espécie de anjo. E ela era inteligente, dentro e fora da sala de aula. Deu uma olhada nas minhas mãos enfaixadas e soube exatamente o que estava vendo. Mas não conseguiu conter a pergunta:

— Ari, por acaso você é propenso a acidentes?

Ela tinha um mapa de lugares, e não duvidei que já tivesse decorado todos os nossos nomes.

— Acho que sou, sim. Às vezes minhas mãos se fecham sozinhas, como se pertencessem a outra pessoa, e por acidente acertam coisas.

— E, mesmo quando suas mãos se fecham e parecem ser de outra pessoa, você sabe que elas são suas e de mais ninguém, não sabe? E que você é responsável pelo que quer que elas façam? Se lembrar disso, talvez suas mãos deixem de ser propensas a sofrer tantos acidentes.

— Bom, não sofro tantos assim.

— Um acidente já é muito, não concorda, Ari?

— É o que dizem: acidentes acontecem.

— Realmente. É por isso que é importante prestar atenção. As pessoas que são propensas a acidentes não prestam muita atenção.

— Talvez elas estejam prestando atenção em coisas mais importantes.

— Ou menos. — Ela sorriu. — Ari, me diz uma coisa. Seus punhos acertam coisas? Ou pessoas?

— Quem falou em punhos?

— Nós dois somos inteligentes o bastante para saber o que é uma mão fechada. Seus punhos acertam coisas ou pessoas?

— Às vezes os dois são indistinguíveis.

Todos na sala começaram a rir, incluindo a sra. Flores.

— Você tem fama de ser o espertinho da turma?

— Não.

— Não sei por quê, mas não acredito.

Alguém levantou a mão.

— Sim? Elena.

Ela tinha *mesmo* decorado o mapa de lugares.

— Acredite se quiser. Há três anos, faço as mesmas aulas que ele, e ele quase não dá um pio.

Ela olhou ao redor.

— Mais alguém quer intervir aqui? — Ela viu outra mão levantar.

— Marcos, gostaria de acrescentar algo à discussão?

— Bom, primeiro, estou ficando assustado por você saber nossos nomes.

Ela estava com um grande sorriso no rosto.

— Quando vocês entraram, mandei cada um sentar na cadeira do próprio nome. Tenho um mapa de lugares. E decorei. Simples.

— Então, quando você me chamou pelo nome, não sabia de verdade quem eu era.

— É claro que não. Mas pode apostar que vou saber em breve, Marcos.

A maneira como ela disse aquilo, a diversão em sua voz, é o que Dante chamaria de seriedade sincera. Eu já sabia que ia adorar aquela aula.

E então Marcos disse:

— Pode acreditar que Ari não é o espertinho da turma. Eu que sou. Eu nem sabia como era a voz dele.

— Bom, pelo visto, você mudou, Ari. Vamos descobrir se para o bem ou para o mal. E, Marcos, parece que você vai ter concorrência. E não estou falando apenas de Ari. Estou falando de mim.

— Isso é uma competição? — Marcos retrucou.

— Não. Você e Ari não têm a mínima chance. Diversão é diversão, mas não forcem. — Ela olhou pela sala. — Por que não me ajudam a colocar um pouco de humanidade atrás dos seus nomes? Yvonne, vamos começar por você.

Ela gostava de nós. Não que gostasse de nós no sentido de que nos conhecia e éramos amigos. Ela gostava de nós porque gostava de seus alunos da mesma forma que o sr. Blocker gostava de seus alunos. Eles eram ao mesmo tempo brincalhões e sérios — e sempre, como se por instinto, poderiam pegar uma conversa, ainda que espontânea, e a apontar na direção em que o verdadeiro aprendizado começava. Em aulas como aquela, a gente não aprendia apenas sobre química, inglês ou economia, ou sobre como um projeto se transformava em lei, a gente aprendia sobre nós mesmos.

Depois da aula da sra. Flores, três dos meus colegas se aproximaram de mim juntos. Um perguntou:

— Ei, Ari, o que aconteceu com você?

Olhei para eles sem entender.

— Quer dizer, o que aconteceu com o velho Ari? Aquele que ficava sentado ali, socialmente isolado?

— Socialmente isolado?

Eu não lembrava do nome de nenhum deles; sabia o nome de Elena, mas apenas porque ela tinha testemunhado a meu favor na aula. E não fazia ideia de como eles lembravam do meu.

— Sou o Hector, aliás. — Ele estendeu a mão, o que me pareceu um pouco estranho. Continuou falando: — Socialmente isolado no sentido do Ari que sempre parecia se envolver com a matéria, mas não fazia ideia de que as salas de aula eram ambientes sociais.

— Elena, por que sinto que estou sendo atacado?

— Não faço ideia de por que você sente as coisas que sente.

— Você está dando um nó na minha cabeça.

— É uma arte fácil com os homens.

Imaginei que Elena fosse uma daquelas pessoas legais que sempre tinha que falar a verdade.

— Você parece ter aprendido a relaxar — ela disse. — Ou estou fazendo uma suposição errada? O antigo Ari não sabia que a palavra *relaxar* existia.

— O novo Ari sabe "relaxar". Mas não é especialista. Por enquanto.

Elena me olhou com aquela cara de *Não sou tão paciente assim com homens porque os homens normalmente são malucos*.

— Estamos aqui para dar as boas-vindas a você no mundo do ensino médio. Cheio de estudantes. Que são pessoas.

— Então vocês são o comitê de boas-vindas?

— Exatamente! Autodeclarado. Bem-vindo ao Colégio Austin, Aristóteles Mendoza. — Ela olhou para mim de cima a baixo. — Mesmo nos seus piores dias, você pelo menos serve de colírio para os olhos. Mas é um idiota.

— Elena, há muitos motivos para alguém me chamar de um idiota.

— Quer os meus? Você era tão completamente indiferente às pessoas que gostavam de você, e sem o menor remorso. Ari, no ano passado, você foi eleito príncipe do baile do penúltimo ano. E nem deu as caras.

— Sei que parece doideira, Elena, mas achei tudo aquilo humilhante. As pessoas sempre queriam que eu fosse alguém que eu não era. Porra, eu morreria de vergonha de ficar na frente de todo mundo. Como poderia ser amigo de alguém se não sabia como? Não que eu estivesse tentando fazer vocês serem invisíveis. Eu estava tentando *ser* invisível.

— Isso é muito triste. E, enfim, simplesmente não dá para ser invisível. Você tem superpoderes por acaso?

Olhei nos olhos do menino que tinha falado essas palavras. Seus olhos não eram tão diferentes dos meus.

— A gente fez algumas aulas juntos por três anos. E nem sei seu nome. — Olhei para Elena e disse: — Mais um item pra sua lista das minhas idiotices.

— Você não é idiota. Bom, pelo menos não mais do que o resto de nós. — Ele estendeu a mão. — Me chamo Julio.

Um aperto de mão. Meu segundo aperto de mão. De repente fiquei fascinado por aquele gesto tão simples. Meninos não fazem isso. Apenas homens.

— Sou Ari — eu disse.

— Eu sei. Todo mundo sabe quem você é.

Como homem invisível, eu tinha sido um fracasso.

Uma das nossas professoras, sra. Hendrix, tinha subido na vida. De professora de matemática da nona série, passou a ensinar bioquímica no último ano do ensino médio. Não era exatamente minha matéria preferida. Eu não era muito da ciência. Ela me mandou para a diretoria uma vez porque tive o que ela havia chamado de altercação com outro menino no corredor depois da aula. Achei "altercação" uma palavra muito séria para dizer que eu tinha dado um soco nas fuças de Sergio Alarcon depois que ele chamou uma menina de quem eu gostava (ou, aparentemente, pensava gostar) de prostituta. Na verdade, ele tinha usado a palavra em espanhol, *"puta"*. A sra. Hendrix foi compreensiva, mas era uma daquelas pessoas que achavam que não havia nenhuma justificativa para deixar alguém com hemorragia nasal.

Quando entrei na aula dela, ela sorriu daquele jeito que era meio natural e meio forçado.

— Ora, sr. Mendoza, bem-vindo à aula.

Ela tinha o hábito de chamar todos os alunos pelo sobrenome, acrescentando sr. ou sra. como sufixos. Explicou que tinha a intenção de honrar os alunos, tratando-os como se eles já tivessem se tornado adultos, ou lembrar que a fase adulta era uma meta. Se ela tivesse algum poder de observação, teria notado que a maioria de nós não considerava a fase adulta uma meta digna de nota.

Eu não entendia como alguns professores conseguiam fazer esforços quase extraordinários para nos ensinar coisas e ao mesmo tempo serem tão eficientes em nos fazer odiá-los. É preciso muito talento para isso. Ela gostaria de nos fazer acreditar que sem sua ajuda nunca teríamos sucesso em nada.

Bom para nós que nunca acreditamos nela.

A sra. Ardovino lembrava uma senhora rica de filme. Ela tinha muita classe, e se portava de maneira bem formal. Prendia o cabelo branco em um coque, seu vestido parecia custar muito dinheiro e ela sabia se maquiar. Quando viu minhas mãos enfaixadas, me perguntou se eu conseguia escrever. Dei de ombros.

— Não muito bem — respondi.

— Talvez você possa usar um gravador até se recuperar.

Eu não conseguia me ver deitado na cama, ouvindo aquela voz com um leve sotaque britânico.

— Não, tudo bem. Não precisa — eu disse. — Não é nada sério. Até amanhã eu tiro os curativos.

— É uma queimadura? Porque se *for* uma queimadura, pode ser muito mais grave do que você imagina.

Ela não tinha nenhuma malandragem. O que não era bom para um professor. E não seria bom para nós também. Apesar de toda a formalidade na voz dela, eu já a achava uma idiota.

— Não, não é uma queimadura.

— Você foi ao médico?

— Fui na enfermeira da escola. Ela já cuidou disso.

— Enfermeiras não são médicos. — Sério? Caralho, de onde surgiu essa mulher? — E foi a enfermeira quem disse que não era necessário ver um médico?

— Nós dois concordamos.

— Algumas enfermeiras de escolas são muito competentes. Outras, nem tanto.

Será que aquela professora, se é que era isso mesmo que ela era, estava usando táticas de atraso porque não estava preparada para a aula?

— Essa enfermeira é uma verdadeira profissional — eu disse.

— Como você pode estar tão seguro da sua opinião?

Ouvi o cara atrás de mim sussurrar:

— Caralho do céu.

A sra. Ardovino devia ter ouvido que metade da turma estava começando a cair em uma gargalhada contagiosa que ameaçou dominar a sala. Ou talvez ela fosse indiferente.

— Sra. Ardovino, a enfermeira era ótima. Estou ótimo. Está tudo ótimo.

— Bom, se você tem tanta certeza.

Aquela mulher me deixaria maluco.

— Tenho muita certeza.

Não queria ter falado tão alto.

Alguns dos meus colegas estavam achando toda a conversa entre mim e a sra. Ardovino engraçadíssima. E, embora eu meio que quisesse rir, não conseguia. Sentia vergonha por ela. Sentia uma compaixão típica de Dante por ela.

O menino atrás de mim sussurrou para que metade da turma ouvisse:

— É assim que é um purgatório.

As pessoas estavam começando a rir de novo.

— Sra. Ardovino — falei —, eu me meti numa briga. Dei um soco em uma pessoa. Em algumas pessoas. E, se houvesse mais pessoas, teria dado mais socos. Meus dedos sangraram e minhas mãos ficaram inchadas. E estão latejando ainda. Mas, amanhã, vou estar bem.

— Entendi. Sinto muito pela dor. Talvez você tenha aprendido que, quando pensa que encontrou a solução socando uma pessoa, ou várias pessoas, não apenas não resolveu seu problema como também criou outro.

— É exatamente o que aprendi.

— Excelente.

— Excelente — eu disse.

O cara atrás de mim estava se mijando de rir.

Dava para ver que uma menina sentada em uma das carteiras bem na frente da sala estava tentando rir sem fazer barulho, com as mãos na boca e as costas tremendo.

E ainda havia alguns risos na sala, mas que, quando a sra. Ardovino pareceu notar, pararam quase completamente.

— Não sei por que, quando um professor demonstra preocupação por um aluno, alguns dos colegas acham motivo de entretenimento e não respondem com compaixão, mas com risos bárbaros.

Fiquei sinceramente com vergonha alheia. Ela era uma figura cômica com um pé no trágico. E me deu um pouco de raiva que alguém tenha dado a ela um cargo de professora sendo que ela não estava preparada para o trabalho.

— Bom, talvez seja melhor encerrarmos por hoje. Talvez amanhã todos estejamos um pouco melhor.

Meus colegas saíram, e deu para ouvir as risadas no corredor. E, se a sra. Ardovino não estivesse com vontade de chorar, eu estava. Fui o último que sobrou na sala.

— Desculpa — eu disse —, foi tudo culpa minha.

— Não, não foi, sr.…

— Mendoza. Meu nome é Aristóteles Mendoza. Meus amigos me chamam de Ari.

Não era mais mentira. Eu realmente tinha amigos.

— Que nome bonito. E, não, não foi culpa sua. Eu não sou muito boa em interpretar situações sociais e reagir a elas.

Ela começou a rir baixo. E o riso deu lugar a uma gargalhada. Ela entrou no clima e sua gargalhada ficou cada vez mais alta. Ela riu e riu e riu. E então disse:

— E fiquei cavando mais e mais fundo e simplesmente não conseguia parar. E você parecia tão exasperado. E eu não parava.

Ela estava rindo tanto quanto os alunos tinham rido. E então se conteve. E tentou se recompor.

— E, quando o rapazinho atrás de nós sussurrou "É assim que é um purgatório", bom, também quase não me aguentei. Vi a cara que você fez e você pensou que eu estivesse prestes a chorar, mas tenho, sim, um pouco de disciplina: eu não estava prestes a chorar. Estava prestes a rir também. E desculpa por ter empregado tanto autocontrole quando deveria ter cascado o bico.

Ela caiu na gargalhada de novo.

— A senhora é uma mulher muito interessante.

— Sou. Sou uma mulher interessante. Mas meu lugar não é em sala de aula. Pelo menos não mais. Eu me aposentei há dois anos. A professora que realmente dá essa aula está de licença-maternidade. Me perguntaram de última hora se eu poderia substituir. E eu disse que tinha interesse, mas achei que fariam uma entrevista pelo menos. Se tivessem feito, eu não estaria aqui. Meu marido disse: "Ofelia, você vai fazer papel de boba". E fiz. — Achei que ela começaria a rir de novo. — Mal posso esperar para chegar em casa e contar a ele sobre meu dia. Vamos dar muitas risadas.

Fiquei chocado. Completamente. Nunca tinha encontrado alguém como aquela mulher. E gostei por ela ter o mesmo nome da minha tia.

— Por que você não riu também, sr. Aristóteles Mendoza?

— Não sei. Achei muito engraçado, depois não achei mais.

— Bom, mesmo que você não saiba, eu sei. Você não riu, não porque não tenha achado toda a cena ridícula, mas porque teria ficado com vergonha de si mesmo se tivesse se juntado ao coro para rir de uma senhora que poderia sair magoada dessa história. Você achou que eu estava em apuros, e então a situação perdeu a graça. Sua mãe ou seu pai, ou os dois, devem ser pessoas muito, mas muito maravilhosas. Mas, para ser franca, fui eu que passei vergonha na frente de todos vocês. E estou contente por ter feito papel de boba hoje. Feliz. É uma palavra melhor.

— Como a senhora pode estar feliz com isso?

— Temos que ser honestos sobre nossas próprias limitações, Aristóteles. Eu sabia desde o momento que comecei a dar minha primeira aula aqui que tinha cometido um erro. Não tive coragem de dizer: *Procurem outra pessoa porque eu não consigo*. Eu teria vivido uma mentira por um ano inteiro porque não conseguiria ou me recusaria a fazer a coisa honesta. Quando você sabe que cometeu um erro, não viva nele.

Ela levantou e pegou a bolsa e o suéter.

— Muitos rapazes incrivelmente bonitos como você crescem e se tornam homens que usam o mundo como sua privada particular. Você não tem esse tipo de indecência em si.

Ela saiu, e pude ouvir sua risada no corredor. Fiquei na sala de aula silenciosa e pensei: *Hoje está sendo um dia muito interessante*. Mas, se eu tivesse mais dias como aquele, ficaria doido.

Quinze

EU ESTAVA INDO PARA A MINHA CAMINHONETE — E, embora a dor tivesse quase passado, minhas mãos ainda estavam inchadas. Devo ter batido com muita força naqueles caras. Sorri da sra. Ardovino comentando que, ao resolver um problema, a gente acaba criando outro. A sra. Ardovino. Que loucura. Fiquei me perguntando como ela tinha sido na idade da sra. Ortiz.

Aquele seria um ano e tanto. Pela primeira vez, não fiquei feliz por eu e Dante estudarmos em escolas diferentes. Havia momentos em que eu me pegava pensando nele — e sentindo saudades.

Eu não deveria ter ficado surpreso ao encontrar Susie, Gina e Cassandra ao lado da minha caminhonete. Elas estavam conversando sobre o que tinha acontecido na escola naquele dia. Finalmente, perguntei:

— O que vocês estão fazendo aqui?

— Falando mal dos professores.

— Não, quis dizer ao lado da minha caminhonete.

Cassandra sorriu.

— Adivinha.

— Vocês acham que não consigo dirigir sozinho para casa.

— A palavra "acham" não deveria estar nessa frase. Vou levar você para a sua casa. Gina vai no carro dela. Vou deixar você, elas vão me buscar e me levar para casa. E vamos acabar todos sãos e salvos fazendo nossa lição de casa. Me dá as chaves.

— Não tenho livre arbítrio?

— Você já teve. É por isso que não consegue dirigir.

— Cassandra, por que você...

— Cala a boca, Ari. Isso não está aberto a discussão. Me dá as chaves.

— Bom, eu...

— Ari — ela disse, e então inclinou a cabeça e fez um ar de *Sou um touro prestes a chifrar você*.

— Não consigo pegar minhas chaves no bolso. Minhas mãos estão inchadas demais. É isso que estou tentando dizer.

— Por que não falou logo?

— Porque você não estava me deixando falar nada.

— Bom, você precisa aprender a ser mais assertivo.

Gina e Susie saíram dando risada.

— A gente se encontra na casa do Ari.

Ela me lançou aquele olhar sexy de brincadeira.

— Qual bolso? Ou quer que eu dê uma revistada?

Apontei para meu bolso direito.

Ela as pegou.

— Faz cócegas.

— Faz? Dante nunca apalpou você?

— Corta essa.

— Está com vergonha, não está? Não deveria ficar com vergonha por isso.

Ela riu.

— Só fica quieta — eu disse. — Não fala. Só me leva para casa.

Dezesseis

CASSANDRA ESTACIONOU A CAMINHONETE NA GARAgem.
— Como me saí?
— Você realmente vai me fazer dizer que é uma boa motorista?
— Só se for verdade.
— Você é uma boa motorista.
— Você acha que meninas dirigem mal, né?
— Nunca pensei sobre isso. Os meninos não andam por aí pensando se as meninas dirigem bem ou não ou se fazem qualquer outra coisa bem ou não.
— Andam, sim.
— Bom, eu não.
— Bom, isso é porque você é...
— Deixa que termino sua frase. É porque sou gay.
Não sei. Talvez tenham sido coisas demais acontecendo em um dia, mas fiquei parado lá, e as porras das lágrimas começaram a escorrer pelo meu rosto.
— Ah, Ari. Desculpa. Não... — E então ela também chorou. — Sei que sou dura. Preciso ser um pouco mais suave. Fico mal em saber que magoei você.

Dezessete

— ARI, POR QUE VOCÊ ACHOU QUE SERIA UMA BOA ideia retomar esse tipo de comportamento?

— Mãe, por que você não pergunta o que aconteceu?

— Não preciso saber os fatos. Briga é briga. E nunca vou achar aceitável.

— Eu sei. Mas, mãe, não posso tomar todas as minhas decisões com base no que você aprova ou desaprova. Não sou mais criança. Já ganhei o direito de errar.

— Ninguém tem o direito de errar intencionalmente.

— Podemos falar sobre outra coisa?

— O sol nasceu hoje às cinco e cinquenta e sete em El Paso, Texas.

— Boa, mãe, boa.

— Aprendi essas táticas espertinhas com você.

— Não ensinei essas táticas intencionalmente.

— Certo, não precisamos conversar sobre isso agora. Mas *vamos* terminar essa conversa.

— Você quer dizer *sermão*.

— Sermão. Que palavra. Pode achar que esse termo tem conotações negativas, mas normalmente, quando alguém escuta um sermão, aprende alguma coisa.

Dezoito

ESTÁVAMOS NA CASA DE DANTE — E DAQUELA VEZ seu quarto estava arrumado. Quer dizer, mais ou menos.

— Você acha que Cassandra virou uma mulher cedo demais?

— O que é cedo demais, Dante? Acho que ela decidiu que não seria a vítima de ninguém. Acho que a violência emocional do pai dela explica em parte, mas não é só isso.

— Você gosta mesmo dela, não gosta?

— Eu gosto, Dante. Gosto de verdade. Tenho uma conexão com ela que nunca tive com ninguém. E acho que ela sente o mesmo.

Dante ficou em silêncio.

— Isso incomoda você, Dante?

— Não, não muito. Mentira. Incomoda, sim. Você tem algo com ela que não tem comigo.

— E daí?

Dante não disse nada.

— Não tem motivo para se sentir ameaçado por ela, Dante.

— Posso te fazer uma pergunta?

— Pode. Você pode me perguntar qualquer coisa.

— Você acha que pode ser bissexual?

— Acho que não.

— *Achar que não* não é muito tranquilizador.

— O que sinto por Cassandra não é sexual. Não me sinto atraído por meninas dessa forma. Mas estou descobrindo que gosto de meninas. Que gosto de mulheres. Elas sabem ser muito honestas e vulneráveis. E acho que as mulheres são muito mais legais do que os homens.

Ele concordou.

— Acho que você está certo. É só que, enfim... Vamos falar de outra coisa.

Dezenove

ÀS VEZES EU IA ATÉ O CHARCOALER SOZINHO. SÓ para comer alguma coisa. Não sei por quê. Em parte, por causa da nostalgia de ter trabalhado lá. E eu ainda pegava um turno ou outro quando precisavam de mim. Mas não era só nostalgia. Eu tinha uma necessidade profunda de ficar sozinho às vezes, e nem sempre tinha tempo para sair dirigindo pelo deserto. Então só ia até o Charcoaler e pedia um hambúrguer, cebola empanada e um refrigerante. Sentava na caminhonete, comia e escutava rádio.

Naquela tarde de domingo, quando passei pela janela do drive-in para fazer meu pedido, notei o Volkswagen azul de Gina Navarro parado no estacionamento. Então parei ao lado dela e disse:

— E aí!

— Ari! O que você está fazendo aqui?

— O mesmo que você. Vim comer um hambúrguer.

— Sozinho?

— Ah, sim, bom, não estou vendo exatamente um monte de gente no seu Fusca.

Gina riu.

— Na verdade, essa é uma das coisas que mais gosto de fazer. Vir aqui, ficar sozinha e escutar música. Nem sempre quero estar perto de outras pessoas. Às vezes só quero ficar em paz. Curtindo a onda. Sabe?

— Sei, sim.

Nós dois estávamos sorrindo.

— Não vou contar para ninguém — ela disse.

— Também não vou contar para ninguém.

Paramos de falar. Eu a deixei em paz. E ela me deixou em paz.

Estava perdido em pensamentos e no gosto de cebola quando ouvi a buzina do Volkswagen de Gina. Ela acenou para mim saindo com o carro. Acenei para ela.

E nós dois sorrimos.

Ter amigos é assim. Cada um deles é diferente. E cada amigo sabe algo sobre você que seus outros amigos não sabem. Acho que parte da amizade é compartilhar um segredo com cada amigo. O segredo não precisa ser um grande segredo. Pode ser pequenininho. Mas compartilhar esse segredo é uma das coisas que torna vocês amigos. Eu achava isso bem incrível.

Eu estava aprendendo muitas coisas sobre viver no país da amizade. Gostava de viver naquele país. Gostava muito.

Entre os vivos e os mortos há o amor

Ninguém pediu para nascer. E ninguém quer morrer. Não viemos sozinhos ao mundo e, quando está na hora de partir, a decisão também não cabe a nós. Mas o que fazemos com o tempo entre o dia em que nascemos e o dia em que morremos é o que constitui uma vida humana. Você terá que fazer escolhas — e essas escolhas vão mapear a forma e o rumo da sua vida. Somos todos cartógrafos — todos nós. Todos queremos escrever nossos nomes no mapa-múndi.

Um

EU E DANTE ESTÁVAMOS REDESCOBRINDO A PALAvra "amigo". Você aprende uma palavra e a conhece e ela é sua — e depois aprende essa palavra de novo e pode conhecê-la de novo, mas de outro jeito. "Amigo" estava sendo uma palavra que continha todo um universo, e eu e Dante estávamos apenas começando a explorar esse universo.

— Amigo. Usamos essa palavra de maneira tão irresponsável.

— Eu não. É por isso que não tenho muitos.

— Não é verdade. Você tem todos os amigos que consegue aguentar. E eu não estava falando de você. Estou falando da maioria das pessoas.

— Bom, a maioria das pessoas não respeita tanto as palavras quanto você. Assim como a maioria das pessoas não respeita a água em que nada como você respeita. É algo profundo aí dentro.

— As palavras são profundas dentro de você também, Ari.

— Não o suficiente. Nem de longe. É como quando você lê um poema para mim. Você o lê como se o tivesse escrito.

— Talvez eu seja só um ator frustrado.

— Você não está atuando. Está sendo você mesmo.

— Sim, bom, eu sei ser dramático.

Eu ri.

— Você é muito sincero sobre isso também.

— Não sou perfeito, Ari. Você sempre me fala que sofre com seus demônios. Eu também tenho meus demônios. Sei que o amor é difícil para você, e mesmo assim você me ama. Mas o amor também é difícil para mim; é que nossas dificuldades são diferentes.

— Mas acho que estamos indo muito bem.

— Estamos, sim, Ari. Mas dá mais trabalho do que pensei.

— É, mas estou pensando em um certo acampamento, e nada naquele acampamento me pareceu trabalhoso.

Dante sorriu.

— Vamos voltar lá. — Seus olhos ficaram febris, cheios de vida naquele momento. — Quando você vai fazer amor comigo de novo?

— Vamos dar um jeito.

Eu e Dante éramos alunos. Era algo que tínhamos em comum. Queríamos aprender. Nós dois estávamos aprendendo palavras e seus significados, e estávamos aprendendo que a palavra "amizade" não era completamente separada da palavra "amor".

Fiquei me perguntando como eu e Dante acabaríamos. Acho que ele também se perguntava. Será que acabaríamos como amigos? Acabaríamos como amantes? Ou as diferenças entre nós nos tornariam inimigos? Eu queria que fôssemos amantes porque gostava dessa palavra. Já havia aparecido em alguns livros que li. Mas meninos de dezessete anos não eram amantes — porque não éramos adultos, e apenas os adultos podiam ser amantes. Meninos de dezessete anos não deveriam fazer sexo, e quando faziam não tinha nada a ver com amor, porque é isso que nos diziam; porque não sabíamos nada sobre amor. Mas eu não acreditava nisso.

Ninguém podia me dizer que eu não amava Dante. Ninguém.

Eu nunca soube que poderia sentir todas as coisas que sentia por Dante. Eu não sabia que tinha aquilo dentro de mim. Mas, depois que descobri, o que me restava fazer? Se Dante fosse uma menina e eu não fosse gay, eu estaria imaginando um futuro para nós. Mas não havia como imaginar um futuro. Porque o mundo em que vivíamos censurava nossas imaginações e limitava nossa realidade. Não havia futuro para Ari e Dante.

Imaginar um futuro para Ari e Dante era uma fantasia.

Eu não queria viver para sempre em uma fantasia.

O mundo em que eu queria viver não existia. E eu estava me esforçando para amar o mundo em que eu *realmente* vivia. Será que eu era forte ou bom o suficiente para amar um mundo que me odiava?

Talvez eu só me preocupasse demais. O que eu e Dante tínhamos era o *agora*. Dante dizia que nosso amor era eterno. Mas e se não fosse? E o que era eterno? Ninguém tinha o eterno. Minha mãe dizia que vivemos um dia de cada vez, um momento de cada vez. *O agora é a única coisa real. O amanhã é apenas uma ideia.* A voz da minha mãe eternamente na minha cabeça.

Dois

Querido Dante,

No meu sonho, estávamos andando ao longo da margem de um rio. Caminhávamos de mãos dadas e havia nuvens escuras no céu e você disse: "Estou com medo". Não respondi porque não conseguia falar. Então vi meu irmão na outra margem do rio. E ele estava gritando alguma coisa para nós.

Por algum motivo eu via o rosto dele como se estivesse pertinho. E ele cuspiu na minha cara e então eu estava perto de você de novo e fiquei com medo porque você estava com medo e, quando voltei a olhar para você, você estava esquelético e eu sabia que você estava morrendo e também sabia que você estava morrendo de aids. E ouvi o que meu irmão estava gritando: "Viados! Viados!". Havia milhares de manifestantes vindo na nossa direção e então você sumiu. E, enquanto os manifestantes passavam por mim, vi que estavam segurando seu corpo no alto e o carregando para onde quer que estivessem indo. E fiquei gritando: "Dante! Dante!".

Os manifestantes continuaram passando. E levaram você. E eu sabia que não conseguiria ir atrás.

Então fiquei sozinho. Estava frio e só havia nuvens escuras no céu — e, quando a chuva caiu, as gotas eram como balas alvejando meu corpo. E fiquei gritando: "Dante!".

Acordei gritando seu nome e estava empapado de suor.

Minha mãe estava sentada na minha cama. Ela parecia um anjo. E sussurrou: "É apenas um sonho, Ari. Estou aqui. Sonhos não podem machucar você".

Dante, você tem pesadelos?

E por que os pesadelos nos seguem por dias? E o que estão tentando nos dizer? Sua mãe sabe interpretar sonhos?

No dia seguinte, na escola, passei pelo corredor. Senti como se estivesse sozinho de novo — tão sozinho como eu era antes de conhecer você. Fiquei me perguntando se um dia morreria de aids.

Talvez todos morramos de aids. Todos os viados desapareçam.

O mundo continuaria sem nós nele. Finalmente, o mundo teria seu desejo realizado.

— POR QUE CHAMAM A SRA. LIVERMORE DE "SRA. MAIS Fígado"?

— Gina inventou uma história sobre ela. Dizia que era o tipo de mãe má que servia fígado para os filhos em ocasiões especiais porque sabia que os filhos odiavam. Ela não acreditava em crianças felizes. Então servia um prato de fígado acebolado para cada e, quando eles finalmente conseguiam comer tudo, parava na frente deles e perguntava: "Mais fígado?". Como a bruxa má da Branca de Neve oferecendo uma maçã. E então servia uma segunda porção e eles ficavam com vontade de vomitar. E ela fazia questão que eles comessem até a última garfada da segunda porção. E, se um dos filhos fizesse pirraça, ela parava na frente da criança uma terceira vez, e sorria. "Mais fígado, amor?" E ela colocava um terceiro pedaço de fígado no prato. E então sorria e pensava: *Agora eles vão aprender*.

— Uau, mas ela não é tão má. Quer dizer, aposto que é uma boa mãe.

— Duvido que seja boa mãe. Duvido que seja boa em qualquer coisa. E, se parar para pensar — Susie disse —, é isso que ela faz com a gente na sala. Entra dia, sai dia, ela nos serve mais fígado. Não aguento aquela mulher. Ari Mendoza, vai me dizer que Livermore não te irrita?

— Bom, irrita um pouco, mas, olha, precisamos da aula para nos formar, e acho que só não me deixo atingir. Não deixo que ela estrague meu dia.

— Você não acha que no fundo ela odeia mexicanos?

— Ela não nos odeia. Só acha que somos inferiores.

Sorri para Susie.

Ela não riu.

— Era para ser uma piada.

Ela me encarou daquele jeito destruidor.

— Tá bom — eu disse. — Olha, está bem na cara que ela é racista. Por exemplo, ela falou para Chuy que estava feliz que houvesse um apelido para Jesus porque *ninguém deveria ser batizado com o mesmo nome do Senhor*. Ela pensa essas merdas, Susie. Quem liga? Ela só não é lá muito inteligente.

— Bom, ela pode até pensar o que quiser, mas precisa dizer? Você é um pouco tranquilo demais com isso, Ari. Por exemplo, que merda foi aquela de ela entrar na sala um dia e perguntar por que os hispânicos não liam a Bíblia? E ela nem entendeu a piada quando Chuy disse: "Os católicos não leem a Bíblia. Só adoramos Jesus e a Nossa Senhora de Guadalupe".

— Dá um desconto, Susie. Vai ver ela entendeu o sarcasmo quando retrucou: "A alfabetização bíblica é fundamental para todos que se dizem instruídos".

— Como ela se safa dessas merdas? No dia em que estava falando sobre nosso sistema judiciário, ela fez questão de dizer: — e então Susie a imitou — "É muito importante que vocês escutem com atenção porque no México, de onde vocês vêm, não tem sistema judiciário". Por que é que ela tem que falar essas babaquices? E daí Chuy retrucou: "Bom, tem sistema judiciário no México, mas não sou de lá. Sou daqui. O México tem um sistema judiciário, só que é corrupto. Sabe, como no Alabama, de onde a senhora vem". Chuy pode ter aquela cara de maconheiro, mas não leva desaforo para casa.

— Bom, você tem que admitir que a aula pode ficar bem divertida.

— Para citar o sr. Blocker, "Você não vem para a escola para se divertir, vem para aprender". E, se não tomar cuidado, Ari Mendoza, vai crescer e se tornar um vendido. — Ela me lançou um olhar de reprovação que era páreo ao da Cassandra Ortega. — Qualquer dia vou entrar na aula dela de mau humor. E ela vai ver só.

Quatro

EU E CASSANDRA ESTÁVAMOS SENTADOS NA SOLEIRA de casa.

— Vai ser música ou artes cênicas — ela disse.

— Você curte música?

— Toco piano. Sou boa. Não ótima. Não genial. Mas boa. Ainda tenho tempo para melhorar. E gosto de cantar. Você canta?

— Canto mais ou menos, mas não me interessa muito.

— Não te interessa?

— Amo música. Mas não sou músico.

— Entendi.

Ela estendeu a mão e me ajudou a levantar. Caramba, ela era forte.

— Aonde vamos? — perguntei.

— Para lá — ela disse. — Estou louca por um doce.

— Eu gosto de PayDays.

— Eu *amo* PayDays.

Passamos por uma casa onde uma mulher estava colhendo rosas. Cassandra a cumprimentou:

— Olá, sra. Rico.

— Cassandra, você está linda como sempre. E como você está, Ari?

— Estou bem, sra. Rico.

— E vocês formam um lindo casal.

— É verdade — Cassandra disse.

Enquanto descíamos a rua, olhei para ela.

— Lindo casal? Toda vez que alguém diz algo assim, eu me sinto uma verdadeira fraude. Me sinto um impostor.

— Bom, você não está mentindo para ninguém. Não se responsabilize pelas suposições dos outros. E formamos *mesmo* um lindo casal.

Dei risada.

— É verdade. E quem era aquela moça?

— Você a chamou de sra. Rico, e ela sabia seu nome. Pensei que você a conhecesse.

— Eu a chamei de sra. Rico porque você a chamou de sra. Rico.

— Bom, ela é Filha Católica. Dirige sua própria empresa de contabilidade.

— Essas Filhas Católicas são muito bem relacionadas. Parece que conhecem todo mundo.

— Conhecem mesmo. Uma das mulheres está entre as melhores vendedoras nacionais de todos os tempos de produtos Mary Kay, e dirige um Cadillac rosa para provar. Você tinha que ver. Ela adora fingir que é Jackie Kennedy Onassis. Ela se diverte tirando sarro de si mesma.

— Sabe, precisamos fazer o que a sra. Mary Kay fez. Ela criou seu próprio lugar no mundo dos negócios. Estava cagando e andando para os homens que zombavam dela. Ganhou mais dinheiro do que a maioria dos babacas juntos. E ganhou esse dinheiro honestamente. Colocou o nome dela no mapa.

— Que demais. E é isso que as Filhas Católicas conseguiram fazer, colocar o próprio nome no mapa-múndi. Elas não precisam da permissão de ninguém para mergulhar. E sabe de uma coisa, Ari, nós também não.

Entramos no mercado.

— Por minha conta — Cassandra disse, enquanto pegava um refrigerante.

— Não, eu vou pagar.

— Não, não vai. Sabe por que os homens gostam de pagar? Porque têm que estar no comando. E, quando digo que vou pagar, você não tem que entrar numa discussão comigo, tem que simplesmente agradecer.

— Obrigado.

— Já é um começo. Na próxima diga com convicção.

Sentamos no meio-fio e sorrimos um para o outro.

— Estamos vadiando — eu disse.

— Bom, é um bom dia para vadiar.

Ela deu um gole do refrigerante.

— Sabe, não basta sermos inteligentes para sermos cartógrafos. Também temos que ser corajosos para mergulhar em águas que podem não ser muito pacíficas.

Ela olhou para mim, para confirmar se eu estava ouvindo.

— Nós vamos conseguir. Qualquer dia o mundo vai ficar muito surpreso pelas coisas que realizamos. Mas nós não. Não vamos ficar nada surpresos. Porque vamos ter aprendido que temos isso dentro de nós.

A voz de Cassandra Ortega era exatamente do que eu precisava.

Estávamos de volta em casa, sentados no alpendre. Perninha dormia entre nós.

— Acho que vou correr. Quer uma carona para casa?

— Que ótima ideia, Ari. Que. Ótima. Ideia.

Foi aquele o dia em que Cassandra Ortega se tornou minha parceira de corrida.

Eu sentia saudade de Perninha correndo ao meu lado. Aquela cachorra tinha entrado na minha vida em um momento que eu me sentia mais ou menos sozinho no mundo. De alguma forma ela notou minha tristeza e me deu seu coração. As pessoas não podiam dar as coisas que um cachorro dava — e eu não tinha a língua para traduzir o amor que habitava em Perninha, o amor que ela me dava, o amor que me fez querer viver de novo.

Não sei exatamente por que deixei Cassandra entrar no mundo particular e silencioso da corrida. Mas, daquela primeira manhã em diante, me pareceu a coisa certa, como se nos encaixássemos. Ela era naturalmente atlética. E era como eu: não gostava de conversar, não quando corria. Só queria correr. De alguma forma, o silêncio que mantínhamos ao correr nos aproximava.

Em certos sentidos, nós dois estávamos perdidos. É engraçado, mas havia tantos momentos em que eu sentia que havia me encontrado ou que estava me encontrando. E então me sentia perdido. Sem motivo nenhum. Eu só me sentia perdido. Talvez fosse assim para Cassandra também. E nós dois encontramos algo de que precisávamos na corrida.

Eu adorava a presença silenciosa dela naqueles momentos sagrados para mim. Eu estava começando a acreditar que vivíamos de maneiras diferentes com cada pessoa que amávamos.

Cinco

MINHA VIDA ENTROU EM UM CERTO RITMO: IR À ES-
cola, conversar com amigos da escola que pela primeira vez na vida
eu tinha. Os amigos da escola eram bons porque dava para deixá-los
na escola. Parece maldade, eu sei, mas, para mim, a vida estava muito
movimentada. Não acho que eu teria dado conta de levar mais de
um amigo para casa.

Eu nunca tinha me sentido parte de verdade desse lugar chamado
escola. De repente, isso mudou. Mas então tinha essa coisa que eu
era — essa coisa chamada gay. Quando foi que começamos a usar essa
palavra? "Gay" era uma palavra em inglês relacionada à felicidade.
Fiquei me perguntando quantos homens gays realmente eram felizes.
Me perguntei se, algum dia, me olharia no espelho e diria: *Ari, sou
feliz por você ser gay*. Eu achava que não aconteceria nunca. Talvez
com Dante, mas comigo não. Aquilo me dava a sensação de que eu
não podia ou não queria fazer parte do país chamado ensino médio.
Dante chamava aquilo de "exílio". Era a palavra perfeita. Ele me deu
um bilhete um dia saindo da minha casa.

— Ah, esqueci. Estava andando com isto — ele disse, e deixou o
bilhete dobrado na palma da minha mão.

Quando ele saiu, desdobrei o bilhete:

> *Minha mãe disse que sempre vamos viver entre o exílio
> e o pertencimento. Às vezes você vai sentir a solidão do
> exílio. E às vezes vai sentir a felicidade de pertencer.
> Não sei onde minha mãe aprendeu todas as coisas
> que ela sabe. E, quando escuto as palavras da sua
> mãe, e escuto as coisas que ela diz, juro que elas estu-
> daram na mesma escola para mães. Elas se formaram
> na Universidade Mãe — e parece que fizeram pós-
> -doutorado. P.S. Escrevi este bilhete na minha aula de*

*história. Só o Irmão Michael mesmo para deixar a
Guerra de Secessão sem graça.*

Acho que eu estava feliz. Ou, pelo menos, estava mais feliz do
que antes. E, embora houvesse muita confusão dentro de mim, pelo
menos eu não ficava mais angustiado. Ia à escola. Fazia minha lição
de casa. Quase sempre, Dante, Susie, Gina e Cassandra passavam em
casa e estudávamos à mesa da cozinha. Eu sabia que minha mãe ficava
feliz — embora não fosse por isso que estudávamos juntos. Às vezes,
estudávamos na casa de Cassandra.

Nas noites de terça, eu e Dante estudávamos juntos, só eu e ele.
Ele lia as tarefas ou os problemas de matemática e eu lia e tomava
notas ou escrevia um trabalho. Não sei como, mas ficar no mesmo
ambiente que Dante fazia tudo parecer muito mais fácil. Eu gostava
de sentir a presença dele no ambiente. Gostava de ouvir a voz dele
quando ele falava sozinho.

Notei que Dante várias vezes parava de estudar seus livros — e
me estudava. Pensei que eu era seu livro predileto, o que me assustou.
Às vezes, quando ele olhava para mim, era como se uma eletricidade
disparasse pelo meu corpo. E eu o queria. E havia vezes em que
meu desejo por ele era insaciável. Não que transássemos muito. Não
rolava. Não dava. Não havia tempo nem oportunidade, e nós dois
nos recusávamos a transar na casa dos nossos pais porque achávamos
desrespeitoso. Mas minha vontade ia além do desejo. Porque o que
eu sentia transcendia meu próprio corpo.

O que tínhamos era seguro. Um fazia o outro se sentir seguro.

Mas o problema era que o amor nunca era seguro. O amor nos
levava a lugares aonde sempre tivemos medo de ir. O que eu lá sabia
sobre amor? Às vezes, quando estava na presença de Dante, sentia
saber tudo. Mas, para mim, uma coisa era amar. E outra, a mais difícil
de todas, era se permitir ser amado.

Seis

Dante,

Andei pensando no meu irmão. Quando fui ao banco de alimentos com minha mãe, ouvi duas mulheres conversando. Elas estavam falando bem de mim. Uma delas disse que estava feliz pela minha mãe porque eu era um bom menino, ao contrário do meu irmão, que tinha uma alergia grave e crônica à bondade. "Algumas pessoas simplesmente nascem assim", ela disse.

Acho que meu irmão era e é um homem muito violento. Por isso, meus pais ficaram tão chateados comigo quando descobriram que dei uma surra no cara que botou você no hospital. Eu não deveria ter feito aquilo. Não me arrependi na época, mas me arrependo agora. É claro que essa não é uma via de mão dupla: ele não se arrepende por ter mandado você pro hospital. E, na primeira oportunidade, faria de novo. Às vezes o vejo no corredor, e uma vez o amigo dele estava do meu lado no mictório no banheiro e disse: "Quer dar uma olhada?", e eu disse: "Quer que eu enfie suas bolas na sua goela?". As pessoas se recusam a deixar as outras em paz. Não conseguem viver e deixar os outros viverem. Simplesmente querem se livrar de nós.

Sabe, andei pensando na pessoa que meu irmão matou. Uma mulher transexual. A matéria do jornal foi bem vaga. Chamaram a mulher de travesti garota de programa. E como sabem que era garota de programa? Fico achando que só colocaram isso no jornal como uma forma de reforçar a ideia de que os mexicanos que vivem aqui são a escória da sociedade, o que inclui meu irmão e a mulher que ele matou. Às vezes tenho a impressão de que, embora sejamos a maioria da população na cidade, os mexicanos ainda são indesejados.

Sete

A SRA. LIVERMORE NOS DEVOLVEU AS PROVAS.

— Quero que todos saibam que estou do *seu* lado. Comecei a avaliar de acordo com os resultados gerais porque cheguei à conclusão de que os hispânicos não se sentem à vontade em ambientes educacionais e levei isso em conta.

A mão de Susie levantou imediatamente — e foi como uma bandeira batendo ao vento.

— Susie, você quer falar alguma coisa?

— Sim, queria saber de onde a senhora tirou a informação de que hispânicos não se sentem à vontade em ambientes educacionais. Quer dizer, a senhora leu isso em algum lugar? A KKK tem algum boletim informativo?

— O que a KKK tem a ver com esta conversa? Não tenho nada a ver com aquela organização terrível.

— Eles não são uma organização. São terroristas.

— Não vou discutir com alguém que tem visões tão extremistas.

— *Eu* extremista?

— Respondendo à sua pergunta, não li um artigo. Mas conversei com pessoas inteligentes que me deram percepções de como atender melhor aos meus alunos. E observei que meus alunos se sentem, sim, pouco confortáveis em ambientes educacionais. Isso responde à sua pergunta?

— Responde.

Eu conhecia Susie Byrd, e ela estava apenas começando.

— Bom, usando meus próprios poderes de observação, acho que seus alunos só se sentem pouco à vontade em ambientes educacionais em que a senhora é a professora.

— Não sei por que você decidiu me atacar em vez de...

Susie a interrompeu.

— Sra. Livermore, a senhora sabe que é racista, não?

— Essa é uma acusação falsa e injusta. Não sei por que se acha no direito de atacar seus professores com calúnias tão maldosas. Para manter a ordem, não posso permitir que você continue nesta aula sem um pedido de desculpas. Não sei por que você se ofenderia de todo modo, se nem hispânica você é e nada do que eu disse se refere minimamente a você.

Susie não parava de cruzar os braços, morder o lábio e brincar com o colar. Eu conhecia ela — e sabia que estava furiosa. Furiosa *mesmo*.

— Não preciso ser hispânica para notar as coisas condescendentes e totalmente ofensivas que a senhora diz. No primeiro dia de aula a senhora falou para o José: — e então começou a imitar a forma como ela falava — "Em Iowa tem uma marca de tortilhas, tortilhas Happy José, com um bonequinho segurando um sombreiro". E depois, como se já não bastasse, perguntou se ele tinha um sombreiro…

A sra. Livermore a interrompeu:

— Eu estava sendo simpática, e não sei por que você achou que o que eu disse é depreciativo em algum sentido.

Susie revirou os olhos.

— E quando dá uma nota boa para alguém que a senhora acha burro, sempre diz umas merdas como: — e de novo Susie imitou a voz dela — "Você deve ter estudado muito, ou talvez tenha recebido alguma ajuda". A senhora é uma racista nojenta!

Eu não deixaria Susie se queimar sozinha e intervim antes que a sra. Livermore pudesse responder.

— Eu concordo. — E decidi acrescentar: — E em nome de todos os seus alunos hispânicos, e em nome da minha mãe, que é professora, eu exijo um pedido de desculpas.

Todos os alunos estavam concordando, mas a raiva e a atenção da sra. Livermore estavam concentradas em mim e Susie.

— É uma pena, mas julguei você mal, Ari Mendoza. Pensei que você fosse um pouco melhor…

Eu a interrompi.

— Um pouco melhor do que o resto dos mexicanos?

— Não coloque palavras na minha boca. Mas um porta-voz auto-nomeado de todo um grupo de pessoas não deve ser levado a sério.

— E então ela acrescentou um rosnado na voz. — Vocês dois, venham comigo à diretoria *agora*.

Enquanto ela ia para a porta, Chuy Gomez não se conteve e gritou:

— Ei, sra. Livermore!

Quando ela virou, viu Chuy mostrando o dedo para ela.

— Você também! Junte-se aos rebeldes sem causa. Isso é comportamento de pessoas criadas por lobos. E vocês três estão prestes a ser expulsos desta instituição educacional.

— A instituição educacional em que estamos tão pouco à vontade?

Chuy se dirigiu à porta. Susie soltou uma gargalhada, e eu só tentei me conter. A sra. Livermore avançou na nossa frente.

— Eles não vão expulsar a gente — Chuy disse.

Susie revirou os olhos.

— Meus pais vão pular no pescoço de alguém a qualquer momento. Eles eram hippies. Não aturam essas merdas.

— Meu pai é ativista — Chuy disse. — Isso é um absurdo.

— Bom — eu disse —, duvido que minha mãe vá nos deixar na mão.

Susie sorriu.

— Algo me diz que sua mãe comeria a sra. Livermore viva.

Então lá estávamos nós na diretoria. O sr. Robertson tinha uma cara que o impedia de parecer profissional apesar do terno e da gravata. Ele não era lá muito rígido, mas, quando se sentia encurralado, podia ser bem durão. A sra. Livermore girava seu colar de pérolas, passando os dedos em cada uma delas como se estivesse rezando um terço. Todos estávamos sentados, mas a sra. Livermore decidiu ficar em pé, pairando sobre o resto. Só ela falava, quase conseguindo parecer sensata e, portanto, a vítima de seus alunos cruéis que não tinham disciplina e se comportavam feito bárbaros.

— Seria justo suspender os três. Não sou uma pessoa punitiva, e não vou impedi-los de se formar. Afinal, esta é a última chance deles.

Eu e Susie nos olhamos. A sra. Livermore claramente supunha que não entraríamos na faculdade.

— Mas não posso permitir que esses alunos voltem à minha sala de aula. Eles não apenas me desrespeitaram, como desrespeitaram minha profissão.

Susie a interrompeu:

— Ninguém desrespeita mais sua profissão do que a senhora mesma, dona Livermore.

Ela apontou para Susie.

— Olha. Veja com seus próprios olhos como eles se dão a liberdade de dizer o que quiserem. Não entendem as consequências de seus atos. Esses três bárbaros parecem não ter qualquer respeito pelo meu cargo de professora, e não vou aceitar o que essa... — ela apontou para Susie — essa pessoa, essa, essa... não vou aceitar as calúnias dela. Fala para ele o que você falou para mim.

Nem um pouco arrependida, Susie olhou para o sr. Robertson e disparou:

— Eu disse que ela era uma racista nojenta.

O sr. Robertson fez uma careta.

— E não é calúnia se é verdade. Não sei o que é mais real: racista ou nojenta.

— Eu poderia expulsar você desta escola por isso.

— Poderia. — Susie ainda estava furiosa. — Mas gostaria de ver a senhora tentar expulsar uma aluna com a minha média ponderada e minha frequência perfeita.

— Para mim já chega. Vou deixar esses arremedos de seres humanos para o senhor, sr. Robertson. Não dou a mínima para o que fizer com eles desde que eles não voltem para minha sala de aula. — E então ela olhou para mim. — Achei mesmo que você poderia se tornar alguém na vida. — Voltou o olhar furioso para Susie. — E você é a pior de todas.

Susie abriu um sorriso.

— Devo ser a prova viva de que as pessoas brancas não são superiores.

A maneira como a sra. Livermore saiu batendo o pé pareceu um exagero — mas surtiu efeito no sr. Robertson.

Chuy estava se matando de rir.

— Susie Byrd, você ouviu isso? Você é a pior. Você é pior do que nós, mexicanos.

— Ai, meu Deus — o sr. Robertson disse. — Acho que vocês não entenderam o tamanho da encrenca em que se meteram. E, srta. Byrd, tinha mesmo que chamá-la daquilo?

— Sr. Robertson, o senhor não pode negar que ela é racista. E não pode dizer que nunca recebeu nenhuma reclamação dela. E, até onde sei, uma mulher racista é nojenta. Não tem como escapar.

— Podemos, por favor, demonstrar um pouco de respeito? Se eu ouvir mais um xingamento saindo da sua boca, vou suspender você.

Ele continuou mordendo os lábios e esfregando as mãos. Precisava de um cigarro. Estava na cara.

— Vocês são todos bons alunos e têm históricos impecáveis. E todos vocês, como a srta. Byrd apontou, têm uma frequência quase perfeita. O que não justifica esse comportamento. Ari, o que você disse para despertar a raiva da sra. Livermore?

— Só expressei meu apoio a Susie. E aproveitei para falar em nome dos alunos hispânicos e exigir um pedido de desculpas.

Ele cobriu o rosto com a mão e riu, mas parecia mais querer chorar.

— E você, Jesus?

— Chuy — ele disse.

— Sim, sim, Chuy, qual foi sua contribuição para esse drama todo?

— Quando eles estavam saindo da sala, gritei o nome da sra. Livermore. E mostrei o dedo para ela.

O sr. Robertson caiu na gargalhada, mas não era uma gargalhada feliz, era mais do tipo *Estou indignado e preciso rir para não chorar*.

— Vou ligar para os pais de vocês e conversar sobre isso. E vocês vão ficar no salão de estudos. Vou pegar uma cópia do programa da sra. Livermore. Vocês vão colocar a lição de casa em dia e entregar para mim. E eu vou ser responsável pelas notas. Vocês vão se livrar dessa, e não precisam agradecer. E, srta. Byrd, cuidado com a boca. Esses xingamentos não são aceitáveis.

— Mas professores racistas *são* aceitáveis?

— Vou dar uma folga para vocês. Não abusem. — Ele olhou para Chuy. — Guarda esse dedo. Use para tocar violão ou sei lá. E, sr. Mendoza, você pode ter um futuro na política. Só não pratique seus discursinhos com meus professores.

Oito

— O SR. ROBERTSON ME LIGOU. BATEMOS UM PAPO amigável.

— Amigável?

— Eu dava aula na sala em frente à dele.

— Por que você não é a diretora então?

— Não pense que nunca me convidaram. Mas estou exatamente onde deveria: em sala de aula.

Minha mãe olhou para mim. Não era o tipo de olhar bravo. Era um olhar de quem decidia o que fazer.

— Vou levar uma bronca?

— Não vai ser exatamente uma bronca. Vamos chamar de conversa. Você e Susie e seu outro amigo...

— Chuy.

— Chuy. Você, Susie e Chuy são muito corajosos. Mas...

— Sabia que tinha um "mas".

— Mas vocês não tinham que reagir dessa forma. Eu conheci a sra. Livermore na reunião de pais e professores. Não tenho uma opinião muito boa sobre ela. Mas ela é, *sim*, sua professora, e professores merecem respeito. Ser professor não é mole. Vocês poderiam ter tratado isso de uma outra forma.

— Que outra forma?

— Poderiam ter levado suas questões para o sr. Robertson.

— Ele é meio bobalhão.

— Ainda não terminei. Vocês poderiam ter falado para ele que se recusavam a ficar na aula dela e explicar o porquê. Se ele não desse ouvidos, você poderia ter vindo falar comigo e com seu pai e nós teríamos intervindo.

Eu sabia que estava com cara de paisagem.

— Ari, não discordo das suas opiniões sobre a sra. Livermore. E, quando eu disse que vocês três foram muito corajosos, estava sendo sincera. Mas vocês poderiam ter sido expulsos. E devem controlar a linguagem que usam. Isso não ajuda sua causa.

—Talvez você esteja certa. Deveríamos ter pensado em um plano em vez de simplesmente estourar na sala de aula. Lidamos com a situação do melhor jeito que nos veio à cabeça. Mas também não acho que a solução seja ir correndo pedir ajuda dos pais. É assim que crescemos, mãe.

Pensei que minha mãe retrucaria, mas não.

— Estou disposta a admitir que talvez você esteja certo. Mas você escapou de uma boa. E vou falar uma coisa que você pode não querer ouvir. Se o sr. Robertson não suspendeu vocês por uma semana ou duas é, em parte, porque somos amigos. Então, sem querer, teve um dedo meu, *sim*.

— É preciso conhecer as pessoas certas, é isso, mãe?

— Não sou eu quem faz as regras tácitas, Ari. Assim como você, vivo num mundo com regras que não têm nada a ver com justiça. E lembre-se de que eu disse que foi em parte por causa disso. Mas também porque vocês três são excelentes alunos. Precisamos ter regras, Ari. Senão, tudo seria um caos. Mas sempre temos que quebrar as regras se elas não protegem quem deveriam. Sei que para você ninguém é obrigado a aturar professores racistas. Mas todos temos algum racismo alojado na maneira como pensamos. É o que o mundo em que vivemos nos ensina desde a infância. Se a sra. Livermore é racista, é porque foi ensinada a ser. É extremamente difícil desaprender essas lições horríveis, ainda mais se você não reconhece que o que aprendeu estava errado. Muitas pessoas brancas, ainda que não todas, acham que são um pouco melhores, um pouco mais americanas, e muitas delas não são más pessoas. Nem estão conscientes de que são parte de todo um sistema centrado nelas. É complicado, Ari. Não acho que eu esteja explicando isso muito bem.

—Você está explicando bem, sim. Você é mesmo superinteligente. E gosto muito que pense nessas coisas, porque são muito importantes. Gosto que você se esforce tanto para entender o que está realmente acontecendo, e você se esforça ainda mais para não julgar as pessoas. Tem problema um menino querer ser como a mãe quando crescer?

CERTA NOITE, QUANDO EU ESTAVA LENDO UM CAPÍtulo do meu livro de história, ergui os olhos e o mundo inteiro estava turvo. Minha mãe entrou na cozinha, e deve ter notado algo estranho no meu rosto.

— Tem alguma coisa errada, Ari?
— Não sei. Estava lendo e, quando levantei o rosto, estava tudo turvo. Não sei o que isso significa.

Ela sorriu para mim.

— Significa que você precisa de óculos. Vou marcar uma consulta no oftalmologista.
— Óculos? Não sou o tipo que usa óculos.
— Bom, agora é.
— Não me vejo de óculos.
— Você não vê sem eles.
— Merda.

Ela penteou meu cabelo com os dedos.

— Ari, você vai ficar ainda mais bonito de óculos.
— Posso usar lentes de contato?
— Não.
— Por que não?
— Porque não. Dão muito trabalho. São caras. E só se usa lente depois que se acostuma com os óculos.
— "Porque não"? Sério?
— Você não ouviu nenhuma das palavras depois de "porque não"?
— Aristóteles Mendoza não nasceu para usar óculos.
— Pelo jeito, os olhos de Aristóteles Mendoza discordam.

Não parei de me olhar no espelho. Os óculos até que eram legais, mas eram óculos, e me senti outra pessoa. No entanto, tive que admitir, assim que experimentei, meu queixo caiu. O mundo estava mais nítido. Eu conseguia ler placas de trânsito, as palavras que os professores escreviam na lousa, e o rosto de Dante quando ele vinha na minha direção. Nunca tinha me dado conta de que o reconhecia não por ver seu rosto com clareza, mas pelo passo. Não sabia há quanto tempo via as coisas fora de foco. É isso que eu vinha fazendo: olhando para o mundo com olhos fora de foco.

Eu gostava de enxergar. Era bom. Bonito, na verdade.

— Esse é o novo você, Ari.

Saí da frente do espelho.

Quando Dante atendeu a porta, ficou meia hora me olhando.

— Esse é o Ari dos meus sonhos.

— Ah, corta essa.

— Quero te beijar.

— Você está me tirando.

— Não estou, não. Agora vou querer te beijar o tempo todo.

— Você sempre quer me beijar o tempo todo.

— É, mas agora eu quero arrancar suas roupas o tempo todo.

— Não acredito que você acabou de falar isso.

— Ah, bom, achei que a honestidade era a melhor atitude.

— A honestidade não precisa ser verbal.

— Silêncio é a morte.

Não me contive: abanei a cabeça e sorri.

Ele me pegou pela mão e me puxou para dentro.

— Mãe! Pai! Venham ver o Ari de óculos novos.

Me senti um animal no zoológico. Parei em frente ao sr. e à sra. Quintana.

— O ar de intelectual lhe cai bem, Ari.

A sra. Quintana assentiu, aprovando.

— Bonito como sempre. E de certa forma reflete a inteligência que você adora esconder.

— A senhora acha que gosto de esconder minha inteligência?

— É claro, Ari. Não combina com a imagem que você tem de si mesmo.

Fiz que sim.

— Entendi. São três contra um. É difícil discordar de um juri tão unido.

A sra. Quintana sorriu e, de repente, se curvou, levou a mão à barriga, sentou e respirou fundo.

— Ah, esse daqui vai gostar de brigar. E acho que ele ou ela está a fim de sair.

Ela pegou a mão do sr. Quintana e a colocou onde o bebê estava chutando.

Achei que o sr. Quintana fosse chorar.

— Dante, põe a mão aqui.

Quando Dante levou a mão à barriga da mãe, ficou com uma expressão incrível no rosto — como o fim de uma frase com um ponto de exclamação.

— Que incrível, mãe!

— Ari — a sra. Quintana disse —, vem. Põe a mão também.

Olhei para ela.

— Eu não…

— Não seja tímido. Pode vir.

Ela pegou minha mão e a levou à barriga. Senti o bebê. Ele parecia estar dando cambalhotas de tão cheio de vida.

— Vida, Ari. Isso é vida.

Dez

HALLOWEEN. É, FUI DESMANCHA-PRAZERES. ME RE-cusei a ir de fantasia para a festa na casa da Gina. Susie disse que eu deveria ir de pateta. Ha, ha.
— Vou te desconvidar — Gina disse.
— Tá, tudo bem. Me desconvida. Vou de penetra.
— Às vezes eu te odeio.
— Você só odeia que a pressão de vocês não funcione em alguém como eu. Além do mais, vou estar usando meus óculos novos.
— Não conta.
— Então vou sem eles. Vou de Ari, AO.
— Ari, AO?
— Ari, antes dos óculos.
— Você é demais, sabe? Por que não se permite brincar? "Brincar" no sentido de "se divertir". "Brincar" no sentido de "faz de conta que você pode ser quem quiser apenas por uma noite".
— Eu *estou* num faz de conta. É vida, e já tenho meu personagem, Gina. Sou um menino gay que finge ser hétero. E é cansativo pra cacete. E não é brincadeira, porque dá trabalho. Então, se não se importa, vou só usar a máscara que uso todos os dias e que já me faz sentir como uma fraude.
— Sabe, Ari, as coisas que odeio em você são as mesmas que amo em você.
— Obrigado, acho.
— Você é impossível de odiar.
— Você também é impossível de odiar.
— Você é mais teimoso do que eu.
— Ah, aí eu já não sei, Gina. Eu diria que dá empate.
— Você se sente mesmo uma fraude?
— Eu *sou* uma fraude.
— Não é. Você está tentando sair vivo do ensino médio. Não deve

nada a ninguém. Repita depois de mim: *Não sou uma fraude.* — Ela esperou. — Não escutei.

— Não sou uma fraude — sussurrei.

— Já é um começo, Ari. Vamos ter que repetir essa lição mais vezes.

Sim, sim, gargalhamos.

Todo mundo era comediante às vezes. E às vezes professor. E às vezes eu só falava demais. Eu tinha uma longa discussão com aquela história de *silêncio = morte*.

Cassandra foi vestida de deusa Atena. Dante foi de William Shakespeare. Eles tinham as melhores fantasias. Ninguém chegava nem perto. Sem dúvida, eram as mais elaboradas. Mas a fantasia de Susie era a mais engraçada, e talvez a mais original. Ela estava de fantasma, o que era bem clichê — mas, em cima da cabeça de fantasma, tinha um presente embrulhado. E, quando perguntavam quem ela era, ela dizia: "Sou o fantasma do Natal presente". E todo mundo se mijava de rir.

Susie Byrd era incrível.

Parecia até que Dante estudava na nossa escola. Ele tinha talento para se entrosar. A maioria das pessoas teria ficado sentada no canto pensando: *Não conheço ninguém aqui.* É exatamente o que eu teria feito. Mas Dante não. Dante Quintana não.

Sorri comigo mesmo enquanto Dante conversava com uma menina que estava obviamente dando em cima dele.

Gina conhecia meio mundo. Ao menos era o que parecia. Quase todos estavam de fantasia — mas não todos. E os que não estavam eram recriminados — especialmente eu. *Sei que você mudou, Ari. Mas não mudou tanto assim. Você se acha superior por não usar fantasia, né? Você não veio de fantasia. É a sua cara.* Ouvi essa à noite toda. Era o equivalente a *Como cresceu, Ari, está a cara do seu pai.* Sorri e levei na esportiva.

Cassandra realmente parecia uma deusa. Falei isso para ela.

— É um elogio?

— Achei que sim.

— Não pareceu.

— Bom, talvez você não ganhe muitos amigos se afugentar as pessoas com essa beleza toda.

— Até parece que estou a fim de ter mais amigos. Já tenho todos os amigos que preciso ter. Para que ser gananciosa?

Ela me beijou no rosto.

Saquei qual era a dela. Toda vez que achava que tinha ganhado mais uma rodada do nosso debate anual, ela me dava um beijo no rosto.

Apontou para uma das nossas colegas.

— Você preferiria que eu tivesse vindo de Bruxa Má do Oeste?

— Bom, talvez Glinda, a Bruxa Boa.

— Sempre vou preferir a Bruxa Má. Ou que tal ela?

Apontou com o queixo para uma menina vestida de Branca de Neve.

— Não sei por quê, mas não imagino você esperando um príncipe. Poderia ter vindo vestida de homem.

— Melhor vir vestida de prostituta.

— Melhor ser prostituta do que homem?

Alguém tinha aumentado o volume da música.

— Por que perguntar se você já sabe a resposta? Cala a boca e vem dançar comigo.

Eu não sabia dançar. Dancei mesmo assim. Embora não ache que balançar a cabeça para cima e para baixo seja considerado dançar. Já Cassandra sabia dançar — e, quando dançava, ninguém notava se ela tinha um parceiro de dança ou não. Não me incomodava nem um pouco, mas fiquei feliz quando Dante interveio. Me retirei para o canto da sala. Assim que me acomodei, Susie me achou.

— Vem — ela disse —, vamos dançar a noite toda.

Foi o que fizemos. Dançamos a noite toda. Susie, Cassandra e Gina se juntaram para me ensinar a fazer algo que se assemelhava a dançar.

Enquanto eu tentava fazer meu corpo se mexer ao som da música, observei Dante e Cassandra dançarem. Não fazia ideia de onde Dante tinha aprendido. Nossa, ele simplesmente sabia. Tantas coisas eram fáceis para ele. Acho que todos os meninos do salão invejavam Dante. E eles não sabiam da missa a metade.

Quando a noite estava se encerrando, o DJ colocou uma música lenta e antiga: "Hold Me, Thrill Me, Kiss Me". Cassandra me puxou.

— Você não dançou comigo a noite toda.

Ter Cassandra em meus braços era gostoso. Não era amor, nada disso. Era simplesmente confortável e íntimo. Bom, era, *sim*, amor, não o amor que eu tinha por Dante, mas um tipo de amor que eu não sabia nomear.

Sentia o olhar de Dante em nós. Não sei como, mas sabia que havia algo passando pela cabeça dele — e sabia que não era uma coisa boa. Mas, quando a música acabou, o Village People salvou o momento. Cassandra puxou Dante e eles lideraram a dança. E lá estávamos todos — fazendo o *Y* e o *M* e *C* e o *A*. Até eu entrei na brincadeira.

Susie tirou a fantasia de fantasma, e ela e Gina estavam tão cheias de vida. Fiquei me perguntando o que seria preciso para que eu fosse tão cheio de vida quanto elas.

Onze

NA PRIMEIRA SEXTA-FEIRA DE NOVEMBRO, EU E DANTE fomos ao deserto na minha picape. Estava um pouco frio. Acho que eu estava um pouco cansado de pessoas. Precisava de um tempo tranquilo. E precisava estar com Dante. Só eu e ele. Fazia tempo que não íamos lá, ao lugar onde o beijei pela primeira vez. Coloquei sacos de dormir na traseira da caminhonete. Dante cantou durante o caminho, músicas de Natal que ele estava praticando para a apresentação. Ele tinha uma voz bonita. Forte.

— Gosto de ouvir você cantar — eu disse —, mas o que eu mais gosto é beijar.

— Sério? Onde você aprendeu? Quem te ensinou?

— Um cara aí. Não foi tão difícil.

— Um cara aleatório?

— Isso.

— Onde vocês se conheceram?

— A gente se conheceu na piscina nas férias. Ele me ensinou sobre a física da água. Me ensinou que nossos corpos são compostos sobretudo de água e que a Terra é setenta e um por cento água. Disse que, se eu não entendesse a beleza e os perigos da água, nunca entenderia o planeta em que vivemos. Disse uma vez que nadar era algo íntimo e que era como fazer amor com a Terra.

— Seu amigo aleatório disse isso?

— Disse, sim.

— Como você lembra de todas essas coisas que ele disse para você, Ari?

— Porque você me ensinou a escutar quem tem algo a dizer.

— Não ensinei. Você aprendeu sozinho. — Ele me beijou. — Venha nadar em todas as águas do mundo comigo.

Fiz que sim. Só consegui pensar em: *Nossa, Dante, bem que eu queria. Se ao menos fosse possível. Se ao menos pudéssemos nos tornar cartógrafos das águas do mundo.*

* * *

Só o abraçar.

Só o beijar.

Só sentir seu corpo junto ao meu.

E sentir essa coisa chamada vida perpassando meu corpo — essa coisa chamada amor. Essa coisa chamada "vontade" ou "ânsia" ou "desejo". Ergui os olhos para os céus enquanto minha respiração voltava ao normal. As estrelas estavam mais brilhantes naquela noite do que em qualquer outra.

Ouvi Dante sussurrar um poema:

— "Ah, amor, sejamos verdadeiros um com o outro…"

Às vezes era desnecessário sussurrar as palavras "Eu te amo".

Doze

ACORDEI NO MEIO DA NOITE. EU ESTAVA CORRENDO por uma rua escura, e Bernardo me seguia. Senti medo. Não sei por quê — mas pensava que, se ele me pegasse, algo ruim aconteceria. Como se ele fosse me machucar.

Fiquei deitado na cama, recuperando o fôlego. Perninha estava me lambendo, então devo ter falado ou gritado durante o sono.

Quando esses sonhos vão acabar? Quando?

Treze

MEUS PAIS ESTAVAM JANTANDO... E EU ESTAVA SÓ mexendo na comida. Meus pais estavam conversando... mas eu estava em outro lugar. Depois daquele sonho com meu irmão, ele ficou o dia todo comigo. Tirei os óculos e fiquei olhando para meus pais.

— Ainda não se acostumou?
— Não é tão ruim assim. Quer dizer, nem sabia que minha visão não era tão boa. — Eu soube que não podia esperar mais, porque já estava esperando por muito, muito, muito, muito tempo para perguntar. — Pai, posso pedir um favor para você?
— O que foi, Ari?
— Quero ver Bernardo. Quero visitar ele.

Minha mãe não disse nada. Meus pais se olharam, sem saber o que dizer.

— Só preciso dar um basta nesse grande ponto de interrogação que existe desde que me entendo por gente. Não quero mais viver com isso.
— Não queremos que você se magoe, Ari.
— Mãe, a mágoa está aí há muito tempo. Você e o papai encontraram a paz. Seguiram em frente com a vida. E sei que não foi fácil. Mas e eu? É como um buraco na minha vida, e não quero mais que esse buraco exista.
— Eu visitei ele uma vez.
— Eu sei, pai.
— Não foi legal, Ari.
— Imaginei que não. Mas ajudou a ajustar as contas? Para você e a mamãe?

Ele fez que sim.

— No começo, pensei que tinha sido um erro. Um erro muito grande. Abriu algumas feridas antigas. Mas sim, no fim, acho que ajudou a resolver algumas coisas muito importantes.

Caí no choro de repente. Não parei. Eu falei entre lágrimas. Não queria chorar de soluçar, mas às vezes a ferida aberta doía demais.

— Tem tanta merda na minha vida que eu não posso fazer nada para resolver. Não posso deixar de ser gay. E odeio isso. Não quero odiar, porque esse sou eu. Não sei, só preciso fechar essa porta. Eu amava meu irmão. E sentia saudade dele. Depois parei de sentir. Mas ainda sonho com ele. Não quero mais esse sonho. Não quero mais, mãe.

Senti minha mãe sentando ao meu lado.

— Às vezes — ela sussurrou —, quando queremos proteger as pessoas que amamos, acabamos machucando elas ainda mais.

Ela penteou meu cabelo com os dedos.

— Desculpa, mãe. Pai? Desculpa.

Minha mãe e meu pai se entreolharam. Eu sabia que estavam falando entre si naquela linguagem silenciosa que haviam aprendido.

— Acho que dá para organizar uma visita. Por que não fazemos uma viagem nas férias de Natal? Pode ser?

Fiz que sim.

— Sei que isso magoa você, mãe. Sei que...

— Shhh — ela sussurrou. — Shhh. Não posso proteger você da sua própria dor, Ari. E você não pode me proteger da minha. Acho que todos os pais têm alguns momentos em que dizem a si mesmos: *Se eu pudesse, pegava a dor do meu filho para mim.* Mas não tenho o direito de pegar sua dor, porque ela é sua.

Ouvi a voz do meu pai:

— Você parou de fugir, Ari. Está enfrentando as coisas que precisa enfrentar. É isso que adultos fazem.

Ele estendeu a mão sobre a mesa.

E eu a segurei. Às vezes se descobriam todos os segredos do universo nas mãos de alguém. Às vezes essa mão era do seu pai.

Catorze

ERA FIM DE NOVEMBRO, E ACHO QUE O SEMESTRE estava nos cansando. Todos estávamos começando a nos rebelar um pouco. Então, numa manhã de segunda, uma garota toda alternativa chamada Summer veio à escola usando brincos muito diferentes. Estávamos sentados na aula esperando o sinal do começo da aula, e uma menina disse para Summer:

— Adorei seus brincos.

— São DIUs banhados de ouro — Summer respondeu.

As meninas ao redor começaram a rir.

Eu não fazia ideia do que era um DIU. Mas a sra. Hendrix fazia, e estava escutando a conversa.

— Summer, vai para a diretoria agora.

— Por quê?

— Você ainda está perguntando por quê?

— Quero saber.

— Você acha isso engraçado? Sexualidade humana não é uma piada. Declarações públicas sobre contraceptivos não são para adolescentes. E, se está anunciando para o mundo que está praticando atividades sexuais e está promovendo publicamente contraceptivos, é nossa obrigação como professores intervir. Agora vai para a diretoria.

— Não estou fazendo nada de errado. E posso promover contraceptivos publicamente se quiser. É um país livre. Não vou para a diretoria.

— Venha comigo — ela disse.

Summer revirou os olhos.

— Ari — a sra. Hendrix disse. — Cuide para que os alunos leiam o próximo capítulo do livro e, se estiverem fazendo bagunça quando eu voltar, você vai ser o responsável.

Olhei para ela.

— Você me entendeu, rapazinho?

— Por que eu?

— Você é um exemplo de responsabilidade.

— Mas...

Ela me lançou aquele olhar de quem não tinha tempo para mim. Estava furiosa. Eu não diria mais nenhuma palavra.

— Summer, venha comigo. *Agora*.

Depois que elas saíram para sua visitinha ao sr. Robertson, Sheila olhou para mim e disse:

— Vai, vai. Vai e senta na mesa da professora, seu exemplo de responsabilidade.

Sheila tinha substituído Cassandra como a menina que eu adorava odiar. Ela tinha me dado um tapa na oitava série e parecia estar sempre buscando a próxima oportunidade.

— Larga do meu pé.

— Você é um puxa-saco do cacete.

— Puxa-saco?

— Tem outra palavra para alguém que sempre vem preparado para a aula?

— Aluno — eu disse.

— Seu viadinho.

— Essa é uma palavra horrível usada por gente horrível.

Acho que a cara que fiz mostrou algo que ela não estava esperando. Ela revirou os olhos, mas não disse mais nada.

Os alunos atrasados chegavam quando o sinal tocou. Fui até a lousa e escrevi: *A sra. Hendrix levou Summer para a diretoria por causa de um crime contra a nação. Temos que ler o próximo capítulo do livro e ficar quietos.*

E, claro, Sheila tinha que gritar:

— Por que não conta pra gente como é ser um exemplo de responsabilidade?

Todo mundo riu.

Virei e fiz questão que ela visse a raiva estampada na minha cara.

— Por que não enfia essa merda de atitude na privada e dá descarga?

— "Responsabilidade." Será que não foi "viadagem" que ela quis dizer? A gente deveria deixar o exemplo aqui se ferrar. A sra. Hendrix falou que, se tivesse bagunça na sala quando ela voltasse, o exemplo seria o responsável. Vamos armar confusão.

Um dos caras berrou:

— Sheila, cala essa merda dessa boca.

— Vocês são um bando de ovelhas.

Tinha uma garota latina meio porra louca na turma. Ela se vestia que nem homem. Seu nome era Gloria, e ela não levava desaforo para casa.

— Se eu ouvir mais uma palavra saindo da sua boca, Sheila, vou pegar você lá fora e enfiar seu sutiã na sua goela.

A sala inteira ficou quieta. Todo mundo pegou o livro e começou a ler.

Quinze

Querido Dante,

Aconteceu uma coisa na sala hoje. Não vou entrar em detalhes, mas a professora, a sra. Hendrix, disse que sexualidade humana não era piada. Não acho que ela estivesse falando de homossexualidade. Com certeza não. Era a boa e velha heterossexualidade mesmo.

Sheila, uma das meninas da turma, me chamou de viadinho. Não porque achou que eu fosse gay. Só queria me ofender. É como se viado *fosse a pior ofensa possível. Uau.*

É a semana de Ação de Graças — e fiquei pensando pelo que sou grato. Comecei pelo que não *sou grato. Não sou grato pela minha orientação sexual. É uma forma tão estranha de explicar minhas circunstâncias infelizes. Certo, estou rindo sozinho. Peguei essa frase de um filme antigo que vi outra noite com meus pais. Um vilão falava para uma jovem indefesa:* Talvez eu possa ajudar você a se livrar de suas circunstâncias infelizes. *Pois é, eu me encontro em circunstâncias infelizes.*

Não sou grato por ser gay.

Talvez isso signifique que eu me odeie.

E me perguntei: se eu contasse isso para você, como você se sentiria? Como posso não querer ser gay e amar você ao mesmo tempo? Minha maior gratidão

*é você. Como isso funciona? A única coisa que sei
sobre sexualidade é você. Eu e você. É tudo que sei.
E a única palavra que me vem à mente é "bonito".
Dante, há muitas coisas que não entendo. Muitas
coisas ainda me confundem.*

*Mas uma coisa que não me confunde é que te amo.
Não sou viado. E você também não é. Não vou me
rotular com uma merda de palavra horrível se o que
sinto por você é tão bonito.*

*Ah, e mais uma coisa que quero perguntar. Você acha
que sou um exemplo de responsabilidade? Só queria
saber.*

Dezesseis

DANTE ME LIGOU E FEZ UM ANÚNCIO. DANTE ADO-
rava fazer anúncios.

— Vamos passar o Dia de Ação de Graças na minha casa.

— Vamos? Quem "vamos"?

— Você, sua mãe e seu pai e a Cassandra e a mãe dela.

— Como isso aconteceu?

— Minha mãe não para de cozinhar. Ela chama de nidificação.

— Nidificação?

— É, ela diz que muitas mulheres nidificam quando estão grávi-
das. Querem cozinhar e limpar. Sabe, como pássaros construindo um
ninho. Nossa casa está impecável. Até meu quarto está impecável
agora. Fico arrepiado só de entrar lá. A nidificação da minha mãe é
grave. Então ela só pensa em peru, recheio, purê de batatas, molho para
a carne e cranberries. E meu pai vai assar pão. E a mãe da Cassandra
vai trazer alguns acompanhamentos, e sua mãe vai assar as tortas.

— E não sei nada disso por quê?

— Porque você é o Ari, e não presta atenção. Quer dizer, por mais
que você esteja quase socializado…

— Quase socializado?

— Sabe, você ainda é bem socialmente distante, Ari.

— Socialmente distante? Esse é um novo conceito de Dante?
Deixa pra lá.

Dava para ouvir seu riso enquanto eu desligava o telefone. Eu não
estava bravo. Só meio irritado. Até as pessoas que amamos podem
nos irritar.

Decidi fazer minha contribuição para o Dia de Ação de Graças.
Liguei para a floricultura e falei que queria encomendar algo apro-
priado para um jantar de Ação de Graças.

— Um arranjo bonito para o centro da mesa, talvez? — a moça disse.

— Isso.

— Podemos preparar. Mas você vai ter que vir buscar. Não temos mais horários para entregas.

— Tudo bem.

Então, na quarta, depois da aula, dirigi até a floricultura, paguei a moça simpática, e ela mandou um dos funcionários abrir a porta para mim — e até abriu a porta da caminhonete para eu colocar o arranjo no banco.

— Eu colocaria no chão — ela disse. — Assim, se frear muito rápido, não vai cair.

Aquela gente entendia do assunto.

Dirigi até a casa dos Quintana, e devo dizer que estava orgulhoso. Talvez até demais.

Consegui tirar o arranjo da caminhonete e fechar a porta com o pé. Subi os degraus com muito cuidado, só pensando nos biscoitos que já deixei cair. Consegui tocar a campainha e, de repente, me senti idiota.

O sr. Quintana atendeu a porta.

— Trouxe uma coisa para vocês.

Eu nunca sabia quando toda aquela timidez dentro de mim viria à tona.

— Estou vendo — o sr. Quintana disse. — E vocês ainda se perguntam por que vivo dizendo que você e Dante são muito gentis.

— Não precisamos entrar nesse assunto, precisamos, sr. Quintana? Ele sorriu de orelha a orelha.

— Sabe, Ari, é uma coisa extremamente adulta o que você está fazendo.

— Bom, acontece nas melhores famílias.

Ele inclinou a cabeça.

— Por aqui. — Me levou até a sala de jantar, que eles nunca usavam. Deixei o arranjo no meio da mesa. — Soledad, vem ver isso.

A sra. Quintana estava de avental e parecia ter passado um bom tempo na cozinha.

— São suas, Ari?

Dei de ombros.

Ela me deu um beijo na bochecha.

— Um dia — ela disse, e então piscou —, você vai fazer um homem muito feliz.

Não sei se era para rir, mas eu ri. E então falei, bem idiota:

— Era uma piada, não era?

O sorriso dela. Acho que a palavra "radiante" definia. Talvez mulheres prestes a ter um bebê tivessem uma aura. De certo modo a gravidez da sra. Quintana tinha trazido à tona a menina dentro dela. Era legal. Mas eu torcia para que a outra sra. Quintana voltasse.

Observei minha mãe assar tortas. Ela já estava com uma torta de maçã e uma de pecã no forno. Sempre fazia uma de cereja para meu pai — porque ele não gostava da torta de abóbora. E todos gostavam da de pecã. Já eu, adorava a de abóbora. Era louco por ela.

— Por que você não pede da padaria?

— Quando foi que pedi alguma coisa da padaria? Não peço nem bolos de aniversário da padaria.

— Dá muito trabalho.

— Não se você gosta de cozinhar. É parte de toda a história das festas.

— É uma história?

— É. Toda uma história. E quer saber quem me ensinou a fazer as melhores tortas?

— Quem? Sua mãe?

— Não.

— Tia Ophelia?

— Sua tia Ophelia já conseguiu queimar uma torta de maçã congelada. Mais de uma, na verdade.

— Bom, então quem?

— Sra. Alvidrez.

— Sra. Alvidrez? Ela?

— Ela, sim.

— Não brinca?

— É sério.

O jantar não foi exatamente um jantar. Todos nos reunimos na casa dos Quintana numa tarde. Quando chegamos à porta da frente, a sra. Quintana disse:

— Estou tendo contrações.

— Ah, não — minha mãe disse. — É melhor cancelar o jantar.

— Não seja boba, deve ser só um alarme falso.

Ela não parecia muito preocupada. Então fez uma careta de dor, se curvou um pouco e respirou fundo. Minha mãe pegou a mão dela, e a ajudou a entrar na sala e a sentar. Então a sra. Quintana sorriu.

— Passou. Tudo bem.

— Há quanto tempo você está tendo contrações?

— Uma ou outra durante a noite. Mas são irregulares. Acho que ainda não está na hora.

O sr. Quintana serviu uma taça de vinho para meus pais. Ele e a sra. Ortega já estavam tomando vinho tinto.

— Acho que você vai ter esse bebê hoje mesmo — disse a sra. Ortega, preocupada.

— Vamos aproveitar nossa Ação de Graças — a sra. Quintana disse.

— Ela está decidida a fazer o jantar de Ação de Graças antes de ir para o hospital. Eu e Dante já desistimos de tentar ser mais teimosos do que ela. — O sr. Quintana abanou a cabeça. — Às vezes Dante gosta de bater a cabeça na parede.

A sra. Quintana gemeu de dor, respirando uma, duas, três vezes. E então pareceu voltar ao normal.

— Bom, talvez não dê para aguentar até o jantar. — Ela riu. — Eu tinha vinte anos quando tive Dante. E, dezessete anos depois, aqui estou eu.

De repente, ela arregalou os olhos e colocou a mão na barriga. Entre uma respiração e outra, ela sussurrou:

— Sam, acho que agora seria um bom momento para me levar

para o hospital. — Ela riu. — Ah, Sam. Você fez essa mesma cara de pânico quando Dante estava prestes a nascer.

— Eu dirijo — meu pai disse.

Dezessete

NA QUINTA, 24 DE NOVEMBRO DE 1988, ÀS 22H43, Sófocles Bartholomew Quintana veio ao mundo no Providence Memorial Hospital em El Paso, Texas. Na manhã seguinte, observei seu irmão mais velho o segurar nos braços enquanto olhava para mim com lágrimas nos olhos.

— É um menino, Ari. É um menino.

Eu sabia o que ele estava pensando: *Ele vai ser hétero. E vai dar aos meus pais os netos que nunca vou poder dar.*

Ser gay mexe com nossa cabeça e nosso coração, não mexe?

— Vem, Ari — Dante disse. — Sófocles quer que você o segure.

— Ah, quer, é? — perguntei.

Dante me entregou seu irmãozinho, com cuidado. A sra. Quintana disse:

— É um doce você ser tão cuidadoso com ele. Mas, sabe, ele não vai quebrar. Relaxa.

Dante revirou os olhos.

— Agora temos mais um motivo para brigar, mãe.

— Só espera até eu ensinar você a trocar as fraldas dele.

— Não sou pago para isso.

— Você não precisa ser pago. Vai ser recrutado.

Eu achava muito engraçado como Dante e sua mãe se davam bem. Peguei Sófocles no colo, olhei no fundo de seus olhos escuros. Ele tinha uma cara tão sábia quanto o nome.

— Você leva jeito para a coisa, Ari — a sra. Quintana disse.

Sorri e depois dei risada.

— Qual é a graça?

— Estava só pensando em um poema que Dante me ensinou. "O mundo é tão cheio de tantas coisas que tenho certeza de que todos deveríamos ser felizes como reis."

— Fui eu que ensinei esse poema para Dante.

— Jura?

— Juro. Aposto que você pensou que tinha sido o pai dele.

— Acho que sim.

— Sabia que eu escrevia poemas?

— Sério, mãe? — Dante disse.

— Na época da escola. Eram horríveis. Mais do que horríveis. Eu guardei todos, e um dia estava limpando os armários e encontrei uma caixa de sapatos amarrada com um laço. Eu ia jogar fora. Na verdade, joguei mesmo, mas seu pai resgatou. Ele guarda em algum lugar. Não sei por quê.

— Porque você que escreveu — eu disse.

Ela sorriu.

— Acho que sim.

— Minha mãe, a poeta. Posso ler?

— Pergunta para o seu pai. Não sei onde estão.

— De onde veio o nome Sófocles Bartholomew?

— Bartholomew era nosso melhor amigo na pós-graduação. Ele morreu de aids não faz muito tempo, e quisemos fazer uma homenagem. E seu pai escolheu Sófocles, que foi um dos grandes dramaturgos gregos, conhecido por suas habilidades musicais, seu porte atlético e seu grande charme.

— Sério? — Dante perguntou.

— Tudo que sei sobre Sófocles aprendi com seu pai. Uma vez, quando ele estava bêbado, ele e Bartholomew começaram a ler uma das peças em voz alta: *Édipo rei*. Eles não foram muito longe. Fiz os dois pararem.

— Por quê, mãe?

— Não achei que estudantes universitários bêbados, por mais sinceros que pudessem ser, estivessem honrando um grande dramaturgo. — Ela riu. — Além disso, estava chato.

Entreguei Sófocles de volta à sra. Quintana.

— Sófocles — ela sussurrou e beijou a testa dele.

— Bom, é um nome ótimo. Não muito mexicano, mas ótimo. Sófocles Bartholomew Quintana. Nome ótimo mesmo. Assim… não estava na minha lista, mas tudo bem.

— Achamos que você fosse gostar, Dante.

— É um nome grande para um menino tão pequeno.

— Ele vai crescer.

Dezoito

EU ESTAVA CONTEMPLANDO A PINTURA QUE EMMA
tinha nos dado. Era uma pintura estranha e hipnotizante. Pedi para
Dante ler o poema de novo e me perdi em sua voz, sem me importar
muito com as palavras, escutando apenas a suavidade obstinada. Ao
acabar de ler, ele olhou para mim com certa tristeza.

— Que poema triste... Todos acabamos na tristeza, Ari? É assim
que vamos acabar?

Eu não disse nada, não sabia o que dizer.

Ele guardou o poema no envelope e na gaveta da escrivaninha.
Notei as fichas de inscrição em faculdades ali.

— Em quantas faculdades você está pensando?

— Bom, umas quatro ou cinco. Mas só estou interessado mesmo
em uma. É uma faculdade pequena em Oberlin, Ohio. E também vou
me candidatar para um curso de férias de artes em Paris.

Ele não demonstrou muito entusiasmo. Dava para ver que não
queria falar sobre as faculdades ou Paris.

— E você?

— Vou me candidatar à Universidade do Texas. É isso.

Ele assentiu.

Ficamos tristes.

Não haveria Ari em Oberlin, Ohio.

Não haveria Dante em Austin, Texas.

Acho que nenhum de nós dois gostava da tristeza silenciosa no
quarto. Dante não queria ficar triste, então mudou de assunto.

— Estava falando com Susie sobre arte dia desses e ela me contou
que *A balsa da Medusa* era seu quadro predileto.

— O meu também.

— Você sabe muito bem que é o *meu* quadro predileto. — Ele
estava tentando puxar briga, mas de brincadeira. Sempre dava para
ver quando ele estava brincando. — Sinto muito, mas você vai ter que
escolher outro quadro predileto.

— Não, acho que não.

— Então você não é tão original quanto pensei.

— Nunca disse que era original.

Ele riu.

Eu ri.

Ele me beijou. E não estávamos mais tristes.

Dezenove

ALGUNS DIAS DEPOIS QUE AS AULAS ACABARAM, EU e Cassandra fomos ao velório de Rico. Sentamos perto de Danny no fundo da igreja pequena. O evento era simples e íntimo.

Minha mãe dizia que o tema dos velórios era ressurreição.

Ressurreição não parecia estar presente naquele velório. Havia apenas a tristeza do corpo de Rico em um caixão, e o choro silencioso de sua mãe.

Depois, eu, Cassandra e Danny fomos ao Charcoaler. Acho que Danny nem sentiu o gosto da comida — só devorou tudo.

— Acho que eu estava com fome — ele disse.

Sentamos no banco na frente da loja e ouvimos a música do rádio na minha caminhonete. "Everybody Wants to Rule the World" começou a tocar e Danny e Cassandra sorriram um para o outro.

— Danny, é a nossa música, querido.

Ela o pegou pela mão, e eles dançaram no estacionamento. Por um instante, Danny ficou feliz.

Era uma cena pequena e tranquila nas muitas cenas da história que era minha vida. E acho que aquele momento não parece tão importante assim.

Mas foi importante, *sim*. Foi importante para Cassandra. E para Danny. E para mim.

Vinte

— VOCÊ ESTÁ COM MEDO, ARI? DE VER SEU IRMÃO?

— Não medo. Estou com um frio na barriga. Aqui dentro é uma bagunça.

— Tomara que você não sofra demais.

— Quanto é demais?

— Sei que tem que fazer isso sozinho. E é muito bom que passe um tempo com seu pai. Mas queria ir com vocês.

— Você vai estar com seus pais, visitando sua família na Califórnia. Vai ser bom.

— É, mas não me sinto bem lá. Todo mundo vai falar em espanhol e me odiar porque não falo, e vão pensar que me acho superior porque não falo, mas não é nada disso e, enfim, dane-se.

— Nós dois fazemos o que temos que fazer, Dante. Nem tudo gira ao nosso redor.

— É, pois é. Às vezes você fala demais.

— Eu falo muito pouco, e depois eu falo demais. Entendi. Não vai ser uma viagem demorada.

— Acho que às vezes temos que seguir caminhos diferentes.

— Mas depois vamos voltar. Vou estar aqui, você vai estar aqui. Nós dois vamos estar sentados de novo onde estamos agora.

— E você vai me beijar, Ari?

— Talvez.

— Se não, eu vou te matar.

— Não vai, não.

— Como tem tanta certeza?

— Bom, para começar, meninos mortos não beijam.

Sorrimos um para o outro.

— Às vezes, Ari, quando estou longe de você, parece uma eternidade.

— Por que você diz tanto a palavra "eternidade"?

— Porque, quando a gente ama alguém, é a palavra que vem à mente.

— Quando penso na palavra "amor", penso no nome Dante.

— Você está falando sério?

— Não, estava falando por falar.

Ficamos sentados por um longo momento em um silêncio que não era lá muito agradável.

— Feliz Natal, Ari.

— Feliz Natal, Dante.

— Um dia vamos passar o Natal juntos.

— Um dia.

Vinte e um

ANTES DE DANTE IR EMBORA, ELE PENDUROU O QUAdro que Emma tinha nos dado na parede do meu quarto.

— É como se ele tivesse falado por mim quando pintou isso. E quando escreveu o poema.

— Ele falou por você, Dante. Falou por todos nós.

Dante concordou.

— Às vezes temos que falar por aqueles que não conseguem. Exige muita coragem. Não sei se tenho esse tipo de coragem, mas você tem. Invejo isso, Ari.

— Como você sabe que tenho coragem?

— Porque você é valente o bastante para ir ver seu irmão, ainda que possa não gostar do que vai encontrar.

— Talvez eu não seja nada valente. Talvez só esteja cansado de sentir medo. E talvez esteja sendo egoísta. Não sei ao certo se ainda estou procurando pelo meu irmão. Talvez nunca tenha estado. Acho que estou tentando encontrar um pedaço de mim que perdi.

Vinte e dois

DANTE VIAJOU QUATRO DIAS ANTES DO NATAL. FOI como se Gina e Susie soubessem que eu estava triste, porque foi o dia em que elas deixaram um presente para mim. Eu estava fora, correndo com Cassandra. Elas deixaram o presente com minha mãe.

— Fiz as duas ficarem, comerem alguns dos meus *bizcochos* com chocolate quente. — Minha mãe estava muito orgulhosa da sua hospitalidade. — E dei alguns *tamales* para elas levarem para casa.

Minha mãe adorava dar comida para as pessoas.

Na manhã de Natal, abri o presente de Gina e Susie. Era uma cruz prateada em uma corrente prateada. Elas tinham escrito um cartão para mim:

> *Querido Ari,*
>
> *Sei que você não é tão religioso. Às vezes acredita em Deus e às vezes não. Você diz que ainda está se decidindo. Sabemos que acha que Deus te odeia, mas não acreditamos nisso. Nunca vamos acreditar. E sabemos que você acha que Deus tem coisas melhores a fazer do que ficar por aqui para te proteger. Mas compramos isso para você mesmo assim, só para lembrar que você não está sozinho. E você não deveria culpar Deus por todas as coisas idiotas e maldosas que as pessoas dizem. Temos certeza de que Deus não é homofóbico.*
>
> *Com amor, Susie e Gina*

Pendurei a corrente de prata no pescoço e me olhei no espelho. Era estranho. Eu nunca tinha usado nenhum tipo de joia, nem nada assim. Fiquei olhando para a cruz simples de prata balançando no meu peito. Pensei em Susie e Gina. Elas estavam determinadas a amar e ser amadas. Entraram no meu coração com seu amor, um coração que parecia determinado a não ser amado. E me fizeram entender como era bonito ser menina.

Eu sabia que nunca tiraria aquela corrente de prata com uma cruz pendurada. Eu a usaria o tempo todo. Talvez Deus me protegesse, talvez não, mas a lembrança do que Gina e Susie tinham me dado com certeza me protegeria. E era o bastante para mim.

Querido Dante,

Estou com saudade. Sei que foi bom você ter ido visitar sua família em Los Angeles. E tenho certeza de que todos se apaixonaram por Sófocles. Eu me apaixonei. Os bebês fazem a gente querer ser cuidadoso. Fico tentando imaginar todos os seus primos e tios e tias. Sei que você não se sente próximo deles. Mas talvez aconteça algo — e você não se sinta tão excluído.

Sei lá.

É Natal e me sinto tão cheio quanto o peru da minha mãe. O sol está se pondo, e a casa está silenciosa. Minhas irmãs foram embora com meus sobrinhos, passar a noite com as famílias dos maridos, e gosto do silêncio. Não vejo mal em ficar sozinho. Eu era sozinho e sentia uma solidão vivendo em mim que eu não entendia, o tipo de solidão que me deixava angustiado.

Não sinto mais esse tipo de solidão quando estou sozinho. Fico muito mais à vontade com o Ari que me tornei. Ele não é tão ruim. Nem é tão maravilhoso. Mas não é tão ruim.

Sempre há algo novo para aprender sobre mim mesmo. Sempre há uma parte de mim que será estranha para mim mesmo. Sempre haverá dias em que olharei no espelho e me perguntarei: "Ari, quem é você?".

Eu estava pensando em Danny e Rico. Rico nunca pôde ter uma vida. Ele era gay, e não era como eu e você — não conseguia disfarçar. E nasceu em uma família pobre. Danny me disse que o mundo não quer pessoas como Rico. E o mundo também não quer caras como eu. Foi o que ele me disse. E fiquei pensando que queria que o mundo entendesse pessoas como eu e você.

Mas não somos os únicos que o mundo não entende. Quero que as pessoas se preocupem comigo e se preocupem com você. Mas não devemos nos preocupar também? Não devemos nos preocupar com os Ricos e os Dannys? Não devemos nos preocupar com as pessoas que não são tratadas como pessoas? Temos muito a aprender. Ouvi um cara no corredor da escola chamar outro cara de um xingamento racista. O menino que ele queria ofender era branco, e a história toda foi um pouco confusa, mas me deixou bravo. Odeio essas palavras. E não fui atrás do menino que disse isso para falar: Escuta aqui, seu filho da puta. *Eu deveria ter corrido atrás dele no corredor. Deveria ter falado que ele estava agindo como se não tivesse respeito — nem pelas outras pessoas, nem por si mesmo. Eu deveria ter falado alguma coisa — mas não falei. E é exatamente isso que o movimento gay está dizendo sobre a pandemia de aids, sabe, Silêncio = Morte.*

Dante, têm muitas coisas passando pela minha cabeça às vezes. É como se o mundo todo estivesse um caos e tudo vivesse dentro de mim. É como se todas as revoltas em San Francisco e Nova York e Londres e Chicago — todas essas revoltas, todo o vidro estilhaçado e os corações partidos, estivessem cortando meu coração. E não consigo respirar. Não consigo. E quero estar vivo e ser feliz. E às vezes sou. Vou escrever o nome de Rico neste diário.

Rico Rubio. Rico Rubio.

Rico Rubio esteve aqui. Ele viveu. E agora está morto. Não foram as drogas que o mataram. Foi aquela palavra "ódio" que o matou. E essa palavra vai matar todos se não aprendermos a lutar contra ela. Amar você, Dante, me ajuda a lutar contra essa palavra.

Na semana que vem, vai ser um ano novo. E talvez, no ano novo, sejamos melhores. Eu seja melhor. Na semana que vem, talvez o mundo seja novo de novo. Como Sófocles. Ele faz o mundo novo de novo, não faz, Dante?

Um ano novo. Um mundo novo. Uma chance de recomeçar. Eu e meu pai vamos ver meu irmão. Bom, meu pai vai me levar — mas sou eu quem vai fazer a visita. Minha mãe e meu pai digeriram a questão toda. Mas eu não. Amo meus pais por respeitarem o que sinto que preciso fazer. O que espero que aconteça quando o vir? Não sei, Dante. Simplesmente não sei. Talvez algo importante. Talvez algo que importe. Talvez eu encontre um pouco de paz. "Paz" não é uma palavra que mora dentro de mim. O ano acaba comigo e meu irmão.

Vou estar de volta antes disso e, quando o ano novo chegar, vou te beijar. É o que todos fazem quando chega o ano novo. Precisamos estar longe dos olhos de um *mundo atento que nos desaprova, mas estou pouco me fodendo. Quero te beijar quando o ano novo chegar. Devemos ter o direito de fazer o que todos fazem — mesmo que seja em segredo.*

Senti uma mudança em mim que começou no dia em que te conheci. E nem acho que consigo descrever ou mapear o que mudou em mim desde aquele dia. Sou um péssimo cartógrafo. Minha maneira de pensar e de ver o mundo — até de falar — mudou. É como se eu estivesse usando um par de sapatos que não cabia tão bem porque meus pés tinham crescido. E então finalmente me ocorreu que eu precisava de um par de sapatos novo — um par que se ajustasse aos meus pés. Na primeira vez que andei na rua calçando esses sapatos, percebi como antes era dolorido, quanta dor eu sentia para fazer algo tão simples como andar. Não dói mais tanto. É essa a sensação, Dante, andar com as mudanças que aconteceram em mim desde que encontrei você. Posso não me encaixar na definição de uma pessoa feliz. Mas não é mais tão doloroso ser eu.

E tudo isso porque você olhou para mim um dia em uma piscina e pensou: Aposto que dá para ensinar esse menino a nadar. *Você me viu e deixei de ser invisível. Você me ensinou a nadar. E não tenho mais que sentir medo da água. Você me deu palavras suficientes para renomear o universo em que eu vivia.*

Vinte e três

Querido Dante,

Dois dias se passaram depois do Natal e...

PAREI AÍ. NÃO TINHA NADA A DIZER. NA VERDADE, acho que eu estava uma confusão de emoções. Fiquei olhando para o diário. Minha mãe entrou na cozinha e me observou por um segundo.

— Está nervoso? — me perguntou.

— É, acho que estou um pouco ansioso.

— Fala para o seu irmão... — Ela balançou a cabeça. — Não. — Ela estava com um ar insuportavelmente triste. — Já era. O que foi não é mais. Eu sei. Já passei por tudo isso antes. Sei que você pensa que gosto de consertar tudo. Você não fala, mas pensa. E está certo. Mas existem muitas coisas que não podem ser consertadas. Não me culpo mais. Foi preciso muito tempo. Não há mais nada a dizer.

Assenti. Queria dizer que entendia, mas não era verdade. Nunca seria uma mãe e nunca saberia como era perder um filho — perder um filho que ainda estava vivo.

— Espero que encontre o que está procurando.

— Tomara, mãe. Não estou indo com muitas expectativas. Ou talvez esteja. Talvez esteja só me iludindo. Só sei que preciso fazer isso.

— Sei que precisa.

Fiz que sim.

— Está na hora. Alguns filhos partem, alguns filhos ficam. Alguns filhos nunca tomam rumo.

Nunca soube por que às vezes, quando sorríamos, o sorriso não fazia a tristeza passar.

Minha mãe me abraçou.

— Vou visitar suas irmãs em Tucson por uns dias. Vou dizer que você mandou um beijo.

— Fala para elas que ainda tenho Tito. Ele está numa caixa no porão.

— Tito. — Minha mãe riu. — Você amava aquele urso.

— Eu falava com ele. Ele nunca respondia. Acho que é por isso que eu o amava.

Vinte e quatro

QUANDO ACORDEI, MINHA MÃE ESTAVA NA CAMA.

— Estou indo para Tucson. Só queria te dar minha bênção.

Sentei na beira da cama.

Senti o polegar dela na minha testa fazendo o sinal da cruz. E ela sussurrou sua bênção:

— Pai de todas as nações, cuide do meu filho Ari. Cuide dele e o proteja e encha seu coração com a paz que só o Senhor pode dar.

Ela fez a cruz em si mesma.

E eu fiz em mim — e tentei lembrar a última vez que tinha feito aquilo.

Ela me deu um beijo na testa.

Depois de um momento de silêncio, saiu do quarto.

Eu invejava a fé da minha mãe.

Peguei no sono.

Quando acordei de novo, me perguntei se tinha sonhado.

Estendi a mão para fazer carinho em Perninha — mas tinha esquecido que minha mãe a levara para Tucson. Lembrei do dia em que Perninha me seguiu até em casa. Quando sentei nos degraus da frente para acalmar a respiração, ela lambeu meu rosto e não parou mais. E então apoiou a cabeça no meu colo. Foi como se tivesse me amado desde o momento em que me viu. Eu a amei também. Eu a amei porque estava perdido e ela estava perdida, e a soma de um menino perdido e uma cachorra perdida é igual a amor.

Quando tomei banho, olhei para a cruz pendurada no meu peito. Pensei em Deus. Pensei por que todos pensavam tanto em Deus e eu tentava nunca pensar nele. Porque tantas pessoas tinham deduzido que ele não me amava. Fiquei me perguntando por que as pessoas achavam que poderiam falar em nome de Deus.

Será que meu irmão já me amou como eu o amava? Mas por que importava? Talvez não fosse verdade que eu não alimentava expectativas. Talvez quisesse saber se ainda restava algo em meu irmão que era sagrado. Meu pai dizia que toda vida humana era sagrada — foi o que combater no Vietnã havia ensinado a ele. Queria perguntar para ele sobre aquilo. Queria saber exatamente o que ele queria dizer.

Pensei: *Bom, se Jesus se dá bem até com a sra. Alvidrez, deve se dar bem com todo mundo.*

Deus continha todos os mistérios do universo. Será que amava o mundo e todos que o habitavam?

Pensei em Dante. Uma das coisas que tínhamos em comum era que fazíamos perguntas que ninguém sabia responder. Mas isso não nos impedia de perguntar.

Meu pai estava com uma expressão interessante no rosto quando entrei na cozinha.

— Me ligaram da prisão Huntsville. Agendaram para você passar a tarde com seu irmão amanhã. Pelo visto, seu irmão não é um prisioneiro modelo, e não queriam deixar que ele recebesse visita nenhuma. Mas, como ele nunca recebe ninguém, vão permitir que você o veja por uma hora, e não ao ar livre, mas atrás de uma barreira de vidro e usando um fone.

Eu não disse nada. O que havia para dizer?

— Acha que vale a pena viajar mil cento e noventa e dois quilômetros para ver seu irmão por uma hora? É uma viagem de onze horas e meia.

— Acho — eu disse. — Vale a pena, sim.

Meu pai sorriu para mim.

— Também acho. Dá um pouco menos de três horas de Austin. Podemos passar a noite em Austin e depois seguir para Huntsville. Você pode ver seu irmão à uma.

— Tem alguma coisa esquisita aí. Isso tudo é um pouco estranho, não é, pai?

— Bom, acho que você aprendeu a notar essas coisas. Tem um cara que trabalha no Departamento Penitenciário do Texas. O nome dele é Michael Justice. — Meu pai riu. — Sem brincadeira, o nome é esse mesmo. Lutei no Vietnã com ele. Para falar a verdade, eles cancelaram tudo. Pedi para falar com Mike. Perguntaram por quê. E falei o que falei para você: que lutei no Vietnã com ele. E isso bastou. Ele deu um jeito.

Sempre dizem que é preciso conhecer as pessoas certas. E nem sempre isso é ruim.

Eu não via meu irmão desde que tinha seis anos de idade. Onze anos tinham se passado, e ele tinha se tornado nada mais do que uma lembrança. Mas ele era mais do que isso. Claro, ele era muito mais do que isso. Pessoas não são lembranças.

Fiquei pensando: o que dava para dizer em uma hora? Talvez nada daquilo tivesse a ver com o que eu diria. Ou o que ele diria. Ou o que nenhum dos dois diria.

Dante me fez me apaixonar por palavras. E às vezes eu as odiava. Às vezes elas não me serviam para nada.

Às vezes as palavras só ocupavam espaço. Fiquei pensando se as palavras estavam esgotando o oxigênio do mundo.

Dá para falar de muitas coisas quando se está em uma viagem de mil cento e noventa e dois quilômetros. Não sei o porquê, mas perguntei para o meu pai se ele concordava com minha mãe — sobre a situação que eu, Susie e Chuy chamávamos de caso Livermore.

— E acho que o sr. Robertson é um cuzão.

Meu pai riu.

— Você tem dezessete anos. É sua obrigação achar isso. — Dava para ver que meu pai queria falar mais alguma coisa e que estava tentando medir as palavras. — Sabe, Ari, racismo é um assunto quase impossível de discutir. É por isso que a maioria de nós não fala. Acho que de certa forma sabemos que estamos todos envolvidos. Racismo é um dedo apontado para todos nós, e, de tantos em tantos anos, acontece uma explosão, e aí por um tempo não se fala em outra coisa. Todos levantam as mãos e dizem: "Racismo? Sou contra". Todos somos contra. E sentimos solidariedade. Fazemos uma ou outra mudança, mas nenhuma de fato real. É como se comprássemos um carro novo, mas continuássemos dirigindo na mesma direção.

— Mas por quê?

— Porque não sabemos falar sobre certos assuntos. E nunca aprendemos. Nunca aprendemos porque não estávamos dispostos a mudar, porque temos medo do que podemos perder. Acho que não queremos que os negros tenham o mesmo que nós. E, quando a questão são os mexicanos, este país nos ama e nos odeia. Somos um país de imigrantes que odeia imigrantes. — Ele riu. — Conheço algumas pessoas que acham que os povos indígenas são imigrantes. — Ele abana a cabeça. — Os americanos não são um povo muito bom. E digo isso como americano.

— Mas, pai, como mudamos isso?

— É o que sua geração vai ter que descobrir.

— Não é justo.

Meu pai me lançou um olhar como se o que eu tinha acabado de dizer fosse a maior burrice já dita.

— Às vezes o clima é justo. Vamos ter um dia de clima justo. E então em outro lugar tem um tornado matando uma centena de pessoas. Do outro lado do mundo, há lugares em que o clima não é justo.

Eu entendi o que ele estava querendo dizer. Apelar para o "Não é justo" era inútil e insignificante. Basicamente um argumento de crianças brigando no parquinho.

Não falamos nada por um tempo, e ele ficou pensando, e eu fiquei pensando. Finalmente perguntei:

— Em quantas batalhas você teve que lutar, pai?

— Só uma que importa. Roubei isso de um escritor chamado William Faulkner. Estou parafraseando. A batalha do meu próprio coração humano contra si mesmo.

— Já contei a história da vez que soltaram um monte de lagartos na sala de aula da sua mãe?

— Isso aconteceu? A mamãe surtou?

— É claro que não. Sua mãe adora lagartos.

— Sério?

— Ah, sim. Ela dizia que, se a gente tivesse lagartos em casa, não teria problemas com mosquitos, porque lagartos jantam mosquitos. Ela disse que nas cidadezinhas as pessoas tinham lagartos de estimação, para comerem insetos indesejados. Ela criava lagartos em um aquário até ser obrigada pela mãe a se livrar deles.

— A mamãe? *Minha* mãe?

— O que faz você pensar que sua mãe é uma garotinha indefesa? Por que ela deveria ter medo de lagartos? Eles são inofensivos. Enfim, sua mãe tinha uma turma horrível num ano e estava arrancando os cabelos. E um garoto daquela turma deixou uns vinte lagartos à solta. A primeira coisa que sua mãe fez foi correr até a porta e tampar as frestas com panos de chão para que os lagartos não conseguissem sair. As meninas estavam berrando e alguns dos meninos também não estavam lá muito animados. Sua mãe conseguiu pegar um dos lagartos, deixando que ele subisse nela, e disse: "Alguém sabe de quem é esse mocinho?". Ela já tinha descoberto quem era o pilantra. "Jackson, vamos colocar os lagartos de volta na caixa em que você os trouxe e depois soltar os bichinhos no deserto, onde é o lugar deles. Eles não estão interessados na história do governo americano." Sua mãe não foi correndo para a diretoria. Não tomou nenhuma medida punitiva contra nenhum dos alunos, mesmo sabendo que estavam todos envolvidos. E ela ganhou vinte e sete admiradores naquele dia. A pior turma virou a melhor. Jackson era um aluno afro-americano. Ele morava com a avó. Ela não podia ir à reunião de pais e professores, então Liliana começou a ir até ela, para contar do progresso de Jackson. Isso foi há muitos anos. Sabe o que aconteceu com Jackson? Ele virou um promotor que trabalha no Departamento de Justiça. Envia cartões de Natal para a sua mãe todo ano sem falta. Sempre escreve um recadinho e assina o cartão como "Lagarto".

— Por que a mamãe não me conta todas essas histórias?

— Porque ela não é o tipo de pessoa que gosta de noticiar por aí toda vez que faz algo para mudar a vida de um jovem.

Uau, pensei. *Uau.*

* * *

Meu pai parou o carro no acostamento. Havia uma cidadezinha logo à frente, mas ele gostava de estacionar na beira da estrada. Era o bicho do mato dentro dele.

— Preciso de um cigarro.

Nós dois saímos e esticamos as pernas. Meu pai gostava de fazer barulhos quando se alongava. Eu achava engraçado. Ele acendeu o cigarro e apoiou no carro. Não sei por que as palavras escolheram aquele momento para sair.

— Odeio ser gay.

— Bom, existem clínicas de terapia de conversão.

— Funcionam?

— Conversamos sobre isso num jantar com Soledad e Sam. E a resposta é não. Não, não funcionam. Mas as pessoas vão mesmo assim.

— Por quê?

— Bom, na maioria das vezes é porque os pais mandam. Para mim isso não é amor, mas... E algumas pessoas vão por conta própria. Na esperança de resolverem a questão. De terem uma vida normal. Mas quem em sã consciência quer ter uma vida normal?

— Mas você tem uma vida normal.

Ele fez que sim. E depois bateu o dedo na cabeça.

— Mas não levo uma vida normal aqui dentro. — Tocou na têmpora de novo. — Um dia, você vai agradecer ao universo por ter nascido como o homem que você é.

Observei meu pai acabar o cigarro.

Nas estradas do Texas, dava para ver a eternidade. O céu deixava a gente ver o que havia à frente. Ver era importante. Antes eu não conseguia ver quem era meu pai.

Passei a conseguir. Agora eu enxergava quem ele era.

E o achei mais bonito do que o céu do Texas.

Vinte e cinco

MEU PAI DISSE QUE A ÚNICA COISA DE VALOR QUE SE deixa na Terra após a morte é seu nome. Eu queria que meu pai vivesse para sempre. Mas isso não aconteceria. E toda vez que eu entrasse em uma biblioteca, eu pegaria um livro e escreveria seu nome nele. Para manter seu nome no mundo.

Vinte e seis

FIZEMOS CHECK-IN EM UM HOTEL EM AUSTIN. O CLIMA estava fresco, pedia um casaco, mas não chegava a fazer frio. Demos uma volta pela capital do estado, e meu pai leu uns marcos históricos.

— Texas — ele disse, e abanou a cabeça. — Sabia que, em 1856, teve um condado no Texas que tornou todos os mexicanos ilegais?

— Como conseguiram fazer isso?

— Bom, só tornaram crime estar no condado. Condado de Matagorda, Texas.

— Então era ilegal para os mexicanos viverem lá? Todos os mexicanos que moravam naquele condado tiveram que sair?

— Ou foram presos. Mas também existem coisas boas na história do Texas. Em 1983, uma mulher indomável, que provavelmente queria divórcio e não conseguia, fundou uma organização chamada Associação de Mulheres do Sul pela Prevenção de Linchamentos.

Quase quis rir. Mas não era engraçado.

— Como você sabe dessas coisas, pai?

Ele olhou para mim, sorriu e balançou a cabeça.

— Existe uma coisa chamada biblioteca. E, nessas bibliotecas, existem livros. E...

— Você é um espertalhão, pai. Agora sei a quem puxei.

— Ah, sei não. Acho que sua mãe também contribuiu para isso.

— Linchavam homossexuais, pai?

— Isso eu não sei. Mas, na boa e velha Inglaterra, não apenas enforcavam homossexuais; queimavam. Vivos.

Não deveria ter perguntado aquilo.

— Ari, as pessoas amam. Quem decide quem e por que amam? E as pessoas odeiam. Quem decide quem e por que odeiam? Encontrei o sentido da minha vida quando conheci sua mãe. Isso não quer dizer que não havia milhares de perguntas sem resposta. E, muitas vezes, errei. Aprendi a não me castigar pelos meus erros. E tento, mas nem sempre consigo, aceitar o dia com gratidão.

Ele bagunçou meu cabelo com a mão. Não fazia aquilo desde que eu era menino.

— Nunca deixe tirarem de você a vida que lhe foi dada.

Deitado na cama do quarto de hotel, pensei no meu irmão. Minha cabeça estava a mil. Meu pai estava deitado na cama ao lado da minha, lendo *Todos os homens do rei*. Então fechou o livro e apagou a luz.

— Você está bem, Ari?

— Estou, sim.

— Você é um menino corajoso.

— Não tenho tanta certeza.

— Não sei o que você pensa sobre seu irmão, mas sei que pensa nele há muitos anos. Tenho que avisar uma coisa: ele não tem nada de inocente.

— Mas é seu filho.

— É. E às vezes é preciso deixar um filho ir. Porque, por motivos que não entendo completamente, seu irmão perdeu a humanidade. Acontece com algumas pessoas.

— Você está bravo porque preciso ver meu irmão?

— Você está fazendo o que deve fazer. Está descobrindo a vida, o que inclui seu irmão, por conta própria. Ninguém deve negar isso a você.

Ficamos em silêncio por muito tempo. E então um pensamento me ocorreu e me fez sorrir.

— Pai?

— Quê?

— Eu gosto de você, pai. Gosto muito de você.

Meu pai soltou uma gargalhada gostosa.

— Às vezes falar para uma pessoa que você gosta dela é muito melhor do que falar que a ama.

Vinte e sete

FUI RECEBIDO POR UM GUARDA QUE ME DEIXOU ENtrar na prisão. Eu não estava com medo como pensei que ficaria. Eu não estava nervoso como pensei que ficaria. Um dos guardas da prisão, que parecia já ter nascido entediado, me levou até uma sala com uma fileira de janelas. Não havia ninguém dentro.

— A da ponta. — Ele apontou para a última cadeira. — Quando acabar, pode sair e falar com o recepcionista antes de ir embora. Eu sou o recepcionista — ele disse, e meio que riu baixo. Um homem entediado quase com senso de humor.

Esperei no cubículo por pouco mais de um minuto. O homem que era meu irmão foi trazido para a sala, e lá estava eu, frente a frente com um irmão que eu tinha apenas imaginado por anos, um vidro grosso nos separando. Ele tinha cabelo preto ondulado e grosso e bigode. Parecia ter mais que vinte e poucos. Tinha uma beleza muito dura, os olhos pretos sem nenhuma simpatia ou suavidade.

Ficamos nos encarando, sem dizer nada.

— Então você é o Arizinho. Olha só. Aposto que se acha alguém na vida.

Ignorei.

— Faz muito tempo que eu queria te ver, Bernardo.

— Para quê?

— Você é meu irmão. Quando era pequeno, eu te amava muito. Senti saudade quando você foi embora. Ninguém me falava de você.

— Que comovente. Talvez eu tenha sido um bebezinho chorão feito você um dia. Prefiro ser como sou agora.

— Imagino que você não quisesse muito me ver. Não precisava ter aceitado.

— Não, não, eu queria te ver, sim. Fiquei curioso para saber em que merda isso daria. Agora, se você estava esperando uma cena de novela, veio ao lugar errado. Foi mal pela decepção.

— Não estou decepcionado. Não tinha expectativas. Só queria te conhecer.

— Queria ver com seus próprios olhos.

— Por que não?

— Ah, então você queria vir ao zoológico.

— Não vejo você como um animal. E pensei muito em você.

— Que perda de tempo. Nunca pensei em você.

— Isso é para me magoar?

— Não é isso que meninos sensíveis fazem, ficam magoados?

— Eu não.

— Você não vai chorar? Eu que estou decepcionado.

— Então deveria ter baixado as expectativas.

Ele começou a rir. Sério, ele riu para valer.

— Quem diria, meu irmãozinho sabe se entrosar com a turma da pesada. Sabe exatamente o que dizer. — Ele tinha um sorriso horrível. — Você parece muito com o nosso velho. Que merda, mas não é culpa sua. — Ele estava me observando. Parecia estar procurando.

— Então, você queria conhecer seu irmão mais velho? Para descobrir o quê? Para uma entrevista? Para escrever uma redação para a escola, "Minha visita ao meu irmão"? Para se sentir melhor do que eu? Para se sentir superior? *Olha, gente, eu sou um ótimo menino, fui ver meu irmão que matou alguém? Olha só como sou um bom menino?*

E então foi como se ele tivesse decidido ser mais simpático, ou continuar a conversa.

— Então, está no penúltimo? Último ano?

— Último.

— Representante de turma?

— Não, nem perto disso.

— Aposto que você é um bom aluno.

— Sou razoável.

— Aposto que a mãe gosta. Ela gostava que os filhos fossem bons alunos. Pegava bem para ela. Porque uma professora com filhos que tiram notas ruins não é nada legal.

— Ela não é assim.

— Até parece. Aposto que você é o maior puxa-saco dela.

— Não fala assim da minha mãe.

— Por acaso, ela também é minha mãe. E posso falar dela do jeito que eu quiser, porra. Ah, aposto que você é o principezinho dela. Um filhinho da mamãe.

— Você é mesmo um babaca ou só está fazendo tipo?

— Não faço tipo para meninos bonitinhos. Sabe o que acontece com meninos bonitinhos em lugares como este? Meninos bonitinhos viram meninas bonitinhas. Mas você nunca vai ter oportunidade de descobrir. Porque é um bom menino que leva boas meninas para conhecer a mamãe. Aposto que ela aprova todas as suas namoradinhas.

Olhei para ele. Eu poderia contar para ele, ou poderia não contar. Mas tinha outra pergunta a fazer.

— Por que você matou aquela mulher?

— Era um homem.

— Bom, "ele" te enganou direitinho. Você não achou que era uma mulher?

Dava para ver a raiva estampada em seu rosto.

— Vai se foder. Ele merecia morrer.

— Ela — eu disse.

— Vai se foder.

— Seja como for. Ela era uma pessoa. Um ser humano.

— Ah, seu moralista filho da puta, veio aqui para me contar que não me respeita. Vai se foder. Vai correr para o colo das suas namoradinhas, para elas babarem seu ovo.

Talvez porque eu não ligasse para o que um homem como ele pensava sobre mim, decidi contar.

— Não tenho namoradas, sou gay.

Ele riu. Riu. Riu muito.

— Um viadinho. Esse é meu irmão. Então quer dizer que você leva no rabo?

Fiz menção de levantar.

— Quê? Já está indo embora? Temos uma hora inteira pela frente para nos divertir. Está arregando?

— Não. Só não vejo motivo.

— Vai se foder! Não sou nada. Você não é nada. Ninguém nesse mundo de merda é nada. Mas viadinhos são piores que nada.

— O que aconteceu com você?

— O que aconteceu comigo? Dá uma olhada. Sou um reflexo do que o mundo realmente é.

Levantei e olhei para ele.

— Acho que não. Cada um tem sua forma de lidar com a vida. Talvez eu seja um reflexo do que o mundo realmente é.

— Vai nessa. O mundo não é para viadinhos.

Olhei bem na cara dele.

— Estou feliz por ter vindo. Estou ainda mais feliz por ir embora.

Na saída, ele lançou palavrões contra mim como se fossem granadas.

Assinei meu nome ao sair onde tinha assinado ao entrar. Não sabia bem como me sentia. Mas uma coisa era certa: não sentia vontade de chorar. E não estava magoado. Não sentia ódio. Parte de mim sorria. Às vezes uma lembrança nos mantém em uma prisão, e nem sabemos que é uma prisão. Eu tinha uma lembrança de nós dois que representava um amor que não era real. E tive que visitar uma prisão de verdade para descobrir a minha própria.

Meu irmão não existia mais. Ele não era um homem que eu queria conhecer. Não sei como aquilo tudo havia acontecido. Nem precisava saber.

Alguns filhos partem, alguns filhos ficam.

Alguns filhos nunca tomam rumo.

A vida do meu irmão era vida dele.

E a minha vida era minha vida.

Na saída da prisão, eu me senti um homem livre.

Eu estava livre. Livre da memória. Livre.

Vinte e oito

ESTÁVAMOS VOLTANDO PARA FORT DAVIS, TEXAS. Tínhamos planejado acampar lá. Estava bem frio, e meu pai disse que não precisávamos acampar no mato. Mas eu queria.

— O que é um friozinho de nada?

Meu pai sorriu.

Ele tinha passado um tempo lá com o tio quando era menino. Me contou que amava o tio mais do que amava o próprio pai.

Não tínhamos dito uma palavra um para o outro desde que saímos de Huntsville. Mais de trezentos quilômetros e nenhuma palavra. Meu pai me deixou quieto. Não me fez nenhuma pergunta. Finalmente, eu disse:

— Obrigado, pai. Obrigado por tudo.

— Você está bem?

— Estou melhor que bem.

Gostei da cara que ele fez. Voltamos ao nosso silêncio agradável. Depois de um tempo, meu pai decidiu que nossa viagem merecia um pouco de música e ligou o rádio. Uma música antiga dos Beatles começou a tocar. Me fez lembrar de Dante — era uma música que ouvíamos muito: "The Long and Winding Road". Comecei a cantar. Eu tinha esquecido como era bom cantar. E então meu pai começou a cantar junto.

Que estranho e que bonito cantar com meu pai em um carro.

Vinte e nove

JANTAMOS EM UMA LANCHONETE BARATA.

— Está aqui desde sempre. Meu tio me mandou uma foto que tinha tirado da entrada deste lugar. Ele disse para eu guardar para não esquecer. Tinha uma placa PROIBIDO MEXICANOS, PROIBIDO CACHORROS, PROIBIDO PÉS DESCALÇOS. — Meu pai riu. — Pelo menos éramos os primeiros da lista. E o que eles tinham contra cachorros?

Não sei como ele ria daquelas coisas todas. Ele ficava bravo pra caramba com as merdas do mundo em que vivíamos, mas também sabia ser bem paciente. Ele tinha uma boa dose de cinismo, mas não era um homem amargo.

Não armamos a barraca, nem nada. Encontramos um lugar bom e só abrimos os sacos de dormir no chão. Meu pai fez uma fogueira, pegou uma garrafa de uísque e acendeu um cigarro.

— Não está frio demais para você?

— Eu gosto.

— Toma — ele disse. — Dá um gole. Não vou contar para sua mãe.

Tomei um gole e houve uma pequena explosão. Devo ter feito careta.

— Você não é muito de beber, é?

— Ainda estou na escola.

— Isso não impede muitos meninos de beber. Você é um bom menino. Eu não deveria chamar você de menino, você não é mais criança.

Ele estava fumando um cigarro e a luz da fogueira o fazia parecer mais jovem. No passado, fomos estranhos um para o outro, pai e filho que moravam em países diferentes na mesma casa. Ele era um mistério sem solução. E, embora ainda houvesse alguns mistérios sobre ele que eu nunca resolveria, havia algo íntimo entre nós. E ele era a minha casa.

* * *

Havia bilhões de estrelas no céu. Bilhões. Parte de mim queria que Dante estivesse ali para eu abraçá-lo sob as estrelas. Talvez eu e ele fôssemos ali algum dia. Eu e meu pai estávamos deitados nos sacos de dormir, em silêncio, admirando as estrelas.

— Trouxe sua mãe aqui quando voltei do Vietnã. A gente acha que foi a noite em que você foi concebido.

— Sério? — Adorei a ideia. — É mesmo verdade?

— É uma possibilidade muito boa. Talvez não seja. Mas eu e sua mãe gostamos de acreditar nisso. Por causa daquelas estrelas lá no alto.

Houve um longo silêncio, mas eu sabia que meu pai estava a fim de falar — e eu estava a fim de ouvir.

— Sua mãe é a única mulher que já amei. Conheci ela no primeiro dia de aula da faculdade. Era a menina mais bonita que eu tinha visto na vida. Ela estava andando e conversando com uma amiga, tão cheia de vida. Eu a segui até a aula. Era uma aula de literatura. Fui até o departamento de letras e me inscrevi na matéria. Sentei no fundão. Era um bom lugar para observar. Ela era tão inteligente. Acho que o professor fazia perguntas para ela porque ela sempre tinha algo interessante a dizer e ajudava a discussão. O professor era do tipo que gostava de discutir. Às vezes eu a via no campus e a seguia de longe, para ela não notar. Fui a uma festa de Natal com um amigo no fim do semestre. E ela estava lá. Um homem bonito estava dando em cima dela. Só observei como ela se comportou. Não demonstrou interesse, mas parecia tão à vontade, imperturbável. Alguém me deu uma cerveja, e fui para o quintal dos fundos para fumar um cigarro. Tinha muita gente no quintal e, embora fosse dezembro, não estava nada frio lá fora. Fiquei ali parado e observei. E lá estava sua mãe parada ao meu lado. "Então", ela disse, "algum dia você vai conversar comigo, ou só gosta de me perseguir?" Fiquei com muita vergonha. Não sabia o que dizer. Então foi isso que eu disse: "Nunca sei o que dizer". "Deixa que eu ajudo. Meu nome é Liliana." Ela estendeu a mão. Apertei e disse: "Meu nome é Jaime". Ela olhou para mim e sorriu. "Qualquer dia desses você vai criar coragem para me beijar."

Aí ela saiu andando. Me senti um idiota, fiquei lá parado e caiu a ficha que eu deveria ter corrido atrás dela. Mas, quando a procurei, ela já tinha ido embora. Dei uma perguntada se alguém conhecia uma menina chamada Liliana. Algumas pessoas conheciam, mas não tinham o número de telefone dela. Até que veio uma menina e me deu um papelzinho dobrado. "Este é o número dela. E se não ligar, vou te encontrar e acabar com a sua raça." Depois descobri que essa menina era a melhor amiga da sua mãe, Carmela Ortiz.

— A enfermeira da minha escola.

— Isso. Um saco aquela mulher. Mas passei a gostar dela ao longo dos anos. Enfim, finalmente liguei para a sua mãe. E, na véspera do Ano-Novo, tivemos um encontro. Dei um beijo nela naquela noite. E soube que casaria com ela, e nunca beijaria outra mulher novamente. Não que eu tivesse beijado muitas. Sempre fui de observar. Sempre de olho. Se sua mãe e Carmela não tivessem me dado um empurrãozinho, eu talvez nunca tivesse casado com ela. E não só pelo meu perfil observador. Eu achava que sua mãe era muita areia para o meu caminhãozinho. Sabe, no Vietnã, me chamavam de Trucha. Quer dizer "truta", mas também é uma gíria para quem está sempre de olho, sempre alerta. Nunca vou esquecer um menino judeu. Ele tinha quase vinte anos. Era baixo e estava sangrando muito, eu peguei uma toalha que estava comigo e apertei nele para ajudar a estancar o sangramento. Chamei um médico no rádio, e os socorristas estavam vindo, mas eu sabia que o menino não sobreviveria. Então fiquei ali, segurando ele, que estava gelado e tremendo e disse: "Diga para minha mãe e meu pai. Diga que vou vê-los no ano que vem em Jerusalém". E ele se foi, aquele olhar distante que os mortos têm depois que a vida deixa seu corpo. Fechei suas pálpebras. Ele era um bom homem. Era um bom soldado. Quando voltei, dei o recado pessoalmente. Porque ele merecia. Porque os pais dele mereciam. Nunca vou esquecer a gratidão e a dor estampadas no rosto dos pais dele. Nunca deixe alguém dizer para você que a guerra é bonita ou heroica. Quando dizem que a guerra é um inferno, *a guerra é um inferno*. Covardes começam guerras, e os corajosos as lutam.

Meu pai ficou em silêncio.

Fiquei feliz em saber como meus pais se amavam. Fiquei feliz em saber que minha mãe havia encontrado um jeito de fazer um homem quieto que estava empacado na vida tomar uma atitude. Fiquei feliz que meu pai conseguisse falar sobre a guerra — ainda que falasse muito pouco sobre o que havia acontecido lá. Eu entendia que a guerra o havia deixado com uma dor que fez morada em seu coração, o tipo de dor que ninguém poderia curar e que nunca iria embora.

Trinta

QUANDO CHEGAMOS À FRONTEIRA DA CIDADE DE EL Paso, perguntei para o meu pai:

— Se você pudesse me dar apenas um conselho que me ajudaria a viver minha vida, pai, qual seria?

— Por que os filhos fazem perguntas tão ambiciosas para os pais? — Ele olhou de esguelha para mim enquanto dirigia. — Me deixa pensar nessa.

Minha mãe chegou de Tucson cerca de uma hora depois da gente.

— Encontrou o que estava procurando?

— Encontrei. Eu não estava procurando pelo meu irmão. Estava procurando um pedaço de mim que faltava. Encontrei, sim.

Adorei o sorriso que ela abriu.

— E sabe o que mais? — continuei. — Descobri que seu marido sabe ser bem falante. Mas não é de conversa-fiada.

— Não mesmo.

— Mãe, nunca fui tão feliz assim.

O telefone tocou. Eu estava torcendo para que fosse Dante. Ouvi a voz dele.

— Voltamos hoje cedo. Meu pai dirigiu a noite toda. Acabei de acordar de um cochilo.

— Eu e meu pai chegamos há algumas horas.

— E você está bem?

— Estou. Vou te contar tudo.

Havia certa alegria no silêncio que ele abriu. Sim, alegria.

Meus pais levaram meus amigos e a mim para comer pizza — Dante, Gina, Susie e Cassandra. Foi divertido. Gina e Susie notaram que eu estava usando seu presente de Natal.

— O que é essa corrente no seu pescoço? — Gina perguntou.

— Jesus.

— Jesus?

— É. — Tirei a corrente e mostrei para ela. — Umas meninas me deram de Natal. Acho que elas pensaram que eu precisaria que Jesus me protegesse.

— Que fofo — Susie disse.

— Bom, elas são fofas, quando não estão ocupadas dando ordens nas pessoas.

Meu pai achou graça.

Todos estavam se divertindo tirando sarro uns dos outros. Susie tinha uma teoria nova. Ela estava sempre tentando entender as coisas — especialmente coisas de gênero.

— Então, saí com um cara. Não sei por que topei. Tinha alguma coisa errada nele. E ele viu uma antiga namorada e começou a me falar de como ela era uma vad... Vocês entenderam, né? Ele falou sem parar de todas as ex-namoradas e que todas eram... isso. E pensei: *Esse cara é machista*. Ele tentou me pegar. Então dei um tapa nele. Ele não estava forçando nem nada... mas mesmo assim. Percebi uma coisa. A maioria dos machistas é casado com uma mulher. Eles acham que ser casado com uma mulher significa que não são machistas. Errado. Pense em todas aquelas mulheres protestando pelo direito de votar. Cadê os maridos delas? Estavam lutando contra os direitos das mulheres que queriam poder votar. Machistas, todos eles.

Cassandra concordou.

— Bom, você finalmente entendeu tudo.

E Gina disse:

— E me poupou de pesquisar.

— Não sou machista — Dante disse.

— Bom, Ari também não. Mas vocês não contam.

— Por quê? Porque somos gays?

— Por aí — Cassandra disse.

Dante lançou um olhar para ela que era quase uma flecha.

— Isso merece mais discussão. — Ele apontou para meus pais. — Mas não na frente das crianças.

Eu nunca tinha visto meu pai rir tanto.

— Que gargalhada boa, sr. Mendoza. — Ele olhou ao redor do salão. — E aí, alguém tem resolução de Ano-Novo?

Revirei os olhos.

— Odeio resoluções de Ano-Novo. Ninguém cumpre.

— E daí?

— Eu tenho uma — Susie disse. — Vou arrumar um namorado até o fim do ano. Um namorado muito legal.

— Ah — Cassandra disse —, então vai ser gay?

— Para. Existem meninos héteros legais no mundo.

— Me avisa quando encontrar.

— Tenho uma resolução para você, Cassandra. Você vai parar de ser tão cética.

— Tenho uma melhor — Cassandra disse. — Vou ser uma pessoa mais legal.

— Você *é* uma pessoa legal.

— Sim, mas vou mostrar para os outros.

— Quero só ver — eu disse.

— E vou parar de dar tanto trabalho para a minha mãe — Dante acrescentou.

— Essa só vai durar até o dia dois — retruquei. — E por que estragar uma coisa boa? Vocês são como são.

— As pessoas podem mudar.

— Em time que está ganhando não se mexe — Susie disse.

Minha mãe estava se divertindo muito conosco.

— Bom, vou parar de trabalhar tanto — ela disse com convicção.

Meu pai abanou a cabeça.

— Lilly, essa resolução não vai durar mais de uma hora.

Minha mãe olhou para meu pai e disse:

— Você não faz ideia do que uma mulher determinada é capaz.

— Faço, sim. E ainda assim acho que essa resolução não vai durar uma hora.

Ela decidiu mudar de assunto.

— Sabiam que eu e Jaime tivemos nosso primeiro encontro na véspera do Ano-Novo? — falou, olhando para a gente. — Ele me beijou. Cometi o erro de retribuir o beijo.

Eu adorei a cara dos meus pais. Era verdadeiro. Meus pais ainda estavam apaixonados.

Eu e Dante sentamos no alpendre da casa dele. E conversamos. E conversamos. Contei para ele tudo sobre a viagem e tudo que havia acontecido. Ele me fez perguntas e as respondi e não escondi nada. Não sei por quanto tempo ficamos sentados lá fora. Às vezes, quando eu estava com Dante, o tempo não existia — e eu gostava disso.

Ele me beijou. Era estranho às vezes sentir os lábios de outro homem nos meus. Mas beijar Dante me fazia feliz.

"Feliz" era uma palavra que estava viva dentro de mim.

— Ari, esse vai ser o melhor ano da nossa vida.

— Você acha?

— Tenho certeza.

Trinta e um

ERA O PENÚLTIMO DIA DO ANO, E O DIA ESTAVA LINDO. Ainda que a brisa estivesse fria, o sol estava quente, e, enquanto eu corria, pensei que o mundo inteiro estava brilhando de tão vivo. O ano estava acabando, e uma certa ordem parecia estar preenchendo o caos da minha vida. Era como se tudo de bom estivesse convergindo e tudo parecesse fazer certo sentido. Meu irmão sumiu dos meus pensamentos, e, se um dia ele voltasse, eu nunca mais sofreria a dor de tê-lo amado quando criança. Ele não assombraria mais minha vida, nem meus sonhos.

Senti que o ano novo estaria cheio de esperança e da promessa de que algo raro e belo me esperava.

Eu estava feliz.

Tomei um banho depois da corrida e conversei com Perninha. Ela estava ficando velha. Mas seus olhos ainda eram cheios de vida, e ela ainda abanava o rabo como um filhote.

Tomei café com a minha mãe, e Perninha deitou a cabeça no meu colo.

— Suas amigas são muito engraçadas. Engraçadas e maravilhosas. São gente boa. Atrás de todo aquele riso e humor, elas têm mentes jovens muito sérias. Gosto da companhia delas.

Eu e minha mãe conversamos por um tempo. Ela não perguntou sobre meu irmão. Tínhamos tempo de sobra para falar daquilo. Não precisava ser naquele dia.

— Vou ao mercado. Quero fazer um belo assado para o Ano-Novo. E, claro, *menudo* para a véspera.

— Por que você e o papai não saem para dançar?

— O pior pesadelo do seu pai. A última vez que saímos para dançar… nem lembro. Quando se trata de dançar, seu pai gosta de assistir. Eu gosto de ficar em casa. Não sei por quê, mas me sinto muito próxima do seu pai na véspera de Ano-Novo. Acho que ele sente o mesmo. É meio sem graça, mas adoramos o Réveillon. Tomamos vinho e ouvimos música e falamos sobre a música e por que aquelas canções são importantes para nós. Quando dá meia-noite, ele me beija, e me sinto como menina de novo.

Ela realmente parecia uma menina.

Pensei na minha mãe e no meu pai se beijando ao badalar da meia-noite quando o ano velho acabava e o novo começava. Imaginei os dois jovens, se abraçando e deixando as preocupações do mundo para trás. Só os dois. Toda a vida deles ainda pela frente.

A casa estava quieta.

Minha mãe havia ido ao mercado, e meu pai tinha dormido até tarde. Eu estava escrevendo no diário à mesa da cozinha.

— Pai, o que foi?

Ele estava parado no batente da porta, apertando o peito, sem ar. Olhou para mim, uma expressão de pânico no rosto, e então caiu no chão.

— Pai! Pai!

Eu o segurei, e ele me encarou, e eu não soube o que fazer.

— Ari — ele sussurrou, mas não conseguiu dizer mais nada.

Eu queria que minha mãe estivesse ali, não sabia o que fazer, queria ligar para a ambulância mas não queria soltá-lo, o abraçava e ele me apertava, me apertava forte e de repente apenas sorriu, em paz, e sussurrou com calma:

— Liliana. — E sussurrou o nome dela de novo: — Liliana.

Então vi a vida se esvair de meu pai. Ele ficou imóvel e seus olhos, tão cheios de vida, ficaram inexpressivo e distantes. Eu o balancei nos braços, o balancei sem parar, e soube que estava chorando, embora as lágrimas parecessem vir de outra pessoa.

— Não. Não. Não, não, não, não, não. Pai. Pai. Isto não está acontecendo. Isto não está acontecendo. Não, pai! Pai!

Trinta e dois

NÃO LEMBRO DA MINHA MÃE ENTRAR EM CASA E SE ajoelhar para beijar meu pai pela última vez. Não lembro dela fazer o sinal da cruz na testa dele. Não lembro dela tirar meu pai delicadamente dos meus braços. Não lembro que ela o pegou nos braços e sussurrou:

— *Amor, adios. Adios, amor de mi vida.*

Não lembro de o médico-legista entrar e declarar que meu pai estava morto. E não lembro do carro fúnebre tirar o corpo do meu pai de casa em uma maca enquanto eu via tudo do alpendre, ao lado da minha mãe. Lembro de pensar que o mundo havia acabado e me perguntar por que eu ainda estava ali, naquela Terra, naquele mundo que havia acabado. Não lembro de cair. Não lembro de tudo ficar escuro. Minha mãe contou todas essas coisas para mim depois.

— Seu pai morreu nos seus braços. E o peso disso foi grande demais para você carregar. E seu corpo reagiu se desligando.

Lembro é que acordei na minha cama e um homem que parecia médico estava me examinando, medindo meus sinais vitais, um médico que depois descobri ser filho de uma das Filhas Católicas. Tudo estava conectado. E todos pareciam ter uma relação através das Filhas Católicas. Ele tinha uma voz bondosa e disse:

— Você vai ficar bem. Você desmaiou. Ou apagou. Chamamos isso de síncope; acontece quando o cérebro não está recebendo oxigênio suficiente. Um trauma pode causar isso. Por um momento, você simplesmente não consegue respirar. Seu pai morreu nos seus braços. Fisicamente você vai ficar bem. — Ele cutucou meu coração. — Mas seu coração é outra história.

— Você conheceu meu pai?

— Conheci. Ele me levava para pescar com seu irmão mais velho.

— Você era amigo do meu irmão?

— Quando éramos pequenos. Foi pouco antes do seu pai entrar para o exército. Seu irmão era legal. E sabia ser bem maldoso.

— Mas… mas o que aconteceu?

— Não sei direito, acho que seu irmão tinha uma dor dentro de si que descontava nos outros. Sinto muito.

— Tudo bem. Não é culpa sua.

Ele assentiu. Olhou para o relógio.

— Sei que você tem que ir. Não precisava vir.

— Bom, sua mãe ligou para a minha. Ela não sabia direito se você deveria ser levado para o hospital. E me chamou. Sabe como é entre elas.

Nós dois sorrimos.

— Sei, sim.

— Elas são enlouquecedoras, irritantes e maravilhosas. Fiz uma pausa só para ver como você estava.

— Então você é médico?

— Ainda não. Estou fazendo residência.

— Como você se chama?

— Ah, desculpa. Não me apresentei. Sou Jaime.

— Nome do meu pai.

— Eu sei. É um ótimo nome, não é?

Ele riu. Ele era gentil. Muito bonzinho. Eu sabia que me sentia vulnerável, como se todas as minhas emoções estivessem saltando da minha pele. E, não sei como, mas não me importava. Simplesmente deixei as lágrimas escorrerem pelo meu rosto.

Ele tinha aquela mesma expressão da minha mãe, aquela expressão que parecia ver a dor alheia e respeitá-la. Ele sorriu.

— Mas devo dizer que você tem o melhor nome de todos. Aristóteles. Você é tão sábio quanto seu nome?

— Ah, de jeito nenhum.

— Acho que um dia vai ser. — Ele apertou minha mão e antes de ir disse: — Seu pai pode não existir mais como um homem, mas ele não morreu, Ari.

— Você quer dizer que ele foi para o céu.

— Ah, isso eu já não sei. Não sou um cristão no sentido tradicional. Fui criado como católico, como você. Mas chamo Deus de Grande Criador. A ciência nos diz que somos todos energia e tudo está conectado. E, quando a energia está presente no universo, não desaparece simplesmente. A vida passa de uma forma de energia para outra. Seu pai ainda é uma grande parte do universo.

Pensei no que Emma tinha nos falado na galeria. *Vocês importam mais para o universo do que imaginam.*

— Obrigado, Jaime. Você é um bom homem. E vai virar um médico do caralho.

Ele riu.

— Adoro essa palavra.

Nos despedimos. Quando ele saiu, não pude deixar de sentir que o universo o tinha trazido até mim. Porque eu precisava ouvir o que ele tinha me falado.

Assim que Jaime saiu do quarto, Dante apareceu no batente — parado ali como um tipo de anjo. Eu sempre tinha pensado que ele era metade anjo. Suas típicas lágrimas estavam escorrendo pelo rosto como se minha dor fosse dele. Caí em seus braços e passei de quase calmo a um caco em menos de um segundo. Eu queria pedir para ele fazer aquilo tudo passar. Mas a única coisa que consegui dizer por entre as lágrimas foi:

— Meu pai. Meu pai.

E senti seu corpo, como ele era forte e como sua voz era suave ao dizer:

— Se eu pudesse trazer seu pai de volta, traria. Se pudesse ser qualquer pessoa agora, seria Jesus Cristo e o traria de volta à vida.

Era uma coisa tão bonita de dizer que fez minhas lágrimas pararem.

— Minha mãe? Como está minha mãe?

— Ela está na cozinha com meus pais.

Beijei o rosto de Dante. Eu estava tão aturdido. E havia tanto caos na minha cabeça. Em todo lugar, havia caos.

⁎

Minha mãe e a sra. Quintana estavam sentadas à mesa da cozinha, e o sr. Quintana embalava Sófocles nos braços. Olhei para minha mãe e disse:

— Não lembro de você entrar em casa. Quando eu estava segurando o papai, ele fez cara de pânico e depois ficou tão calmo. Ficou calmo, mãe, como se soubesse e não se importasse em partir. E olhou para mim e sussurrou meu nome. E estava com um quase sorriso no rosto. Era um sorriso, e ele sussurrou: "Liliana". E depois sussurrou seu nome mais uma vez: "Liliana". Ele não estava com medo. Ele se deixou levar. Mas eu não. Eu não consegui, e ainda não consigo.

— Não sei como agradecer você por isso, Ari. Saber que ele deixou este mundo em paz. Saber que ele não teve medo quando morreu, saber que ele morreu nos braços do filho, um filho que ele amava com todo o coração machucado, saber que ele morreu com um sorriso e meu nome nos lábios. Ele foi o único homem que já amei. E eu fui a única mulher que ele já amou. Sempre senti que nosso casamento era um milagre, talvez porque parecesse um milagre, ao menos para mim.

Minha mãe sempre teve um ar de dignidade. E, embora esse traço de personalidade sempre se fizesse presente, naquele momento dominou o ambiente. Suas lágrimas eram silenciosas, e havia uma ausência de drama, uma ausência de autopiedade, nenhum "por quê?", nada de "por que ele morreu tão jovem?". Ele tinha cinquenta e sete anos. Quatro anos mais velho do que minha mãe — embora minha mãe parecesse atemporal. A guerra tinha envelhecido meu pai, ainda que tivesse deixado minha mãe intocada. Mas toda a sua dignidade não poderia amenizar o luto que habitaria nossa casa por um bom tempo ainda.

A mão de Dante estava em meu ombro. Era como se aquela mão estivesse me mantendo em pé.

A sra. Quintana estava em silêncio.

— Obrigado por trazerem Dante — eu disse.

Ela sorriu.

— Eu me trouxe também — ela disse. — Trouxe minha família inteira para chorar junto com a sua. Sou meio tradicional.

A sra. Quintana pegou a mão da minha mãe, lágrimas escorrendo pelo rosto. Em toda parte, lágrimas, lágrimas de tristeza, de luto, de incredulidade. Rios, correntes, e de onde vinham as lágrimas e por que as pessoas riam e choravam e sentiam dor e por que ter mente e corpo implicava ter emoções? Era tudo um mistério tão grande, indecifrável e cruel, com um pouco de bondade incluído na mistura. Dor e alegria e raiva e vida e morte — tudo presente ao mesmo tempo, tudo refletido no rosto das pessoas ali, pessoas que eu tinha aprendido a amar por mais que não entendesse nem um pouco de amor. Eu lembrava de ler numa das cartas que minha tia Ophelia havia escrito para minha mãe: *Deus não tem um rosto além do seu. Deus não tem um rosto além do meu.* Éramos todos o rosto de Deus? Que ideia linda — embora eu não conseguisse acreditar direito que alguém veria Deus ao olhar para meu rosto. O rosto de Dante, sim. O meu... nem tanto.

E Sófocles, seu rosto era de um Deus inocente. Sorri para o sr. Quintana.

— Você sabe mesmo segurar um bebê, Sam.

Ele entregou Sófocles para mim.

— Ele está dormindo. Segurar bebês é uma boa terapia.

Ele bagunçou o cabelo de Dante. Foi muito carinhoso.

— Aliás, Ari, você percebeu que acabou de me chamar de Sam.

— Ai, merda! Desc...

— Não, não precisa pedir desculpas. Saiu de um jeito perfeitamente natural. Nem um pouco desrespeitoso. Então espero que me chame de Sam de agora em diante. Senão...

— Senão o quê? — brinquei. — Vai me encher de porrada?

— Ah, não. Eu nunca resolveria nada com você na mão. Você acabaria com a minha raça.

Eles eram tão boa gente, os pais de Dante. Eram bondosos e tinham senso de humor, e seus corações eram tão brilhantes quanto suas mentes. Dante era muito parecido com eles.

— Pode me chamar de Soledad, Ari. Eu não veria mal.

— Ah, isso eu não consigo. De jeito nenhum. Mas que tal "sra. Q"?

— Sra. Q. — Ela riu. — É estupendo. Completamente estupendo.

***

Minha mãe e a sra. Q foram à funerária para fazer os preparativos. Sam estava andando de um lado para o outro, tentando fazer Sófocles pegar no sono. Eu e Dante estávamos sentados no sofá de mãos dadas. Era meio estranho, mas até que gostoso.

Claro, Dante não deixaria nada quieto.

— É estranho para você nos ver de mãos dadas, pai?

— Muitas coisas que vocês fazem são estranhas, Dante. — Ele olhou para nós, depois inclinou a cabeça para a direita e para a esquerda, e percebi que faria uma piada sobre o assunto. — Hmm. Não sei se vocês estão fazendo do jeito certo. Vou ter que dar aula?

Ele não riu, mas tinha uma expressão de garoto no rosto.

— Então, professor Quintana, se tivesse que me dar uma nota, que nota eu ganharia?

— Bom, se eu tivesse que dar uma nota para cada um de vocês, daria um sete para Dante. Você está se esforçando demais. Nem um pouco relaxado. Ari fica com seis. Parece prestes a morrer de vergonha. — E ele estava certo. — Eu faço piadas às vezes. Gosto de brincar. Mas não quero que vocês sintam vergonha de ser quem são. As coisas podem ficar constrangedoras e desconfortáveis, sim, e daí? Dois meninos de mãos dadas. Um deles é meu filho. Isso é crime?

— Cadê os policiais quando se precisa deles? — Pode pegar o bebê, Dante? Preciso tomar um pouco de ar.

Dante pegou Sófocles e ficamos brincando com ele, enquanto Sam ia lá para fora.

— Seu pai está bem? Ele parece triste.

— Ele amava muito o seu.

— Não tinha pensado nisso.

Decidi ir atrás dele. Sam estava sentado nos degraus da frente e chorava de soluçar. Sentei do lado.

— Desculpa — ele disse. — Acabei de perder um bom amigo. Um amigo muito fervoroso e sábio e bondoso. Não queria chorar na sua frente. Parece desrespeitoso. O que é meu luto comparado ao seu?

— Sabe o que meu pai teria dito?

— Sim, acho que sei. Ele teria dito algo como: *Sam, não é uma competição.*

— Isso, exatamente.

Ficamos sentados por um momento.

— O mundo parece tão quieto.

— Parece, não? — eu disse. — Sam, não sei como dizer isso. Acho que quero agradecer você pelo seu luto. Talvez seja isso que quero dizer. Porque significa que você o amava. Não tenho mais meu pai. Mas tenho você.

— Você está se tornando um homem e tanto, bem debaixo do meu nariz.

— Sou só um menino.

— Não, não é.

Não sei por quanto tempo ficamos lá.

— Esse sentimento, essa tristeza, esse sofrimento. É uma coisa nova. Parece que ele me controla.

— Controla mesmo, Ari. Mas não vai controlar você para sempre.

— É bom saber.

Quando entramos, ouvimos a voz de Dante.

— Sófocles! Você fez cocô em todo o mapa-múndi.

Eu e Sam desatamos a rir.

— É por isso que mantemos Dante por perto. Ele é sempre um bom alívio cômico.

— Bom, e agora tenho que trocar as fraldas dele.

— Que vida dura, Dante.

— Não começa, pai — ele disse, embora estivesse rindo.

Observei Dante enquanto ele tirava a fralda do irmãozinho. A sra. Q tinha um serviço que entregava fraldas de pano. Dante cantava para ele:

— *A roda do ônibus roda, roda.* Homenzinho, você fez uma caca dessa vez. — Dante pegou uma banheirinha de plástico, e demos banho em Sófocles na pia da cozinha. Ele estava dando gritinhos e babando e fazendo barulhos. — Toma — Dante disse —, dá uma secada nele.

— Você é meio mandão.

— Puxei à minha mãe. Vai se entender com ela.

Ele me beijou no rosto e estendeu uma toalha macia dobrada na mesa da cozinha. Ele sabia o que estava fazendo. A sra. Q devia ser uma professora rígida. Dante pegou Sófocles.

— Olha só, todo limpinho, sr. Sófocles.

Eu adorava como Sófocles olhava para ele. Dante pegou uma fralda limpa.

— Canta para ele, Ari. Ele gosta que cantem para ele.

— Vamos ver. *Dorme, menino, está com soninho. A mamãe vai comprar um passarinho.*

Então Dante começou a cantar também. Cantamos, e Dante segurou Sófocles nos braços, e cantamos. Ele tinha uma expressão incrível no rosto. O que eu queria mesmo era perguntar: *Sófocles, você veio ao mundo para nos reconfortar? Para nos dar esperança?*

Notei que Sam estava parado no batente, e cantava também. Pensei no meu pai, quando cantamos juntos ao som de Paul McCartney.

É estranho acordar e perceber que há tristeza na casa. E há tristeza em todos os lugares dentro da gente. Eu sabia que Jaime, o quase médico, estava certo. Quando a energia de alguma vida entra no mundo, nunca morre, e estamos, e sempre estaremos, interligados. Mas meu pai não morava mais naquela casa. E me senti traído. Exatamente quando meu pai havia aprendido a ser meu pai e eu havia aprendido a ser seu filho, ele deixou o mundo.

E eu nunca mais ouviria sua voz de novo.

E nunca mais o veria ler um livro na poltrona, nunca mais veria aquela expressão pensativa em seu rosto.

E nunca mais o veria atravessar a porta usando seu uniforme de carteiro, aquela expressão que dizia: *Fiz meu trabalho hoje.*

E nunca mais sentiria o cheiro remanescente de cigarros no ambiente.

E nunca mais veria aqueles olhares que ele e minha mãe trocavam.

Levantei e tomei um banho. Sabia que minhas irmãs viriam de Tucson e que a casa estaria cheia, e eu não fazia ideia de quando elas chegariam. Por algum motivo estranho, me senti sozinho enquanto tomava banho e desejei que Dante estivesse ali. Eu nunca tinha tomado banho com ele, e me perguntei como seria. Fiquei pensando se homens e mulheres faziam aquilo com frequência. E depois pensei apenas: *Pare, pare, pare de pensar tanto.*

Minha mãe estava sentada à mesa da cozinha conversando com alguém ao telefone e tomando uma xícara de café. Servi uma xícara para mim e dei um beijo na cabeça dela. Quando desligou o telefone, ela disse:

— Sei que pode ser um pouco difícil para você, mas pode escrever o obituário do seu pai para mandar para o jornal antes da uma? E pode entregar para o pessoal da secretaria? Eles cuidam do resto.

Como se eu fosse dizer não. Eu nunca tinha escrito um obituário antes.

Minha mãe tinha feito algumas anotações em uma caderneta.

— Pode ser bom incluir algumas dessas informações.

Ela havia recortado alguns exemplos de obituários da pilha de jornais que guardava para reciclar.

— Mãe, você é uma professora por excelência.

— Hum... obrigada? E mais uma coisa — ela disse. Deu para ver que me pediria algo muito mais difícil do que escrever um obituário.

— Pode homenagear seu pai no discurso fúnebre?

Acho que nós dois queríamos chorar de novo — mas nos recusávamos por pura teimosia.

— Ah, seu pai escrevia em um diário às vezes. Guardei os outros. Às vezes ele escrevia todos os dias. Às vezes passava semanas sem escrever. Mas quero que você leia a última coisa que ele escreveu.

Ela me entregou o diário. Fui até a última página escrita.

Ari me perguntou se havia algum conselho que eu poderia dar para sua vida. Achei que era uma pergunta muito ambiciosa, mas tenho um filho muito ambicioso. Já fomos tão distantes que eu achava que nunca ouviria meu filho me pedir conselhos. Mas acho que conquistamos o amor que temos entre nós. Olho para ele e penso: como um homem tão raro e tão sensível e bonito pode ter saído de mim? A resposta é simples. Ele saiu de Liliana. Que conselho eu daria a Ari para ajudar sua vida? Eu diria o seguinte: nunca faça nada para provar a ninguém nem a si mesmo que você é um homem. Porque você já é um homem.

Fiquei olhando para as palavras e a caligrafia dele.

— Posso ficar com isso, mãe?

Ela fez que sim. Nenhum de nós tinha nada a dizer. Mas prometi a mim mesmo que viveria minha vida de acordo com aquelas palavras, porque, se fizesse isso, sempre poderia olhar no espelho e me ver como filho dele.

Minha mãe estava fazendo uma lista, e eu escrevia um rascunho do obituário do meu pai em uma caderneta. A campainha tocou.

— Eu atendo.

Quando abri a porta, lá estava a sra. Alvidrez, segurando uma torta de maçã.

— Oi — eu disse.

— Fiquei triste em saber do falecimento do seu pai. Ele era um homem honrado.

— Obrigado.

Minha mãe tinha vindo até a porta, e eu me afastei.

— Sei que não sou bem-vinda, Liliana. Você tem seus motivos, e não estou aqui para desrespeitar você ou sua casa. — Eu não via a cena, mas dava para ouvir que a sra. Alvidrez estava quase chorando. — Jaime era um bom homem. E sei que seu luto deve ser um fardo pesado. Ele adorava minhas tortas de maçã, então pensei que...

Ela parou no meio da frase, e eu soube que era um esforço de conter as lágrimas. Não dava para negar que ela era uma mulher extremamente orgulhosa.

— Entra, Lola. Entra e toma uma xícara de café comigo. Vamos comer um pedaço da torta de maçã e você pode me contar quais lembranças guardou de Jaime para que eu lembre dessa parte dele. Eu estava brava na última vez que você veio aqui. Mas você é sempre bem-vinda nesta casa.

Eu estava sentado no sofá na sala, mas minha mãe pegou a torta da sra. Alvidrez e a entregou para mim. Depois abraçou a sra. Alvidrez e as duas choraram uma no ombro da outra.

— Obrigada por vir, Lola. Obrigada.

Quando as lágrimas cessaram, minha mãe pegou a torta e as duas foram para a cozinha. Fiquei trabalhando no rascunho do obituário do meu pai e abanei a cabeça. Ouvi gargalhadas lá de dentro.

Minha mãe e a sra. Alvidrez... o laço entre elas importava. Elas respeitavam esse laço. Era verdade: os adultos eram professores. Eles ensinavam coisas através do próprio comportamento. E, naquele momento, por fim aprendi com minha mãe e a sra. Alvidrez uma palavra que Cassandra havia começado a me ensinar: "perdão". Era uma palavra que precisava morar dentro de mim. Eu tinha o pressentimento de que, se aquela palavra não morasse dentro de mim, a palavra "felicidade" nunca moraria também.

Minha mãe e a sra. Alvidrez estavam na cozinha — e rindo. Elas tinham perdido algo de grande valor. Mas acabaram de recuperar. O perdão.

Trinta e três

A CASA ESTAVA CHEIA DE GENTE. OS VIVOS VINDO prestar homenagem ao morto. Eu já estava cansado das lágrimas e da tristeza — embora fosse ao quintal dos fundos para chorar de tempos em tempos. Perninha me seguia e lambia minhas lágrimas, e falei que era melhor ela não morrer. Perder o pai era um inferno que eu não queria viver. Mas não tinha escolha.

Eu sabia que a morte não acontecia apenas comigo. Sabia que centenas, se não milhares, morreriam naquele dia, em acidentes, sem motivo nenhum, ou de câncer.

Lembrei do cartaz dos manifestantes: A CADA 12 MINUTOS UMA PESSOA MORRE DE AIDS. Quem iria a seus velórios? Quem faria seus elogios fúnebres? Quem homenagearia suas vidas? Quem cantaria seus nomes?

Fiquei pensando que, em algum lugar, um homem com aids morria na mesma hora que meu pai.

E talvez o filho de uma mulher morresse em um hospital em Londres, e talvez ainda um nazista rico escondido em Bogotá desse seu último suspiro.

E talvez sete pessoas morressem em uma explosão terrível em um país que conhecemos como Síria.

E havia um assassinato acontecendo em Grand Rapids, Michigan.

E um homem e sua mulher morriam instantaneamente em um acidente de carro horrível.

E em algum lugar era primavera e um ninho de pardaizinhos cantava para pedir comida. E Perninha ficou sentada ao meu lado na caminhonete enquanto eu dirigia para a casa de Dante para escrever um elogio fúnebre para meu pai, que poucos dias antes tinha me contado a história de como conheceu e se apaixonou pela minha mãe.

E Sófocles, com menos de um mês de idade, já fazia parte da terra dos vivos e dos mortos.

Trinta e quatro

VÉSPERA DE ANO-NOVO. MINHA MÃE NÃO BEIJARIA meu pai. Eu e Dante não iríamos à festa a que Gina tinha nos convidado — embora a festa nem fosse dela para convidar alguém. Eu não estava mais tão esperançoso quanto ao novo ano. Minha mãe conversava com minhas irmãs; elas pareciam planejar tudo. Havia algo de muito prático nas três. Talvez fosse isso que as tornava tão boas professoras.

Eu estava olhando fixamente para a árvore de Natal, e tinha descido para encontrar Tito, o urso que ganhei das minhas irmãs quando era bebê e com o qual dormi até os seis anos.

Fiquei olhando para ele, até que o abracei sem me sentir idiota. Tito parecia me reconfortar, embora seu pelo macio estivesse gasto e nem fosse mais tão macio.

Ouvi a campainha tocar. Abri a porta e vi Cassandra com a mãe. A sra. Ortega segurava uma panela grande, e pelo cheiro eu soube que era *menudo*.

— Pode levar isso, Ari? Está um pouco pesado para mim.

Peguei a panela de *menudo* enquanto Cassandra dava para a mãe um saco grande de *bolillos* e segurava a porta. Elas me seguiram para a cozinha.

— Mãe, a sra. Ortega trouxe *menudo*.

Minha mãe balançou a cabeça, e seus olhos se encheram de lágrimas de novo. As duas se abraçaram.

— *Ay, Liliana, como me puede. Era tan lindo, tu esposo.*

Cassandra abraçou minha mãe e disse com delicadeza:

— Meus pêsames, sra. Mendoza. Ele era um bom homem.

Ela sabia se comportar como uma mulher e parecia perfeitamente à vontade no que eu teria achado uma situação constrangedora. Cassandra pegou minha mão e fomos para a sala.

— Dante, Susie e Gina estão vindo. Queríamos passar o Réveillon com você.

— Não estou a fim de companhia... Desculpa, não quero ser grosso. Só estou cansado... Poxa, Cassandra, só estou triste. Nunca estive tão triste e não sei o que fazer e só quero me esconder em algum lugar e não sair até essa merda parar de doer.

— Ari, não se passa um dia em que eu não pense no meu irmão. Vai demorar um bom tempo até parar de doer. Mas você não é um gambá para se fingir de morto.

Naquele momento, era como se minhas lágrimas já tivessem se esgotado. Fiquei parado, desejando ser uma cadeira ou um sofá ou um chão de cimento — qualquer ser inanimado, qualquer coisa que não sentisse.

— Somos seus amigos. Não precisamos nos divertir. E não estamos aqui para animar você. Estamos aqui apenas para mostrar que amamos você. Então nos deixe amar você, Ari. É lindo deixar as pessoas que você ama verem sua dor.

— Não tem nada de bonito.

— Você não escuta. Eu disse que é lindo.

— Eu posso recusar?

— Na verdade, pode, sim.

Bem naquele momento, a campainha tocou — não que tenham me esperado abrir a porta. Os três simplesmente entraram. Quando vi, não fiquei bravo. Pensei que ficaria, mas não fiquei. Como Dante teria dito, eles eram pessoas adoráveis. Fiquei ali parado e comecei a chorar. Pelo visto, na verdade, as lágrimas não tinham se esgotado. Eles todos me abraçaram e não me falaram bobagens como *Não chora* ou *Vira homem*, nem clichês como *Ele está em um lugar melhor*. Apenas me abraçaram. Apenas me abraçaram e respeitaram minha dor.

Sentamos em volta da árvore de Natal, praticamente deitados no chão. Usei a barriga de Dante como travesseiro. Ouvimos as vozes das mulheres no outro cômodo e às vezes suas conversas ficavam sérias e às vezes ouvíamos risadas. Cassandra viu Tito no sofá.

— Quem é esse?

— É o Tito — respondi. — Ele era meu ursinho de bebê, dormi com ele até os seis anos.

— Quem diria?

— Vai tirar sarro de mim? Poxa, todo mundo teve um Tito ou algo parecido.

— Acho uma graça. Mas nunca gostei de bichos de pelúcia.

— Eu também não — Dante disse.

— Jura? — Fiquei surpreso de verdade. — Uau. Isso porque você é o sr. Sensível...

— O que você abraçava, Dante? Um dicionário? — Susie estava com aquele seu sorriso presunçoso.

Todos riram. Até Dante.

— Eu tinha uma boneca — Gina disse —, mas, sabe, não era tão apegada a ela. Um dia, quando fiquei brava, eu a decapitei.

Eu precisava daquilo. Uma boa gargalhada.

— Eu tinha uma boneca de pano chamada Lizzie. Tentava ensiná-la a me chamar de Susie, mas ela nunca aprendeu. Eu arrancava o cabelo dela. Fiquei brava com ela um dia e a fiz dormir embaixo da cama.

— Sério? De todas as pessoas nesta sala, eu sou o menos bonzinho, e eu é que sou o sentimental com um urso de pelúcia?

— Desculpa — Cassandra disse —, mas eu é que sou a pessoa menos boazinha aqui. Não tente roubar meu território.

— Você é muito boazinha, sim.

— Bom, sou, todos sabemos disso. Mas tenho uma reputação a zelar, e não podemos deixar que a informação vaze.

Dante apertou os ombros de Tito.

— Desculpa, cara, mas eu sou o Tito do Ari agora.

— E eu sou seu Tito — Susie disse.

— Eu também — Gina disse.

— E eu — Cassandra disse. — Todos somos seu Tito. E vamos ajudar você a passar por essa, Ari. Prometemos.

Naquele momento, soube que todos eles seriam meus amigos para sempre. Soube que estariam para sempre na minha vida. Soube que eu sempre os amaria. Até o dia da minha morte.

Estávamos todos reunidos na cozinha à meia-noite, comendo *menudo*. Até Dante estava comendo *menudo*.

— Um dia você vai ser um mexicano de verdade.

— Mas será que um dia vou ser um americano de verdade? Eis a questão. Antes meu sobrenome era o impedimento. Mas agora acho que ser gay que é o verdadeiro impedimento para ser um cidadão americano totalmente emancipado. Sabe, um gay não é um homem de verdade e, se não sou um homem de verdade, não posso ser um americano de verdade. Acho que tem pessoas em toda esta nação que estão invocando o nome de Scotty.

— Scotty?

— É, Scotty do *Star Trek*. Estão implorando para Scotty me abduzir, me abduzir e me deixar no planeta Klingon.

— Vão ter que me abduzir junto com você.

— Que bom que você disse isso. Vai ser útil se tivermos que lutar contra algum dos klingons.

Dante olhou para o relógio — depois seu olhar encontrou o de Susie.

— Hoje sou Dick Clark, e está na hora da contagem regressiva para o Ano-Novo... dez, nove, oito, sete, seis, cinco, quatro, três, dois, um, FELIZ ANO-NOVO!

Susie achou um rádio e estava tocando "Auld Lang Syne". Primeiro abracei minha mãe e sussurrei:

— Sei que não sou um bom substituto para o papai.

— Não preciso de um substituto. Tenho tudo de que preciso para me ajudar a passar por isso, e estou falando de você. — Ela me deu um beijo no rosto e acariciou meu cabelo. — Feliz Ano-Novo, Ari.

Nem mesmo o luto poderia lhe tirar aquele sorriso.

Dante me beijou. Não falamos nada um para o outro. Apenas nos olhamos com um certo fascínio.

Minhas irmãs me abraçaram e me beijaram, as duas me falando que estavam felizes porque eu parecia nosso pai.

Poderia não haver muita felicidade na cozinha naquela noite. Mas havia muito amor.

E talvez fosse ainda melhor.

Trinta e cinco

ANO-NOVO DE 1989. DOMINGO.

Fui à missa com minha mãe, minhas irmãs e seus maridos, e meus sobrinhos.

Eu me sentia aturdido. Parte de mim estava morta. Era difícil falar. Depois da missa, o padre falou com minha mãe. Tanta gente conhecia minha mãe. As pessoas a abraçavam, e havia uma espécie de beleza nas palavras que usavam quando falavam com ela.

Eu queria estar em qualquer outro lugar.

Queria ir para casa e encontrar meu pai sentado no alpendre, esperando por nós.

Queria que o dia acabasse.

E então chegaria segunda.

E chegaria terça, e começaria o último semestre do meu último ano — mas eu não iria à escola. Iria ao enterro do meu pai.

Trinta e seis

Querido Dante,

Fico repetindo comigo mesmo: meu pai morreu meu pai morreu meu pai morreu. *Escrevo e reescrevo o elogio fúnebre do meu pai:* meu pai morreu meu pai morreu meu pai morreu. *Olho pela janela para ver se ele está no quintal dos fundos fumando um cigarro —* meu pai morreu meu pai morreu meu pai morreu. *Ele está sentado à minha frente à mesa da cozinha e o escuto me dizer o que sei mas me recuso a aceitar: "O problema não é Dante estar apaixonado por você. O problema é que você está apaixonado por Dante".* Meu pai morreu meu pai morreu meu pai morreu.

Dante, estou tão triste. Meu coração dói. Dói. Não sei o que fazer.

Trinta e sete

DANTE VEM À TARDE. ELE DIZ QUE ESTOU COM CARA de choro. Digo que estou cansado. Fugimos para meu quarto e deitamos na cama e durmo no abraço dele. Fico repetindo: *meu pai morreu meu pai morreu meu pai morreu.*

Trinta e oito

EU ENCAIXEI A PLAQUETA DE IDENTIFICAÇÃO MILITAR do meu pai na cruz que Gina e Susie tinham me dado. Quando saí do banho, pendurei no pescoço. Eu me olhei no espelho e me barbeei. Meu pai tinha me ensinado. Quando era pequeno, eu o observava, fascinado. Me vesti e me olhei no espelho enquanto dava o nó da gravata. Meu pai tinha me ensinado a dar o nó na gravata antes da minha primeira comunhão. Amarrei os cadarços. Meu pai tinha me ensinado também. Eu estava cercado por ele, por meu pai.

Foi estranho seguir o caixão do meu pai enquanto os oito carregadores o levavam, quatro de cada lado. Sam Quintana era um dos carregadores do caixão do meu pai, e o pai de Susie era outro. Ao longo de muitos anos, eles haviam conversado sobre livros, o que só fiquei sabendo recentemente porque havia prestado pouquíssima atenção à vida do meu pai. Os outros carregadores eram carteiros. Eu e minha mãe passamos pelo corredor da igreja de braços dados. Minhas irmãs e seus maridos vieram atrás.

Tentei prestar atenção na missa, mas estava distraído. Fiquei preocupado em fazer o elogio fúnebre do meu pai, e a igreja estava cheia, todas as Filhas Católicas vestidas de branco e sentadas juntas — até a sra. Alvidrez.

Dante, a sra. Q e Sófocles estavam sentados atrás de nós. Eu não estava prestando atenção no padre quando o sermão começou. Conseguia ver os lábios dele se mexendo, mas parecia que eu tinha perdido a audição.

Depois da comunhão, o padre fez sinal para mim. Minha mãe apertou minha mão. Senti a mão de Dante no meu ombro. Me levantei e me dirigi ao púlpito. Enfiei a mão no bolso e desdobrei o elogio fúnebre que havia escrito para meu pai. Meu coração estava acelerado. Eu nunca tinha falado na frente de uma igreja cheia de gente. Congelei. Fechei os olhos e pensei no meu pai. Queria que ele ficasse orgulhoso de mim. Abri os olhos. Olhei para o mar de gente. Vi minhas irmãs e minha mãe vestidas de luto. Olhei para as palavras que havia escrito... e comecei:

— Meu pai trabalhava para o Serviço Postal dos Estados Unidos. Era carteiro, e tinha orgulho do que fazia. Ele tinha orgulho de ser um servidor público, e tinha muito mais orgulho de servir a este país como carteiro do que de ter servido ao país como soldado. Meu pai lutou em uma guerra e trouxe parte dela consigo quando voltou para casa. Ele foi um homem silencioso por muitos anos, mas, pouco a pouco, quebrou esse silêncio. Me disse que uma lição que aprendeu no Vietnã foi que toda vida humana é sagrada. Mas depois me falou: as pessoas dizem que todas as vidas são sagradas, mas estão mentindo. Meu pai odiava algumas coisas; racismo era uma delas. Ele dizia que se esforçou muito para se livrar do próprio racismo. E é isso que tornava meu pai um grande homem. Ele não culpava outras pessoas pelos problemas do mundo. Apontava os problemas do mundo dentro de si e travava uma batalha para se livrar deles. Minha mãe me deu o diário que meu pai estava escrevendo. Meu pai encheu as páginas de alguns diários ao longo dos anos, e dei uma folheada neles enquanto tentava encontrar o que queria dizer. Ler uma passagem era como estar dentro da cabeça dele. Quando eu tinha treze e catorze e quinze anos, eu queria saber o que meu pai pensava, aquele homem silencioso que parecia estar vivendo na memória de uma guerra que deixou seu coração e sua mente feridos. Mas ele era muito mais presente do que eu imaginava. Eu não fazia ideia de quem meu pai era. E por isso o inventei. O que me traz a este trecho que ele escreveu quando eu tinha catorze anos: "Os Estados Unidos são o país da invenção. Somos um povo que vive se inventando e se reinventando. Quase todas as nossas invenções são ficções. Inventamos quem são as pessoas negras e fingimos que são violentas e criminosas. Mas nossas invenções são sobre nós e não sobre elas. Inventamos quem são os mexicanos, e nos tornamos nada menos do que um povo que come tacos e quebra piñatas. Inventamos motivos para lutar guerras porque a guerra é o que conhecemos, e fazemos dessas guerras marchas heroicas rumo à paz, quando não há nada de heroico na guerra. Homens são mortos. Homens jovens. Falamos que eles morreram para proteger nossas liberdades... mesmo sabendo que é mentira. Acho uma tragédia que um povo tão criativo não consiga inventar a paz. Eu e meu filho Ari estamos travando uma guerra. Estamos lutando uma guerra contra nós mesmos e um contra o outro. Recorremos a inventar o outro. Meu filho não gosta de mim... mas na verdade não gosta de sua própria invenção. E estou fazendo o mesmo. Queria saber se um dia vamos encontrar uma saída desta guerra. Queria saber se um dia teremos coragem suficiente para pedir trégua, imaginar a paz, e finalmente nos ver pelo que somos e parar com essa bobagem de inventar". Eu e meu pai finalmente conseguimos colocar um fim na guerra que travávamos. Parei de inventá-lo e finalmente vi meu pai como ele era. E ele me viu como eu era. Meu pai se preocupava com o mundo ao redor. Pensava que poderíamos agir muito melhor, e acho que estava certo. Ele se preocupava com coisas maiores do que o mundo pequeno em que vivia; e eu adorava isso nele. Um trecho do seu diário dizia: "Não existem motivos para odiarmos as pessoas; especialmente pessoas diferentes de nós. Inventamos esses motivos para diminuir a humanidade delas. Inventamos esses motivos e acreditamos neles até que se tornam verdade. No final achamos que são fatos e acabamos nos esquecendo de onde tudo começou: em uma invenção". Meu pai não era apenas um pai. Era um homem. Era um homem consciente do mundo maior que ele habitava. Adorava arte e lia livros sobre arte. Tinha vários livros sobre arquitetura e lia todos. Tinha uma mente curiosa e queria saber coisas e não se achava o centro do universo e não pensava que sua opinião e seus sentimentos eram as únicas coisas que importavam. E isso o tornava humilde. E vou usar uma citação dele aqui. "A humildade está em falta neste mundo, e seria uma coisa boa se corrêssemos atrás dela." Meu pai não apenas correu atrás da humildade, como a encontrou. Quando morreu, morreu de um ataque cardíaco... e morreu em meus braços sussurrando meu nome e sussurrando o nome da minha mãe. Pensei numa história que ele me contou sobre um jovem soldado que morreu nos braços dele. O jovem soldado pediu que meu pai o segurasse. Não fazia nem uma hora que ele era um homem, meu pai me contou. E o jovem soldado, que era judeu, pediu para meu pai enquanto morria: "Diga para minha mãe e meu pai. Diga que vou vê-los no ano que vem em Jerusalém". Meu pai foi até Los Angeles com o objetivo de entregar essa mensagem para os pais do rapaz. Algumas pessoas pensariam que só um homem especial faria esse tipo de coisa. Mas ele citaria minha mãe, a professora, que tem tanto orgulho do que faz quanto ele tinha do que fazia: "Não se ganham pontos extras por fazer o que se tem que fazer". Minha mãe e meu pai e eu viajamos para Washington nas férias, quando eu tinha nove ou dez anos. Meu pai queria ver o Memorial do Vietnã. Mais de cinquenta e oito mil soldados morreram no Vietnã: "Eles não são apenas números. Eram seres humanos que tinham nomes. E agora, ao menos, escrevemos seus nomes no mapa-múndi". Ele encontrou os nomes dos homens que tinham sido mortos no Vietnã lutando ao seu lado. Traçou cada nome com o dedo. Foi a primeira vez que vi meu pai chorar. Meu pai traçou seu nome no meu coração. E seu nome vai permanecer aqui. E, por ter seu nome dentro de mim, serei um homem melhor. Meu nome é Aristóteles Mendoza e, se hoje me perguntarem quem eu sou, vou olhar nos seus olhos e dizer: sou filho do meu pai.

Olhei nos olhos da minha mãe ao terminar. Lágrimas escorriam, e ela estava em pé, batendo palmas, aplaudindo, orgulhosa. Vi minhas irmãs e Dante, em pé, aplaudindo. E então percebi que todas as pessoas reunidas naquela igreja estavam em pé, aplaudindo. Todas aquelas pessoas — seus aplausos, eu sabia, não eram para mim. Eram para o homem que elas tinham vindo homenagear. E senti orgulho.

Trinta e nove

FOI UM ENTERRO MILITAR. O TROMPETISTA TOCOU, AS notas solitárias desaparecendo no céu azul límpido do deserto, e os sete soldados apontaram as armas para o mesmo céu azul e dispararam uma saraivada de tiros — e aqueles tiros ecoaram em meus ouvidos. Depois outra saraivada de tiros, e mais outra. Os soldados dobraram a bandeira da forma cerimonial e cuidadosa que haviam aprendido, e um dos soldados entregou a bandeira para minha mãe e sussurrou:

— De uma nação grata.

Mas não achei que aquelas palavras fossem verdadeiras, e meu pai teria concordado comigo. Ele amava seu país. Às vezes acho que o amava mais do que conseguia suportar. Mas era um homem que buscava a verdade, e eu sabia que ele não acreditava que aquelas palavras fossem sinceras.

O padre deu o crucifixo para minha mãe, a abraçou e depois parou na minha frente e me disse em um sussurro, enquanto apertava minha mão:

— As palavras que você disse hoje não foram as palavras de um menino; foram as palavras de um homem.

Eu sei o que ele quis dizer, mas também sabia a verdade. Eu não era um homem.

Minhas irmãs e minha mãe voltaram para as limusines pretas do enterro, mas fiquei para trás. Fiquei ali sozinho, querendo me despedir, embora já tivesse me despedido... mas não, não era verdade. Eu sabia que ficaria me despedindo por um longo tempo. Não queria que nada disso fosse verdade, e não sabia como superar isso. Olhei fixo para o caixão e pensei nas lágrimas de meu pai, ajoelhado no memorial do Vietnã. Pensei no frio enquanto olhávamos para as estrelas e em como foi terno quando ele me contou a história de como conheceu minha mãe e de como se apaixonou desde o primeiro minuto.

— Pai — sussurrei —, no ano que vem em Jerusalém.

O que senti foi uma dor terrível. Não sabia que tinha caído de joelhos. Não parecia haver nada além de trevas ao meu redor.

E então me senti cercado por Dante, Susie, Gina e Cassandra, e senti Dante me puxar e me levantar. Minhas amigas estavam todas tão silenciosas quanto eu, mas eu sabia que elas estavam dizendo que me amavam e me lembrando que estávamos todos interligados. Elas estavam ao meu lado. Ouvi Cassandra cantar "Bridge Over Troubled Water" e então Dante se juntou a ela e depois Susie e Gina. Naquele momento eles pareceram um coral de anjos — e nunca pensei que poderia amar tanto, nem sofrer tanto.

E, embora eu sentisse que uma parte de mim havia morrido, outra parte se sentiu cheia de vida.

Dante me levou até o carro e sussurrou:

— Vejo você na recepção.

Quando cheguei à limusine, minha mãe estava fora do carro, conversando com um homem. Quando me aproximei, vi quem era o homem.

— Sr. Blocker?

— Ari — ele disse.

— O senhor não deveria estar em aula?

— Tinha algo mais importante para fazer hoje.

— O senhor veio. Veio ao enterro do meu pai.

— Vim. — Ele olhou para mim e assentiu. — Estava dizendo para sua mãe que fiquei muito comovido pelo que você escreveu. Parabéns, Ari. Eu estava sentado perto de um casal e, depois que todos os aplausos pararam, disse para eles: "Ele é meu aluno". Eu estava orgulhoso. Estava, e estou, muito orgulhoso de você. — Ele apertou minha mão. Olhou dentro dos meus olhos e assentiu. Virou para minha mãe, a abraçou e disse: — Ele pode ser filho do pai dele. Mas também puxou muito a você, Liliana.

E saiu andando devagar.

— Ele é um bom homem — minha mãe disse.

— É, sim.

— É uma prova de caráter ele ter vindo ao enterro do Jaime. E prova também o seu caráter. — Abri a porta do carro para ela. — E quero uma cópia do discurso que você escreveu para seu pai.

— Vou dar o original para você.

— Devolvo quando morrer.

— Tomara que você nunca morra.

— Não podemos viver para sempre.

— Eu sei. Fiquei pensando que o mundo não vai lamentar quando meninos como eu e Dante morrerem. O mundo não nos quer aqui.

— Não dou a mínima para o que mundo pensa ou quer — ela disse. — Não quero viver em um mundo sem você ou Dante.

Quarenta

QUANDO VOLTEI PARA CASA, TROQUEI DE ROUPA E vesti uma calça jeans velha e uma camiseta. Sentei na sala e tentei conversar com minhas irmãs. Mas era como se eu não conseguisse ouvir. E não conseguisse falar. Acho que minha mãe estava me observando. Ela me levou pela mão até meu quarto.

— Dorme um pouco. Agora você só precisa dormir.

— Não, agora eu só preciso do meu pai.

Ela alisou meu cabelo.

— Dorme um pouco.

— Mas eu tenho promessas a cumprir.

— E milhas a percorrer antes de dormir.

Sorrimos um para o outro, e nossos sorrisos eram tristes. E então eu disse:

— Alguns filhos partem, outros filhos ficam, mas, mãe, eu nunca vou embora.

— Um dia vai.

— Não. Nunca.

— Dorme.

Quarenta e um

QUANDO ACORDEI, ESTAVA TARDE, QUASE MEIO-DIA. Perninha ainda dormia. Ela dormia cada vez mais. Estava ficando velha. Mas ainda era uma ótima companhia de sonecas. Fiz carinho nela.

— Vamos levantar. — Ela latiu baixo. — A mamãe vai fazer café.

Fiquei me perguntando quando aquela tristeza estranha passaria.

Vesti calça jeans e uma camiseta, e fui até a cozinha para tomar café. A casa estava em silêncio, exceto pelas vozes da minha mãe e das minhas irmãs.

— Bom dia — eu disse.

— Já é tarde.

— E daí? — Abri um sorriso enviesado para Emmy. — Preciso de café.

Vera ficou me olhando.

— Você parece mesmo um adulto.

— Não julgue um livro pela capa. — Servi uma xícara de café para mim e sentei perto da minha mãe. — Por que está tão quieto?

— Os maridos levaram os filhos para ver os avós. Meus sogros ficaram bem impressionados com você, Ari.

— Eles são gentis.

— Ainda não sabe receber elogios. — Emmy estava ficando cada vez mais parecida com a nossa mãe.

— Elogios são legais. Mas, enfim, o que eu deveria dizer? Não gosto de ser o centro das atenções.

— Você é igual ao pai — Vera disse.

— Bem que eu queria.

— Ari, ficamos felizes em saber que você e o pai pararam de brigar.

— Eu também, Emmy. Mas, logo quando tínhamos ficado tão próximos... não parece justo. — Dei uma risada. — O pai odiava isso de *Não é justo*.

— Não sabia.

— Sei exatamente o que seu pai pensava quando as pessoas diziam *Não é justo*. Mas me recuso a entrar nessa conversa que você está tendo com suas irmãs.

— Por quê? Porque isso nunca acontece?

Minhas duas irmãs fizeram que sim.

Olhei para elas.

— Como tomei atitudes para tentar não me odiar mais, não vou me culpar pela falta de comunicação entre nós três. Vou assumir apenas um terço da culpa.

— Bom, somos mais velhas — Vera disse. — Talvez você deva assumir apenas um quarto da culpa. E eu posso assumir um quarto da culpa, e Emmy vai ficar com metade da culpa. Ela é a mais velha, e gosta de ficar no comando.

— Porque sou a mais madura... — Emmy começou, o que fez todos darmos risada, fez com que até ela desse risada. — Certo, como sou tão mandona, é um terço da culpa de cada um de nós não termos nos esforçado tanto para nos aproximar de você, Ari. Vamos nos esforçar mais.

— Bom — eu disse —, no universo do papai, quando as pessoas dizem que não é justo, não é exatamente de justiça que elas estão falando.

— Do que é, então?

— Ele dizia que tudo que estamos fazendo é deixar o mundo saber como somos egoístas. Estamos fazendo uma suposição e também uma acusação. Está tudo nas anotações do diário dele. Vocês gostariam de ler? Quando eu terminar, mando para vocês, para que também possam ler. E, se não me mandarem de volta, vou ter que dirigir até Tucson para resgatar.

— Eu adoraria — disse Vera.

— Ora, ora — Emmy disse. — O Arizinho aprendeu a compartilhar.

Olhei para Emmy e assenti.

— Boa. Você estava indo muito bem. Mas tinha que estragar.

— Gosto mais dessa briga de mentirinha do que do outro tipo de briga.

Vera sempre foi a pacificadora de bom coração. Ela era tão boa. Minhas duas irmãs eram boas.

— Queria dizer que estou com inveja — Vera disse — do que você e o pai tinham. Mas não. Fico muito feliz que tenham lutado para se aproximar. Todo aquele silêncio que morava dentro do pai e toda aquela teimosia que morava dentro de você, Ari... mas vocês deram um jeito.

— Vocês deram *mesmo* um jeito. — Emmy assentiu, sorrindo. — É como aquele trecho do diário do pai que você leu no seu discurso. Inventamos quem as outras pessoas são. E nos inventamos. E podemos ter imaginações bem feias e bem mesquinhas.

Minha mãe riu.

— É verdade. — Ela estendeu o braço e pegou minha mão. — Por mais que eu esteja triste pela morte do seu pai, agora, neste momento, estou feliz. E todos os meus filhos estão aqui.

E Emmy sussurrou:

— Exceto Bernardo.

— Ah, ele está aqui — minha mãe disse. Ela apontou para o coração. — Ele nunca partiu. Ele sempre estará aqui.

Não faço ideia de como minha mãe havia aprendido a suportar todas as suas perdas.

Felicidade. Sofrimento. Emoções eram coisas volúveis. Tristeza, alegria, raiva, amor. Como o universo pensou em inventar emoções e as colocar nos seres humanos? Acho que meu pai as chamaria de dádivas. Mas talvez as emoções fossem parte do problema. Talvez nosso amor nos salvasse. Ou talvez nosso ódio destruísse a terra e tudo dentro dela. *Ari. Ari, Ari, Ari, você não pode simplesmente parar um pouco de pensar e pensar e pensar?*

O que eu estava sentindo? Eu não sabia. Simplesmente não sabia. Como explicaria não saber o que sentia?

Quando minhas irmãs saíram para visitar os sogros, fui para meu quarto. Fiquei lendo um dos diários do meu pai, e ouvi a voz dele neles. Não parecia que ele estava morto. Parecia que ele estava no quarto, sentado na minha cadeira de balanço, lendo para mim.

Decidi pegar o diário que estava lendo e sentar na frente de casa. Estava frio lá fora, mas o sol rompia o dia estranhamente gelado. Fui até os degraus da frente. Não sei o porquê, mas era um dos meus lugares preferidos. Era um dos lugares preferidos da minha mãe também.

Encontrei o ponto onde tinha parado e, quando comecei a ler, minha mãe saiu e sentou ao meu lado.

— Lê para mim a parte que você está lendo.

— Ele copiou o trecho favorito dele da Bíblia.

— Lê para mim.

— "Para tudo há uma ocasião certa; há um tempo certo para cada propósito debaixo do céu: tempo de nascer e tempo de morrer…" E depois o papai escreve: "Eu me impedi de aproveitar por tempo demais… agora é meu tempo de aproveitar. Meu tempo para o silêncio passou… agora é meu tempo de falar. Já tive meu tempo de chorar… agora é meu tempo de rir. Meu tempo de odiar passou. Agora é meu tempo de amar. Vou pedir Liliana em casamento".

Ela se encostou em meu ombro.

— Ele nunca me deixou ler.

— Podemos ler juntos agora, mãe. Como ele pediu você em casamento?

— Eu tinha acabado de sair de uma aula à noite. Fomos dar uma caminhada. "O que tem de diferente em mim?", ele perguntou. Fiquei olhando para ele. "Você está mais bonito hoje do que estava ontem?" Ele fez que não. "Cortou o cabelo." Ele fez que não. Então, na esquina da Oregon com a Boston, seu pai colocou minha mão no coração dele. "Está sentindo a batida do meu coração?" Fiz que sim. "É isso que está diferente. Hoje, quando acordei, meu coração estava mais forte." Ele levou a mão à minha bochecha. "Quer ser pobre comigo?" E eu disse: "Não vou ser pobre enquanto você me amar". E então o beijei e disse: "Sim".

Lembrei de Dante me falando que nunca poderia fugir de casa. *Sou louco pelos meus pais.* Eu tinha demorado muito mais tempo para ser louco pelos meus.

Eu e minha mãe ficamos em silêncio por um tempo, e o vento frio soprou em nosso rosto e me fez me sentir vivo. Havia nuvens ao longe, e dava para sentir o cheiro da chuva. Era como se meu pai estivesse me mandando aquilo que eu mais amava. Ou talvez fosse o universo que estivesse me mandando a chuva. Ou talvez fosse Deus. Talvez não importasse. Estava tudo interligado.

Os vivos estavam ligados aos mortos. E os mortos estavam ligados aos vivos. E os vivos e os mortos estavam todos interligados ao universo.

O mundo, o universo, e Aristóteles e Dante

*Houve explosões no universo por bilhões de anos
— explosões que deram à luz um mundo
que respira vida nova. O universo cria.
Vivemos em um planeta que é parte desse universo. E, embora
sejamos apenas um grão, uma partícula minúscula, também
somos parte desse universo. Tudo está interligado e tudo
faz parte. Tudo que está vivo traz o alento do universo.
Quando algo nasce — um cão, uma árvore, um lagarto, um ser
humano —, se torna essencial para o universo e nunca morre.
A Terra não conhece a palavra "exílio". A violência começa nos
tumultos sombrios e contumazes do coração humano.
O coração humano é a fonte de todo nosso ódio — e todo nosso
amor. Devemos domar nossos corações selvagens —
ou nunca entenderemos a faísca do universo
que habita dentro de todos nós.
Viver e nunca entender os mistérios estranhos e belos do coração
humano é transformar em tragédia nossa vida.*

Um

DANTE VEIO ME VER EM CASA. EU ESTAVA OLHANDO fixamente para meu diário, mas nenhuma palavra morava dentro de mim naquele momento. Às vezes as palavras fogem exatamente quando precisamos que elas fiquem.

— Vou voltar para a escola amanhã.

Ele assentiu.

— Ari, você está tão triste. E, apesar de todo esse amor que tenho por você, não posso fazer você deixar de ficar triste. Queria poder tirar toda a dor de você.

— Mas a dor é minha, Dante. E você não pode ficar com ela. Se a tirasse de mim, eu sentiria falta.

Caminhei com Dante até a casa dele no frio. Pegamos as ruas laterais e segurei sua mão, e o silêncio entre nós era melhor do que uma conversa. Eu o beijei na frente da casa dele, e ele alisou meu cabelo, como minha mãe fazia. Aquilo me fez sorrir.

Na volta para casa, ergui os olhos para o céu estrelado e sussurrei:

— Pai, qual delas é você?

Dois

VOLTEI PARA A ESCOLA NA QUINTA. MEU ÚLTIMO SE-
mestre do ensino médio. Eu me sentia distante. Um pouco vazio.
Um pouco atordoado. Sentia vontade de chorar. Mas sabia que não
choraria. O sr. Blocker me perguntou como eu estava. Dei de ombros.

— Não sei direito.

— Vou dizer uma coisa besta. Vai melhorar com o tempo.

— Acho que sim.

— Vou parar de falar agora.

Ele me fez sorrir.

Os alunos pareceram inundar a sala.

Susie e Gina vieram até mim quando eu sentei. As duas me beijaram no rosto.

— Boa — Chuy gritou do fundo da sala.

O sr. Blocker abanou a cabeça e sorriu.

— Durante as próximas três semanas, vamos dar uma olhada em
poesia.

Houve resmungos.

— Melhora — ele disse. — Vocês terão a oportunidade de escrever
um poema.

Era bom estar de volta à escola. Eu me esforçaria — para voltar
ao normal.

Não lembro do que aconteceu na aula.

Sinceramente, não lembro de nada daquele dia — exceto de ouvir
a voz de Cassandra enquanto ela dava uma aula a Susie e Gina sobre
suas teorias a respeito de privilégio masculino. E lembro de dizer:

— Pare! Meu saco está encolhendo.

Senti que estava vivendo na terra dos mortos, mas sabia que tinha
que voltar à terra dos vivos — era o meu lugar.

Meu pai estava morto. Mas eu não.

Três

ACORDEI COM O CHORO DA MINHA MÃE. EU SABIA que sua tristeza era muito maior do que a minha. Ela amava meu pai havia muito, muito tempo. Eles tinham dormido na mesma cama, escutado os problemas um do outro, cuidado um do outro. E ele não estava mais lá. Fiquei deitado na cama, triste e paralisado. *Ah, mãe, sinto muito. O que posso fazer?* Mas eu sabia que não havia nada a fazer. Aquela dor era apenas dela. Assim como a minha era apenas minha. Ninguém poderia curá-la. A ferida teria que cicatrizar.

Eu não sabia se deveria ir até ela ou apenas deixar que ela chorasse. E então caiu um silêncio. Esperei seu choro recomeçar.

Ela deve ter pegado no sono. E então o meu choro encheu o quarto. Não lembro quanto tempo demorou até eu pegar no sono entre lágrimas.

Quatro

EU ESTAVA TOMANDO CAFÉ COM MINHA MÃE.

— Ouvi a sua dor ontem à noite.

— E eu ouvi a sua.

Não sei o porquê, mas sorrimos um para o outro.

Cinco

DANTE ESTAVA AO TELEFONE, FALANDO SEM PARAR.
Às vezes ele falava demais e era um pouco irritante. Mas às vezes eu
adorava que ele falasse muito.

— Estamos quase acabando, Ari. Estamos botando para quebrar.

— Isso é Dante fingindo ser Ari?

— Sabe, às vezes falo como todas as outras pessoas que passam
por você.

— Bom, é uma pena.

— Só fica quieto. Estou dizendo que estamos quase acabando com
esse negócio chamado ensino médio, e porra! Como estou animado!
Adeus, escola católica só para rapazes.

— E isso vindo de um rapaz que gosta de rapazes.

— Não dos rapazes da Cathedral. Gosto de um rapaz que estuda
na Austin High.

— Conta mais sobre ele.

— Não. Não sou de me gabar.

— Vou desligar agora.

— Sou louco por você.

— Você é louco, ponto-final.

O louco era eu, na verdade. Eu era louco por ele. Ou como algumas
das mulheres nos filmes que eram loucas pelo cara. Loucamente apaixo-
nadas. Isso. Era uma boa expressão. Acho que eu entendia. Sabe, o amor
não era racional, era um tipo de estado que afetava o corpo inteiro com
essa coisa chamada desejo. Ou querer. Ou qualquer que seja o nome
que quiserem dar. E me deixava louco de desejo. Ou simplesmente
louco. Ou simplesmente maluco. Eu estava maluco. Estava. Admito.

E outra coisa: eu também estava louco de tristeza. Sei que parece
uma frase mal escrita de novela, mas, porra, era verdade. Era. Eu
acordava todos os dias pensando no meu pai. Então estar loucamente
apaixonado me dava certa estabilidade. Que doideira.

Seis

DEPOIS DA AULA, ENQUANTO EU ME APROXIMAVA DA minha caminhonete no estacionamento, vi Susie e Gina e Cassandra esperando por mim.

— Proibido vadiar — eu disse.

— Chama a polícia então — Susie disse.

— Olha que eu chamo. Qual é a grande ocasião?

— Você está se afastando de novo — Gina disse.

— Não estou. Juro. Só estou triste.

— Certo — Cassandra disse —, nós entendemos. Mas se isolar do mundo não vai curar sua dor.

— Eu sei.

— Que bom. É sexta, o que acha de visitarmos suas velhas bandas e comer um hambúrguer no Charcoaler?

— Claro — eu disse.

— Você não está nem fingindo entusiasmo.

— Um dia de cada vez — eu disse.

— Tem razão.

— Então estamos combinados?

— Sim, estou dentro.

Elas fizeram o que eu sabia que fariam: me beijaram no rosto e me abraçaram, uma de cada vez.

— Vou morrer de tantos beijos e tantos abraços.

— Bom, se fosse para matar você, nós o enforcaríamos de uma vez.

— É mais direto — eu disse.

— Afeto nunca matou ninguém.

— Até onde vocês sabem. — Pude ver que elas não me deixariam chafurdar na tristeza. Quase as odiei por isso. Entrei na caminhonete. — Até de noite.

Acenei. Assim que saí com o carro, senti as lágrimas e pensei: *Alguém desliga essa torneira?*

Sete

ASSIM QUE MINHAS TRÊS AMIGAS ME DEIXARAM SOZInho, liguei o carro e comecei a dirigir. Me peguei entrando no deserto. Não parecia que eu estava dirigindo. Parecia mais que minha caminhonete me levava para lá.

Estacionei no mesmo lugar de sempre. Fiquei apenas sentado lá. Imaginei meu pai fumando um cigarro. Imaginei sua voz falando para parar de me castigar. Imaginei seu olhar antes de morrer. Tanto amor naqueles olhos que eu nunca veria de novo. Não sei por quanto tempo fiquei lá, mas escureceu. O sol já tinha se posto fazia tempo.

— Pai, pai. Por que Deus te levou se era eu que precisava de você? Me diga por quê. Não entendo. Odeio, odeio essa merda de universo. E o universo me odeia. Me odeia, me odeia, me odeia.

Me ouvi dizendo aquelas palavras e outras também. Foi como se eu tivesse deixado meu corpo e alguém estivesse vivendo ali, no meu corpo. Então eu voltava — e partia de novo. Saí da caminhonete, sentei no chão do deserto e me apoiei no para-choque.

Havia raios e trovões nos céus do deserto e começou a chover. Começou a chover forte. A chuva se misturou a minhas lágrimas salgadas. Levantei para voltar para dentro da caminhonete, mas me senti cair de joelhos. *Pai, pai.*

Eu estava completamente sozinho no mundo.

Nada além de mim e da chuva do deserto.

E do meu coração despedaçado.

— Ari! Ari!

Eu conhecia aquela voz. Conhecia aquela voz. Era uma voz melhor do que a minha.

— Dante? — sussurrei.

— Ari!

Eu o senti me levantar e me carregar nos braços.

Ouvi vozes que conhecia. Vozes de meninas. Vozes de mulheres. E elas estavam dizendo meu nome várias e várias vezes e havia amor por toda parte. Por toda parte havia amor. E eu queria estender os braços e pegar esse amor, mas não conseguia me mexer.

Oito

SENTI DANTE ME SEGURAR ENQUANTO A ÁGUA QUENTE do chuveiro atingia minha pele. Olhei para ele. Não sabia que tipo de expressão eu tinha no rosto. Ele continuou sussurrando meu nome. E eu soube que estava sorrindo.

ACORDEI E VI O SOL ENTRAR PELA JANELA. PENSEI naquela manhã, aquela manhã de verão em que conheci Dante. O sol havia entrado pela mesma janela, e eu batia os pés no assoalho de madeira enquanto escutava "La Bamba". Era como se aquele dia tivesse acontecido em outra vida, com outro menino que tinha o mesmo nome. E, em certos sentidos, tinha acontecido com outro menino mesmo. Eu era diferente. Tinha deixado aquele menino para trás. Tinha dito adeus. E estava dizendo oi para o jovem homem que havia me tornado.

Mas o jovem homem que eu havia me tornado não tinha pai. Não, não era verdade. Eu sempre teria um pai. Teria apenas que procurar por ele onde ele morava: dentro do meu coração.

Dez

MINHA MÃE ENTROU NO QUARTO. SENTOU NA CAMA.
— Sei que você está triste. Sei que seu coração está partido. Mas há momentos em que você precisa pensar nos outros, Ari. Você precisa superar suas próprias dores e pensar nas outras pessoas. Você pode se afogar em suas próprias lágrimas amargas ou pode erguer o rosto. Dante e as meninas... você os assustou. Eles têm muito medo de perder você. E eu também, Ari. Sabe o que aconteceria comigo se eu perdesse você, se você cedesse ao seu luto? Você amava seu pai? Então aprenda a viver de novo.

Ela estendeu a mão e penteou meu cabelo.

Levantou e saiu do quarto.

Onze

ENCONTREI MINHA MÃE NO QUARTO DELA. ESTAVA mexendo nas coisas do meu pai e ergueu os olhos para mim quando entrei.

— Vou doar algumas coisas dele para as pessoas que o amavam. Você pode escolher primeiro.

Ela sentou na cama e resistiu às lágrimas. Sentei do lado. Então disse:

— Quer ouvir uma piada de sacanagem?

Nós dois começamos a rir. Ela me deu um tapinha no braço.

— Qual é seu problema?

Passamos o dia todo mexendo nos pertences do meu pai. Eis as coisas que escolhi:

- Seu uniforme de carteiro
- Sua aliança de casamento
- Seu uniforme do exército
- A bandeira que recebemos no enterro
- Uma foto da minha mãe que ele havia tirado em uma aula de fotografia
- As cartas que meu pai e minha mãe tinham trocado quando ele estava no Vietnã (mas eu tinha prometido deixar que minhas irmãs as lessem)
- Sua camisa predileta
- Um par de sapatos sociais (usávamos o mesmo número)
- Seu último maço de cigarro
- Seu relógio
- Um retrato do meu pai me segurando no dia em que me trouxeram para casa
- Uma foto de mim sorrindo para câmera, sem os dentes da frente, e abraçando Tito

* * *

Depois que estava tudo embalado e separado, minha mãe olhou ao redor.

— Pensei em comprar uma cama nova. Pensei em me mudar para o quarto de hóspedes. Mas então pensei: *Bom, isso seria fugir.* Não quero fugir das memórias do homem que me amava. Então vou ficar aqui. Mas vou comprar roupas de cama novas. São um pouco masculinas demais para o meu gosto.

Concordei.

— Vamos ficar bem, não vamos, mãe?

— Sim, Ari, vamos. Seu pai me disse uma vez: "Se algum dia acontecer alguma coisa comigo, por favor, não se torne uma viúva. Seja você mesma. Apaixone-se de novo". Hmm. Me apaixonar de novo uma ova. O único homem de que já precisei foi seu pai. O resto dos homens do planeta eu dispenso.

— Bom, tem eu, mãe.

— Você não conta.

— Por quê? Porque sou gay?

— Apesar de toda a sua inteligência, você sabe ser completamente bobo. Não, não porque você é gay. Porque você é meu filho.

Doze

LIGUEI PARA DANTE.

— Ei, desculpa por ter te assustado.

— Tudo bem, Ari.

— E obrigado. Porra, finalmente pude tomar banho com você, e minha cabeça estava em outro lugar.

— Bom, podemos tentar outra vez.

— Você sempre sabe me fazer sorrir.

Caiu um silêncio no telefone.

E então a voz suave de Dante:

— Tem certeza de que vai ficar bem?

— Tenho, sim. E sugiro que a gente vá ao Charcoaler à noite para dar uma volta. Vou ligar para as meninas.

Dante estava sentado no alpendre quando o busquei. Ele desceu e sorriu quando viu minha mãe.

— Sra. Mendoza! Vai com a gente?

Alguns dias, Dante voltava a falar como o jovem descolado que nunca seria.

Minha mãe sorriu para ele.

— Se não se importar.

— Por que eu me importaria? Às vezes, você é muito mais divertida do que o Ari.

— Continue assim, Dante. Continue assim.

Quando chegamos ao Charcoaler e fiz meu pedido, vi Cassandra e Gina e Susie encostadas no carro de Gina comendo anéis de cebola. Quando nosso pedido ficou pronto, estacionei perto delas, e todas gritaram:

— Sra. Mendoza! Que demais!

Às vezes eu as amava tanto. Havia algo nas meninas que os caras não tinham… e nunca teriam. Elas eram incríveis. Talvez um dia, em vez de sempre ter que provar que eram homens de verdade, os caras estudassem o comportamento das mulheres e começassem a agir de maneira mais parecida com elas. Isso seria incrível.

Treze

NA MANHÃ DE DOMINGO, EU E CASSANDRA FOMOS correr. Me senti vivo. Foi como se Cassandra conseguisse ler minha mente.
— Também me sinto cheia de vida.

Eu e Dante fomos para o deserto. O deserto estava sempre lá. Esperando por mim. Fizemos uma longa caminhada. Às vezes parávamos e Dante me abraçava. Foi um dia sem palavras. Era bom estar livre das palavras.
Quando o sol estava para se pôr, deixando o céu sem sua luz, eu e Dante nos encostamos na caminhonete. Olhei para Dante.
— Ei — eu disse —, estamos vivos. Então vamos viver.
— Vamos viver.
E fiz amor com ele.
— Vamos viver — sussurrei.

Catorze

NO ALMOÇO, CONTEI PARA GINA, SUSIE E CASSANDRA a história que meu pai havia me contado sobre minha mãe e os lagartos. Me peguei chorando. Conseguia ouvir a voz do meu pai me contando a história, e acho que fiquei triste, mas também fiquei um pouquinho feliz. Ele me deixou histórias para contar. Todos tinham histórias para contar. Meu pai tinha. Minha mãe tinha. E eu tinha. As histórias viviam dentro de nós. Acho que nascemos para contar nossas histórias. Depois que morremos, nossas histórias sobrevivem. Talvez fossem nossas histórias que proporcionassem ao universo a energia de que ele precisava para continuar dando vida.

Talvez tudo que tivéssemos a fazer nesta terra fosse continuar contando histórias. Nossas histórias — e as histórias das pessoas que amamos.

Quinze

NA SEMANA SEGUINTE, TIVEMOS UMA SIMULAÇÃO DE incêndio durante o segundo período, mas foi meio estranho. Não parecia uma simulação de incêndio normal. Vi alguns dos professores conversando entre si, e vi o sr. Blocker — que estava morrendo de rir — e alguns outros professores também, até que outro professor os repreendeu, mas eu estava longe demais para ouvir a conversa. Alguém falou alguma coisa sobre grilos. Achei esquisito. E algumas pessoas estavam questionando Javier Dominguez, que era um menino inteligente e descolado de que todos gostavam. Mas, se Javier sabia alguma coisa, ele não estava dando com a língua nos dentes.

Depois de uns vinte e cinco minutos, finalmente fomos levados de volta a nossas salas de aula. E pensei que talvez o dia fosse bom e me distraísse da dor que eu carregava dentro de mim.

No horário do almoço, a notícia se espalhou. E nossa repórter investigativa particular, Susie, deu o furo.

— Soltaram um exército de grilos na sala da sra. Livermore.

— Quê?

— Centenas de grilos por toda parte. Parece que a sra. Livermore saiu correndo e ficou à beira de um ataque de nervos.

— Grilos?

— Centenas.

— É isso que chamo de genial — Cassandra disse. — Tenho certeza de que a sra. Livermore achou que fossem baratas, então ficou doidona, mas eram só grilos. É incrível, sério.

— Mas como conseguiram tantos grilos?

— Dá para encomendar.

— Tipo em um catálogo?

— Isso. Ou na pet shop.

— Mas por que alguém encomendaria grilos?

— São comida... para lagartos e cobras, por exemplo.

— Ah, que nojo.

— Os alunos na turma dela piraram?

— Eu teria pirado — Gina disse. — Estou arrepiada.

Sorri ao imaginar a sra. Livermore saindo correndo da sala de aula. Era bom sorrir.

— Ai, cara — Susie disse —, eu teria vendido a alma para estar lá.

Dezesseis

NA IDA PARA A ESCOLA NA SEGUNDA, EU ESTAVA CANtando. É, cantando. Tinha altos e baixos, e altos e baixos.

Eu estava sentado na sala de estudos quando ouvi a voz do sr. Robertson no intercomunicador.

— Os seguintes alunos, por favor, venham à diretoria imediatamente: Susie Byrd, Jesus Gomez e Aristóteles Mendoza.

Nos entreolhamos.

— Acham que eles pensam que tivemos alguma coisa a ver com os grilos? — Susie olhou para mim. — Eu confessaria o crime mesmo não tendo cometido. Eu seria uma heroína.

Descemos o corredor rindo.

— Isso é tão empolgante.

— Susie, para mim empolgante é outra coisa.

— É, sim — Chuy disse. — É demais. Estamos famosos.

Meus amigos eram doidos — sério, doidos.

Quando chegamos à sala do sr. Robertson, a porta se abriu e dois alunos saíram batendo os pés. O sr. Robertson olhou para a secretária.

— Lembra de deixar esses dois em detenção a partir de hoje.

Ela pegou uma caderneta.

— Por quanto tempo?

— Duas semanas.

— Faz tempo que não aparecem bissemanais.

— Que idioma você está falando, Estella?

— Um só meu — ela disse. Ela falava com um sotaque mexicano; fora isso, seu inglês era excelente. Ela estava claramente de mau humor. Acho que o sr. Robertson ia dizer alguma coisa, mas Estella ainda não tinha terminado. — Não acho que você tem o direito de corrigir minha pronúncia, já que tenho que corrigir sua gramática antes de pedir para você assinar todas as cartas que manda.

Ela era secretária dele desde sempre, e não levava desaforo para casa. Sabia lidar com os alunos, e com o chefe. Sabia o valor do seu trabalho. O sr. Robertson não falava nada de espanhol, e ela tinha que ser a tradutora dele quando necessário — todos os dias.

— É por isso que eu pago você, Estella.

— É por isso que a secretaria de educação me paga.

— Estella, hoje não. Não estou no clima.

— Entendo, mas, se a sra. Livermore ligar mais uma vez hoje, vou encaminhar a ligação para você. Ela já ligou quatro vezes e, na última, disse que talvez houvesse uma barreira linguística. Se ela ligar de novo, vou falar em espanhol logo de uma vez e você assume daí. E a sra. Robertson trouxe seus remédios de pressão. — Ela entregou os comprimidos para ele. — Acho que agora seria um bom momento de tomar. Vou pegar um copo de água.

Eu, Susie e Chuy nos entreolhamos.

O sr. Robertson fez sinal para entrarmos na sala.

— E imagino que vocês achem isso tudo engraçado.

— Engraçado — Susie disse. — Gosto dessa palavra.

— Você sempre acha necessário responder quando nenhuma resposta é necessária?

Ele estava definitivamente de mau humor.

Sentamos. Estella entrou e deixou o copo de água na mesa do sr. Robertson. Ele tomou um comprimido. Estava velho e bastante abatido, e me perguntei por que alguém iria querer o trabalho dele. Ele ficou parado por um momento, claramente tentando se acalmar.

— Então — Chuy disse —, ganhamos algum tipo de prêmio?

O sr. Robertson tampou o rosto e começou a rir, mas parecia querer chorar. Chuy estava com um puta de um sorrisão incrível no rosto. Eu adorava aquele cara.

— Que tipo de prêmio você achou que poderia estar recebendo, Jesus?

— Chuy. É Chuy. Que tipo de prêmio? Que tal o prêmio merecido por falar a verdade na cara dos poderosos?

— Que verdade?

— Apontamos o racismo da sra. Livermore.

— Ela *não* é racista — ele disse com firmeza. — Ela só é burra.

— Colocou a mão na testa, cobrindo o rosto. — Eu nunca falei isso.

— E nós nunca escutamos — Susie disse. — Mas racismo e burrice não são mutuamente excludentes. E costumam andar de mãos dadas.

— Eu sou um educador. Sei que agora estou numa posição de supervisionar as coisas, mas isso não me torna menos educador. E é minha responsabilidade falar para vocês que palavras como "racismo" não devem ser usadas de maneira leviana. Vocês deveriam pensar duas, três vezes antes de lançar essas acusações contra outro ser humano. Fui claro?

E então tive que intervir.

— O senhor tem razão. Devemos pensar três vezes antes de fazer alegações destrutivas. Mas acho que o senhor pensa que não somos inteligentes o bastante ou que não sabemos o suficiente do mundo para entendermos o significado da palavra "racismo". O senhor acha que só não gostamos dela. Acha que não deveríamos usar a palavra "racismo" porque não conquistamos o direito de usá-la. Por isso deveríamos deixar para o senhor e outros adultos esclarecidos decidirem quando cabe usar essa palavra. Mas o senhor nos desrespeita e nos subestima. E desrespeita muitos dos nossos professores, que nem sonhariam em nos tratar como ela nos trata. E *o senhor* sabe e *eu* sei que esta não é a primeira vez que escuta essa reclamação. O senhor não fez seu trabalho. Assim como não deu nota nos nossos trabalhos. O senhor é o adulto. E nós somos os adolescentes. E é seu trabalho cuidar de nós. E o senhor não está se saindo muito bem.

— Se estou aqui escutando tudo isso é unicamente porque, por acaso, conheço sua mãe, que é um orgulho para a profissão dela. É o único motivo.

— Acho que eu já sabia disso.

Eu estava prestes a falar mais uma coisa, mas ele me impediu. Apontou para a porta.

— Saiam. E não quero mais ver nenhum de vocês nesta sala por nenhum motivo que seja pelo resto do ano letivo.

— O senhor esqueceu de nos dizer por que nos chamou.

De repente, ele fez uma cara envergonhada.

— Ah, sim, verdade. Algum de vocês sabe alguma coisa sobre aqueles grilos?

— Grilos?

— Eu não ficaria surpreso se você tivesse algo a ver com aquilo, Chuy.

— Bom, se tivesse, eu confessaria.

— Eu também — Susie disse.

Em seguida, ele olhou para mim.

— Eu ando ocupado com outras coisas.

— Ah, claro. — Ele ficou muito quieto. — Fiquei muito triste ao saber sobre seu pai. Ele era um bom homem.

Fiz que sim.

— Obrigado. É bom ouvir isso.

Ele olhou para todos nós.

— Não sou nenhum tipo de monstro, sabiam?

— Sabemos — Susie disse. — O senhor está tentando fazer seu trabalho. E nós estamos tentando fazer o nosso.

Ele sorriu.

— Srta. Byrd, ainda vai mudar uma parte do mundo. Sei que pessoas como eu atrapalhamos às vezes. Tento não levar para o lado pessoal. Agora saiam daqui, todos vocês.

Lembrei do que meu pai tinha dito, que havia homens piores e diretores piores. Mesmo assim, fiquei puto com o que o sr. Robertson disse: que só tinha me escutado porque conhecia minha mãe. Quando ouvi o sr. Robertson dizer aquilo, me senti invisível. E furioso. Ele simplesmente não nos enxergava. Pensava em nós apenas como rebeldes. É por isso que havia nos chamado. Assim que soube o que havia acontecido na sala da sra. Livermore, pensou em nós. Ele simplesmente não nos enxergava.

Faltavam apenas dez minutos de aula. Fui em direção à saída mais próxima. Precisava tomar um ar. Susie e Chuy vieram atrás. Fechei os olhos e respirei fundo.

— Ari, você foi incrível.

— Fui? Ele não ouviu uma palavra do que eu disse.

— Errado — Chuy disse. — Ele escutou você. Escutou em alto e bom som.

— Sabe, sinto pena da sra. Livermore. De verdade. Mas como devemos aprender a ver a verdade? Onde devemos aprender a diferenciar o certo do errado? Talvez seja isso. Eles não querem que vejamos a verdade. No fundo, não querem que diferenciemos o certo do errado. Querem apenas que nos comportemos.

Susie olhou para mim.

— Gosto quando você é assim.

— Por quê? Porque estou me comportando como Susie Byrd?

Chuy começou a rir. E então Susie começou a rir. E então eu comecei a rir. Mas todos sabíamos que o que realmente queríamos fazer era chorar. Estávamos muito decepcionados. Talvez tivéssemos expectativas demais.

O sinal tocou.

Dezessete

ERA ÓBVIO QUE SUSIE RESOLVERIA O MISTÉRIO DOS grilos da sala de aula.

— Foi David Brown. Eu deveria ter imaginado. Ele disse que queria ser um entomologista quando estávamos na quinta série.

Atravessamos o corredor e ela deixou um bilhete no armário dele. *Querido Grilo, você é meu herói. E não se preocupe: não vou revelar sua identidade. Todos te amamos. Susie Byrd.*

No dia seguinte, ele passou por nós com sua bandeja de almoço.

— David — Susie disse —, vem sentar com a gente.

Ele ficou assustado. Olhou fixamente para Susie.

— Não sou muito sociável.

— Quem liga? Não vamos dar nota para suas habilidades sociais.

— Você é engraçada — ele disse.

Ele sentou, constrangido e sem jeito, e fiquei com pena. Por que Susie vivia atormentando os solitários do mundo que queriam ser deixados em paz?

— Por que você fez aquilo, David? Os grilos?

— Como descobriu que fui eu? — Ele estava tentando falar baixo.

— Não importa. Seu segredo está a salvo. Então, por quê?

— Vocês são muito fãs dela?

— Todo mundo odiava aquela mulher. Incluindo eu.

— Nem todo mundo odiava. Mas eu a odiava *muito*. E, na verdade, meio que quem me deu a ideia foi Ari.

Olhei para ele com um grande ponto de interrogação na cara.

— Bom, eu estava sentado naquela mesa ali. E ouvi você contar a história sobre sua mãe e os lagartos que um cara soltou na sala de aula. E então tive essa ideia. Foi um momento bem *uau*. E eu soube o que faria.

— Mas por que grilos? — Susie perguntou.

— Bom, eu gosto de grilos. Grilos não são tão assustadores assim.

Dizem que dão sorte. Ao contrário de *cucarachas*. Quando soltei os grilos, a sra. Livermore ficou com uma cara de pavor que eu nunca tinha visto, e vocês deveriam ter visto como ela saiu correndo e gritando. Todo mundo riu, mas algumas pessoas sentiram pena dela. Eu não senti nada.

Ele olhou para o prato.

— Talvez isso me torne uma má pessoa. Não estou arrependido.

Começou a levantar da mesa.

— Fica aqui e come seu almoço — Susie disse. — Você deveria pensar da seguinte forma. Aqueles grilos eram um exército de manifestantes, marchando e exigindo justiça.

— Você está tentando me conquistar?

EU NÃO SABIA POR QUE ESTAVA ASSISTINDO AO JORNAL.
Tinha um representante da ACT UP e o repórter perguntou para ele:
— Não tem medo de que suas estratégias estejam ameaçando as mesmas pessoas que vocês querem alcançar?
E o homem respondeu:
— Ninguém está escutando. Não temos nada a perder. Estamos morrendo. Você quer que sejamos bonzinhos? Acha que queremos que as pessoas gostem de nós? Elas nos odeiam.
Eu estava sozinho em casa. Desliguei a televisão.

Dezenove

ESTÁVAMOS SENTADOS NA MINHA CAMINHONETE DE-
pois da aula. Dante teve folga, graças a algum santo famoso, e ficou
me esperando no estacionamento.

Ele acenou, aquele sorriso no rosto.

— Quero te beijar, Ari.

— Não é uma boa ideia.

— Você tem razão. Estamos cercados por heterossexuais privile-
giados que se acham superiores. E eles surtariam. Por que os heterossexuais são tão sensíveis com as coisas? Nossa, são frágeis pra caralho.

— Não é culpa deles. Eles são ensinados a ser assim.

— Bom, nós fomos ensinados a ser assim. E superamos.

— Talvez porque somos gays.

— Não tem nada a ver com isso. E você acabou de revirar os olhos
para mim.

— Estou com um cisco no olho.

— Eu te amo.

— As pessoas vão ouvir.

— As pessoas vão me ouvir? Sério? Alunos de ensino médio não
são pessoas. Eram pessoas antes de entrar no ensino médio. E vão voltar a ser pessoas depois que saírem do ensino médio. Por enquanto, só
estão ocupando espaço.

— Ao contrário de mim e você. Não estamos só ocupando espaço.

— É claro que não. Pessoas gays não estão só ocupando espaço.
Somos melhores do que isso. E também transamos melhor.

Pois é, esse tal de Dante era um palhaço.

Um passeio no deserto em silêncio. Às vezes o silêncio do deserto
era um tipo de música. Eu e Dante dividíamos um silêncio que era
como uma música também. O deserto não nos condenava por ficarmos

de mãos dadas. Parecia tão simples, andar em algum lugar e segurar uma mão humana. A mão de um homem. Mas não era nada simples.

Paramos e tomamos um pouco de água que eu levava na mochila.

— Você é como a água, Ari. Não consigo viver sem água.

— Você é como o ar, Dante. Não consigo viver sem ar.

— Você é como o céu.

— Você é como a chuva.

Estávamos sorrindo. Estávamos jogando um jogo. E nós dois venceríamos. Não havia perdedores naquele jogo.

— Você é como a noite.

— Você é como o sol.

— Você é como o amanhecer.

— Eu te amo, Aristóteles Mendoza. Você acha que digo isso demais. Mas gosto de me ouvir dizer isso.

Ele se apoiou no meu ombro.

Ficamos lá no silêncio do deserto... e ele me beijou. Naquele momento, pensei que éramos o centro do universo. Será que o universo poderia nos ver?

Ele me beijou e retribuí o beijo. Que o universo visse. Que o céu visse. Que as nuvens vissem. Ele me beijou. Que as plantas do deserto vissem. Que os salgueiros do deserto, que as montanhas ao longe, que os lagartos e as cobras e as aves e os papa-léguas vissem. Eu retribuí o beijo. Que as areias do deserto vissem. Que a noite viesse... e que as estrelas vissem dois rapazes se beijando.

Vinte

A SRA. LOZANO TINHA ESCRITO O NOME NA LOUSA. Sra. Cecilia Lozano.

— Serei sua professora pelo resto do semestre. Estamos um pouco atrasados, mas tenho certeza de que vamos recuperar o tempo perdido. É uma pena, mas soube que houve problemas nesta turma. — Ela estava com um sorriso maroto. — E fui informada de que alguns de vocês não se sentem à vontade em ambientes educacionais. Talvez o problema sejam as carteiras. — Ela deu uma piscadinha para nós.

E todos nos apaixonamos por ela.

— Por que não começam me contando um pouco sobre vocês. Quando eu chamar seus nomes, falem o que querem ser quando crescer. Susie Byrd, você já escolheu uma profissão?

— Quero concorrer ao Congresso um dia.

— Bom para você. E bom para nós. Você já tem uma plataforma?

— Tornar os ricos pobres, e os pobres, ricos.

— Você tem muito trabalho pela frente.

No entanto, deu para ver que a sra. Lozano tinha gostado da resposta de Susie. A sra. Livermore teria dado um sermão.

Lucia Cisneros disse que não queria crescer.

A sra. Lozano abanou a cabeça e sorriu.

— Sinto muito, mas essa não é uma opção.

— Então quero trabalhar na Chico's Tacos.

Todo mundo deu risada.

— Por que você gostaria de trabalhar na Chico's Tacos?

— É da minha família. Eu poderia assumir.

— Eu preferia assumir a L&J.

O bom e velho Chuy.

— É da sua família?

— Não, senhora.

— Bom, então você vai enfrentar algumas dificuldades.

Todos deram risada.

Os professores eram importantes. Eles poderiam fazer a gente sentir que nosso lugar era na escola, que conseguiríamos aprender, que conseguiríamos ter sucesso na vida — ou poderiam fazer a gente sentir que estava perdendo tempo. Enquanto íamos passando pela turma, tentei pensar em qual seria minha resposta. Então a ouvi chamar meu nome e me ouvi dizer:

— Quero ser escritor.

A sra. Lozano pareceu muito feliz quando eu disse isso.

— É uma profissão muito difícil.

— Não ligo que seja difícil. É o que quero ser. Um escritor.

— Sobre o que você escreveria?

Quis responder: *Quero escrever uma história sobre dois meninos que se apaixonam um pelo outro.* Em vez disso, disse:

— Quero escrever histórias sobre as pessoas que moram na fronteira.

Ela assentiu.

— Vou ser a primeira da fila para comprar seu livro.

— Ari, eu não fazia ideia de que você queria ser escritor.

Olhei para Susie.

— Eu também não.

— Sem brincadeira. É sério?

— Acho que talvez eu sinta algo dentro de mim que me diz que vou ser escritor.

— Acho que você seria um escritor maravilhoso.

— Me faz um favor, Susie. Não conta para ninguém, nem mesmo para Gina.

Ela abriu um sorriso que era como o nascer do sol.

— Ah, uau! Nunca pensei que Ari Mendoza me pediria para guardar um segredo. Você acabou de fazer meu ano.

As férias de primavera chegaram. Os alunos da nossa escola não faziam viagens para praias ou Las Vegas ou lugares como Los Angeles ou San Diego. Era preciso dinheiro, e a maioria de nós não tinha. Mas gostávamos das férias mesmo assim. Passeávamos — o que não era tão ruim. Gostávamos de passear.

E todos estavam animados. Férias de primavera — e depois a formatura. Os diplomas. O fim. E o começo. O começo de quê? Para mim, uma vida tentando entender em quem confiar e em quem não confiar.

Tive um sonho. Acho que, no fim, foi um sonho bom. Eu e Dante estávamos correndo. Havia uma multidão de pessoas nos perseguindo, e eu sabia que elas queriam nos machucar. Dante não era um corredor, então ficava para trás. Voltei correndo e disse: "Pega minha mão" — e de repente ele virou um corredor. De mãos dadas, corremos. Mas a multidão ainda estava atrás de nós. E então chegamos à beira de um precipício — e lá embaixo havia ondas batendo na costa rochosa.

— Temos que mergulhar na água — Dante disse.

— Não sei mergulhar.

Achei que ninguém conseguiria sobreviver pulando naquela água e pensei que eu e Dante iríamos morrer.

Dante não tinha medo. Ele sorriu.

— Temos que mergulhar. É só mergulhar quando eu mergulhar.

Eu confiava nele, por isso mergulhei quando ele mergulhou. E então me senti tocar a superfície. A água era quente, e eu e Dante sorrimos um para o outro. Depois ele apontou para a praia de areia. E vi meu pai acenando para nós e sorrindo.

Foi então que acordei. Eu me senti vivo. E soube que parte do motivo por que me sentia tão cheio de vida era Dante.

Foi um sonho bom. Um sonho lindo.

Depois que acordei do sonho, levantei da cama e fui na cozinha pegar café. Sorri para minha mãe.

— Por que você não está pronta para a escola?

Ela balançou a cabeça.

— Não sei você, mas estou em recesso de primavera.

— Eu sabia. Só estava confirmando se você estava, sabe, em contato com a realidade.

— Ari, só toma seu café e fica quieto. Às vezes é melhor não falar nada.

Eu e Dante estávamos na casa dele brincando com Sófocles. O garotinho gostava de se mexer de um lado para o outro. E havia descoberto sua voz. Fazia barulhos, e sabia que os barulhos vinham dele. Eu gostava de ouvir seus gritos de encantamento. Essa era a palavra, "encantamento". Ele estava encantado com a vida. Um dia, gritaria seu nome para o mundo. Eu torcia para que o mundo o escutasse.

Vinte e um

NA NOITE DE DOMINGO, EU ESTAVA ME PREPARANDO para começar meus últimos dois meses no ensino médio. O que eu tinha aprendido? Tinha aprendido que meus professores eram pessoas — e alguns deles eram extraordinários. Aprendi que tinha algo em mim chamado escrever.

E estava aprendendo que, às vezes, era preciso deixar as pessoas que a gente amava partir.

Porque, se não, a gente viveria triste todos os dias. Preencheria nosso coração com o passado. E não haveria espaço suficiente para o presente. Nem para o futuro. Deixar partir era difícil. E necessário. Necessário — essa era a palavra.

Também estava aprendendo que amar alguém era diferente de se apaixonar.

E que havia muitas pessoas que eram como eu e que estavam lutando para descobrir quem elas eram. E não tinha nada a ver com ser heterossexual ou gay.

E, sim, estávamos todos interligados. Todos queríamos ter uma vida que valesse a pena viver. Talvez algumas pessoas morressem se perguntando por que tinham nascido ou por que nunca haviam encontrado a felicidade. E eu não morreria me fazendo essas perguntas.

Vinte e dois

EU, SUSIE, GINA E CASSANDRA ESTUDÁVAMOS NA minha casa à noite. Dante também vinha estudar com a gente. Às vezes ficávamos de mãos dadas embaixo da mesa.

— Vocês não precisam esconder — Cassandra disse. — A gente sabe o que estão fazendo.

— Não estamos escondendo — Dante disse. — Só somos pessoas muito reservadas.

Cassandra apontou para mim.

— Ele é reservado. Você, por outro lado, é quase um exibicionista emocional.

— É mesmo?

— É — ela disse. — É o que torna você bonito. Você tem um coração e não tem medo de escondê-lo. Ari ainda tem algumas coisas a aprender nesse sentido.

— Olha só quem está falando — Gina disse —, a srta. Nunca Deixo Me Verem Chorar.

— As mulheres precisam aprender a se proteger.

— Você poderia dar aulas — Susie disse. — Eu entraria na turma.

— Como fui virar o assunto dessa conversa? Não estou gostando do rumo que isso está tomando. — Cassandra pegou suas anotações e começou a revisá-las. — Amanhã tenho prova.

Todos voltamos a estudar.

Foi assim que vivemos nossa vida pelo resto do semestre. Às sextas e aos sábados, íamos ao cinema ou saíamos para o deserto e conversávamos. Conversávamos muito. Às vezes Susie levava o menino que estava namorando, "Grilo". Todos nós o chamávamos assim, e ele passou a gostar.

Certa noite, fomos todos para o deserto e Cassandra levou duas garrafas de champanhe.

— Eram para o Ano-Novo, mas não deu muito certo.

— É contra a lei beber na nossa idade. Vamos estar quebrando a lei.

Susie olhou para mim.

— O que você quer dizer com isso?

— Somos o elemento criminoso de que a sociedade quer se livrar.

— Talvez não estejamos cometendo crime.

— Bom, estamos — Dante disse —, mas duvido que o tribunal perca tempo abrindo processo contra nós.

— Bom, sou a favor de cometer esse crime doloso e dane-se. — Gina soltou uma risada maléfica.

Cassandra estourou o champanhe, pegou os copos de plástico e propôs um brinde:

— A Ari e Dante. Porque amamos que vocês se amam.

Fofo. Fofo pra cacete.

Foi divertido. Não havia álcool suficiente para um porre. Nem mesmo para ficarmos altinhos, na verdade. Dei a maior parte do meu champanhe para Dante. Eu sabia que não me tornaria o tipo de cara que curte champanhe.

Vi Susie beijar Grilo no rosto.

— Meu rebelde com causa.

— Eu também beijaria você, mas talvez não seja tão legal — falei —, então se considere beijado.

Grilo abriu um sorriso bobalhão.

— Foi uma coisa legal de dizer.

Nosso segundo brinde foi a Grilo. Antes de brindarmos, ele disse:

— Bom, talvez devêssemos brindar à mãe de Ari. Foi ela quem me deu a ideia. Bom, através do Ari.

— À minha mãe — eu disse, e todos brindaram.

Mas voltamos a brindar ao Grilo. Torci para que ele crescesse e mudasse o mundo. Se ele ficasse com Susie, os dois poderiam mudar o mundo juntos. Eu queria viver nesse mundo.

Eu e Dante demos uma escapada do grupo para nos pegar um pouco. Quem foi que inventou o termo "pegação"? "Dar uns amassos"?

"Chamego"? Eu me sentia imaturo e bobo dizendo essas coisas. Odiava a palavra "bobo". E odiava pensar em mim mesmo como bobo.

— Isso é tão adolescente — Dante disse.

— Bom, é, mas sou reservado demais para ser exibicionista.

— Heterossexuais se pegam na frente dos amigos, e não os consideramos exibicionistas.

— Cala a boca e me beija, Dante. Como vamos nos beijar se você estiver ocupado demais falando?

— Ei! Já reparou que nunca transamos dentro da sua caminhonete? Estou falando da cabine.

— Isso, sim, é bem adolescente.

— Todos os caras da Cathedral falam de sexo no carro.

— Está brincando. Todos aqueles bons meninos católicos?

— Quase todos são meninos católicos espertos. Se são bons ou não, já não sei. Quer dizer, os meninos da escola católica são só caras, não são coroinhas.

Então ouvimos nossos amigos nos chamarem.

— Estamos indo — gritei —, estamos indo! — Torci a mão de Dante. — Não deu nem para uma pegação.

— Não precisamos ser sexuais o tempo todo.

— Você ainda vai se arrepender dessas palavras, sr. Quintana.

Voltamos de mãos dadas.

— Então, o que estavam fazendo? — Gina estava com um sorriso sarcástico.

— Estávamos caçando lagartos.

Caí na armadilha — e Cassandra nunca deixava uma frase boa escapar.

— Estavam caçando o lagarto um do outro, isso, sim.

Eles morreram de rir, e, quando pararam, eu disse:

— Esse comportamento adolescente não me agrada. Cassandra, você está regredindo.

— Passei a vida toda fingindo ser uma mulher. Me deixa ser uma menina.

Eu amava Cassandra. Havia algo em como ela falava as coisas — não *o que* ela falava, mas *como* falava. Fiquei pensando em quantos corações ela partiria.

— Vocês acham que a maioria das pessoas do ensino médio transa?

— Algumas, sim — Susie disse. — A maioria, não. As meninas que transam negam. E a maioria dos caras que dizem que já transaram é um bando de mentiroso.

— Então — Gina diz —, quando é moralmente aceitável transar?

— Nunca — Cassandra disse. — Talvez dependa da religião. Se você for católico, nunca vai ser moralmente aceitável, a menos, claro, que esteja tentando ter filhos.

— Nos Estados Unidos, somos todos doidos com essa história de sexo — Susie disse. — Se você transar antes do casamento, é só não contar para ninguém. Não vão perguntar. E, sério, ninguém quer saber. E tudo vai ficar bem. É só não tocar no assunto. Toda vez que vejo uma mulher grávida, quero ir até ela e dizer: "Hum... andou transando, né? Mandou bem".

Grilo riu muito com essa.

E então Gina interveio.

— Se um cara sai com uma menina, as pessoas não presumem que eles vão transar. Mas, se um cara sair com outro cara, bom, todo mundo presume que eles com certeza vão transar. Porque todos sabem que homens gays são obcecados por sexo.

— Não é justo.

— Bom, é isso que dá serem homossexuais.

Eu e Dante achamos aquilo muito engraçado. Mas por que as pessoas sempre falavam sobre nossa opção sexual? *Opção?* Não era como se estivéssemos escolhendo entre dois candidatos concorrendo à presidência. Não era nada disso.

Vinte e três

SEXTA À TARDE E EU TINHA ACABADO DE VOLTAR DE uma corrida. Era bom correr sozinho às vezes. Muito bom. Eu estava sentado na frente de casa, esperando as batidas do meu coração se acalmarem, suor escorrendo. Minha mãe saiu de casa. Sentou perto de mim.

— Você está bonita, mãe.

— Vou encontrar uns amigos para jantar. Não estou muito a fim de ir, mas preciso aprender a viver sem seu pai. E tenho certeza de que vou me divertir. Tenho amigos ótimos, eles sabem me fazer rir. Preciso de um pouco de gargalhada nessa vida.

— Que bom, mãe. Dante está a caminho. Acho que vamos passear no Charcoaler. Divirta-se, mãe. E, se beber demais, pode ligar para mim que vou buscar você. E nem precisa me dar explicações.

Ela riu.

— Tenho hora para chegar em casa?

Eu a observei sair com o carro. Ouvi Perninha bater na porta. Abri para ela, que desabou perto de mim.

No mesmo momento, vi Dante sair do carro do pai.

— Oi — ele disse.

— Oi. Está a fim de dar uma volta no Charcoaler e ouvir música?

— Parece uma boa. — Sorrimos. — Você nunca tira a camiseta quando corre?

— Não. — Sei que eu estava com um sorriso malandro no rosto. — Minha mãe saiu para jantar, e tenho que tomar banho... e estava pensando se você não gostaria de tomar comigo. A menos que não curta esse tipo de coisa.

— Encontro você no chuveiro.

Ele já estava abrindo a porta telada, com Perninha atrás.

Ri baixinho. *Acho que isso é um sim.*

383

Vinte e quatro

NOSSA VIDA RETOMOU CERTA NORMALIDADE. *NOR-malidade*. Que palavra. Como um cara gay pode usar essa palavra? Eu e Dante estávamos começando a entender que nosso amor um pelo outro não era fácil. E nunca seria. "Amor" não era mais uma palavra nova. Éramos nós que teríamos que manter aquela palavra renovada, mesmo quando já fosse velha.

Certa noite, Susie anunciou:

— Fui aceita na Universidade Emory em Atlanta.

Dante deu um soco no ar.

— Eu sabia que você entraria. E Ari já sabe, mas entrei na Oberlin, e com bolsa.

Observei Dante. Eu amava muito vê-lo feliz.

— Entrei na Universidade do Texas — contei.

— Legaaaal. — Gina fez uma dancinha enquanto sentava à mesa da minha cozinha. — Eu também.

— Quer dividir quarto comigo?

— De jeito nenhum! Eu é que não vou dividir quarto com um homem tão bonito. Você assustaria todos os meus pretendentes.

— Bom saber que já está pensando no futuro.

Eu e Dante trocamos olhares. Estávamos felizes. E estávamos tristes.

Vinte e cinco

NO FIM DE TARDE DE UMA QUINTA, O TELEFONE TO-cou. Minha mãe atendeu. Era para ela, não para mim. Eu estava torcendo para que fosse Dante. Toda vez que o telefone tocava, eu torcia para que fosse Dante.

Saí para o alpendre e Perninha me seguiu e, por algum motivo, senti uma espécie de calma. Fiquei ali sentado enquanto o sol começava a se pôr. Quis poder inspirar toda aquela calma e o retrato de um sol poente e fazer aquilo morar em mim para sempre. Fechei os olhos.

Senti quando minha mãe sentou ao meu lado.

— Adivinha?

— Quantas chances eu tenho? — Olhei para ela, e ela olhou, olhou... — Mãe, aconteceu alguma coisa ruim?

— Não, nada ruim. Algo muito bom acabou de acontecer com sua mãe.

— O que foi?

Seus lábios tremeram, e lágrimas caíram.

— Fui nomeada professora do ano.

Não pude me segurar. Soltei o mais alto "Ajúúúúúúa" da história. Eu a abracei e não larguei.

— Ahhh, mãe, estou orgulhoso de você.

Ela não conseguia parar de sorrir.

— Mas você sabe o que seu pai teria dito.

— Sim, acho que sim. Ele teria dito: "Já não era sem tempo".

— É exatamente o que ele teria dito.

— Bom, acabei de falar por ele. — Me senti tão feliz que quis fazer uma loucura, então saí correndo para a rua deserta e gritei: — Minha mãe é a professora do ano! Sim, senhor, Liliana Mendoza, professora do ano!

— Ari, os vizinhos vão achar que você é louco.

— Eu sou louco, mãe. Sou louco por você.

Alguns dos vizinhos realmente saíram.

— Está tudo bem. Não sou louco. Estou comemorando. Minha mãe foi nomeada professora do ano.

Nossa vizinha do lado, a sra. Rodriguez, que era uma senhora supersimpática, abanou a cabeça e sorriu.

— Ah, que maravilha. E você trabalhou tanto, Liliana. Uma maravilha.

Todos os vizinhos que tinham saído para ver o motivo de toda aquela comoção vieram e disseram coisas incrivelmente gentis como: "Estamos muito orgulhosos de você". Minha mãe estava radiante como o sol poente.

Depois que os vizinhos foram embora, eu e minha mãe ficamos sentados na frente de casa. Percebi que estávamos chorando.

— Nossa, queria que seu pai estivesse aqui.

— Eu também, mãe. Sinto saudade dele mais do que qualquer coisa.

Sabe, acho que nunca me senti tão próximo da minha mãe como naquele momento. É engraçado como tantos sentimentos podem percorrer a gente ao mesmo tempo.

Na noite de sexta, senti como se eu fosse algum tipo de super--herói — e não tinha feito nada. A foto da minha mãe estava na primeira página do *El Paso Times*. Eles citaram um de seus ex-alunos, um jovem advogado que tinha se formado em Direito em Harvard. "Ao longo de todos os meus anos de universidade e da faculdade de direito, pensei nela muitas vezes. Ela foi a melhor professora que já tive."

O sr. Blocker não parava de sorrir.

— Fala para sua mãe que ela é um exemplo para mim.

Todos os meus professores deram parabéns, como se eu tivesse algo a ver com a premiação da minha mãe.

Depois da aula, estávamos indo para minha caminhonete. Susie, Gina e Cassandra não paravam de olhar para mim.

— Você está tão quieto, Ari.

Fiquei respirando. Como se estivesse sem fôlego. Só queria chegar à caminhonete. Eu tinha que chegar à caminhonete. E então a vi a poucos metros.

— Ari, está tudo bem? — ouvi a voz de Cassandra.

Me apoiei na caminhonete como se fosse fazer uma flexão e olhei para o céu.

— Está tão azul — sussurrei.

— Ari?

— Susie, alguém já falou que você tem o tipo de voz que poderia curar o mundo?

— Ah, Ari.

— Sinto saudade do meu pai. Ele nunca vai voltar. Eu sei disso. Fico achando que ele vai entrar pela porta e falar para minha mãe que tem orgulho dela. Estou feliz pela minha mãe. Ela trabalhou tanto. E estou triste. Há dias em que não quero sentir nada. Mas por que toda estação tem que doer? A Bíblia não fala quanto as estações lhe custam. A Bíblia não fala o preço que pagamos quando temos que abrir mão dos abraços.

Me apoiei no ombro de Cassandra e chorei.

— Aqueles que semeiam com lágrimas, com cantos de alegria colherão — ela sussurrou.

Vinte e seis

DANTE VEIO EM CASA DEPOIS DA ESCOLA, CARRE-
gando um vaso com umas duas dúzias de rosas amarelas e entregou
para minha mãe.

— A família Quintana está muito orgulhosa. Isso é de todos nós:
minha mãe, meu pai, Sófocles e meu. Mas principalmente meu.

— É seu objetivo na vida fazer todos sorrirem?

Ele fez que sim.

— Sra. Mendoza, é melhor do que trabalhar para ganhar a vida.

Estávamos perto um do outro e ela disse:

— Fiquem aí. — Ela voltou para a cozinha com uma câmera. Tirou
algumas fotos. — Perfeito.

Eu e Dante estávamos deitados em sacos de dormir que coloca-
mos no chão do meu quarto. Perninha estava ao nosso lado. Parecia
não haver palavras vivendo dentro de mim. Eu estava abraçando
Dante, e então ele me beijou e disse:

— Queria que as coisas fossem diferentes para nós.

— Eu também.

— Você acha que um dia vamos morar juntos?

— É sempre agradável pensar isso.

— Essa é a última frase de O sol também se levanta, e ela tem um
sentido irônico. É uma frase trágica.

— Lembro de você falando que nunca acabou de ler.

— Bom, pensei que, já que você estava lendo, era bom eu terminar
também.

— Não sou Jake, e você não é Lady Brett, então talvez tenhamos
uma chance.

— É sempre agradável pensar isso — ele disse.

E rimos baixinho no escuro.

Um trovão rugiu. E então começou a chover. Primeiro suavemente — depois uma chuva forte, batendo no telhado.

— Vem — eu disse, e o levantei. — Vamos sair.

— Sair?

— Quero te beijar na chuva.

Fomos para a frente da casa de cueca. A chuva estava gelada, e nós dois estávamos tremendo. Mas, quando o beijei, ele parou de tremer e eu parei de tremer.

— Seu menino lindo e maluquinho — Dante sussurrou enquanto eu o abraçava.

Eu poderia ter ficado lá para sempre, beijando-o na chuva.

Vinte e sete

HOUVE MUITA COMOÇÃO EM TORNO DO PRÊMIO DE professora do ano da minha mãe. As Filhas Católicas organizaram uma festa de rua na frente de casa — incluindo até *mariachis*. Nossa casa ficou inundada por flores. Minha mãe tinha muitos admiradores. Algumas flores foram parar no meu quarto. Eu odiava flores.

Deu até para conhecer a moça do Cadillac rosa, que veio parabenizar minha mãe e trouxe produtos Mary Kay de presente. Ela era uma figura. Adorou Dante.

— Se eu fosse quarenta anos mais jovem, roubaria você e o levaria para Las Vegas.

Eu e Dante só trocamos um olhar.

A secretaria de educação fez uma cerimônia de premiação e entregou a minha mãe uma placa muito bonita e um cheque bem gordo. Minha mãe disse que foi muita generosidade da secretaria de educação.

— Meu pai teria dito que não foi nem perto de toda a sua dedicação ao trabalho — falei para ela.

Minha mãe apenas sorriu.

— É isso que você vai fazer, Ari? Sempre me lembrar do que seu pai teria dito?

— Acho que sim, mãe. É um trabalho pesado, mas alguém tem que fazer.

Pensei que a melhor homenagem que minha mãe recebeu foi uma carta do Lagarto, seu ex-aluno. Ela me deixou ler:

> *Querida sra. Mendoza,*
>
> *Recebi a notícia de um dos meus antigos colegas de classe da Jefferson. Ele disse que a senhora finalmente*

recebeu um reconhecimento pelo seu trabalho em sala de aula. Professora do ano. Sei que deve estar orgulhosa do prêmio — mas não deve estar tão orgulhosa quanto eu.

Devo ter mencionado isso em alguns dos meus cartões de Natal anuais, mas tenho uma foto de nós dois na minha formatura do ensino médio na minha mesa. Sempre pego o porta-retrato antes de defender um caso no tribunal — e falo com ele. Bom, falo com a senhora. Digo: "Certo, sra. Mendoza, vamos entrar naquele tribunal e mostrar como se faz". Sempre imagino a senhora lá. E nunca faço nada de que a senhora não fosse se orgulhar. A senhora estabeleceu um padrão de excelência para mim a que sempre me esforcei para corresponder.

Muitos dizem que sou um advogado bastante dedicado — algo que minha esposa admira em mim. Foi com a senhora que aprendi o que significa ser dedicado à profissão. Acho que nunca lhe contei, mas casei com uma professora. Ela é tão boa educadora quanto a senhora. Tenho muito orgulho do comprometimento dela — e do amor dela pelos alunos.

Aprendi com a senhora que não dá para ser um bom professor sem ser um bom ser humano. A senhora me ensinou que as mulheres devem ser respeitadas e que os professores são subvalorizados pela sociedade em que vivemos. Tentei não cometer o mesmo erro que nossa sociedade comete, acreditando que meu trabalho é mais importante do que o dela.

Nunca me canso de contar para as pessoas como ganhei meu apelido. Até meus sobrinhos me chamam *de tio Lagarto. Quando lembro, acredito que soltar aqueles lagartos na sua sala foi a coisa mais inteligente que já fiz.*

Sei que já contei isso antes, mas nunca vou parar de lhe agradecer por salvar minha vida. Não tenho nada além de respeito e afeto pela senhora. Sinto que vou ser seu aluno para sempre. Sempre vou sentir uma conexão com a senhora. Vou dizer mais uma vez: estou muito feliz e me sinto muito abençoado de ter estudado na sua sala de aula.

Com todo o amor,

Jason (também conhecido como Lagarto)

Junto com a carta veio um pingente de lagarto banhado em ouro. Minha mãe o colocou.

— Acho que vou usar isso até o dia em que eu morrer.

Vinte e oito

— MÃE, SABE, DESDE QUE VOLTEI DA VISITA AO BERnardo, não tive muito tempo para pensar sobre esse assunto.

— Quer conversar sobre isso?

— Quero. Mas acho que talvez você não queira.

— Não é verdade. Não mais. — Minha mãe olhou para mim. — O que você está pensando?

— Sabe o nome da pessoa que Bernardo matou?

— Sim — ela disse. — O nome de batismo era Solitario Mendez.

— Você sabe onde ele... onde ela foi enterrada?

— Cemitério Mount Carmel.

— Como sabe essas coisas?

— A página do obituário. Aquele foi o pior período da minha vida. Saber que dei à luz um filho que matou outro ser humano.

— Você não fez nada de mau.

— Eu sei. Mas dói. E tenho muita vergonha. Grande parte de mim morreu. Precisei de muito tempo para me sentir viva de novo. A vida, Ari, pode ser algo terrível. Mas a vida pode ser incrivelmente bonita. É as duas coisas. E temos que aprender a manter as contradições dentro de nós sem nos desesperar, sem perder a esperança.

Vinte e nove

MANHÃ DE SÁBADO E DECIDI O QUE FARIA NAQUELE dia. Peguei um pedaço de papel e escrevi um bilhete curto. Escrevi devagar e deliberadamente. Peguei um envelope e anotei o nome que tinha escolhido.

Dirigi até a floricultura e peguei um buquê de flores brancas e amarelas.

Dirigi até o Cemitério Mount Carmel. Descobri que era o maior cemitério católico do condado. Entrei em pânico. Pensei que nunca encontraria o túmulo. Fui até o escritório e perguntei onde Solitario Mendez estava enterrado. A mulher simpática me deu um mapa e mostrou a localização da cova.

Não demorei muito para encontrar. Era uma lápide simples com a data de nascimento e a data de morte dele. Dela. Vinte e quatro anos. Não havia nada que indicasse uma vida ou uma morte terrível. Tentei não imaginar seus últimos segundos.

Parei e olhei para o nome. Deixei as flores na frente do túmulo. Peguei a carta que tinha escrito e a li em voz alta. Não era exatamente uma oração:

— Meu nome é Aristóteles Mendoza. Não nos conhecemos. Mas estamos interligados. Tudo está interligado. E nem todas as ligações lembram algo que é bom ou humano ou decente. O nome na sua lápide é SOLITARIO MENDEZ. Mas quis dar outro nome para você. Espero que não se ofenda. Eu odiaria pensar que estou lhe causando mais uma crueldade. Sei que é um tanto arrogante da minha parte dar um nome que você nunca escolheu, mas minhas intenções são boas. Penso em você como Camila. Penso em você como uma mulher bonita, e acho Camila um nome bonito. Vou levar esse nome aonde quer que eu vá. Não posso desfazer o que meu irmão fez com você, mas essa é a única forma que tenho de honrar sua vida. Ao honrar sua vida, talvez eu possa honrar a minha.

Guardei minhas palavras de volta no envelope que tinha marcado como "Camila". Eu o fechei e o amarrei com um barbante às flores que havia trazido.

Eu já tinha me decidido que nunca contaria a ninguém sobre minha visita ao túmulo de Camila — não porque tivesse vergonha, mas porque era algo entre mim e ela.

Fiquei sentado na minha caminhonete por um bom tempo. E depois voltei para casa.

Trinta

AS AULAS ESTAVAM ACABANDO. EU E DANTE ESTÁVA-
mos ao telefone.

— Não sei se estou feliz ou triste. Estou feliz por estar saindo da
escola. Estou animado por ir para a faculdade. Mas estou triste. Estou
muito triste. Aonde quer que eu vá, você não vai estar. O que vai ser
de Ari e Dante?

— Não tenho uma resposta.

— Deveríamos ter um plano.

— Não podemos apenas ser felizes agora?

Era como se tivéssemos trocado de atitude.

— Podemos — ele disse baixinho. — Mas talvez você não entenda
o quanto te amo.

Aquilo me deixou bravo. Como se eu não o amasse.

— Pensei que você soubesse que te amo.

Desliguei o telefone.

Ele me ligou de volta na mesma hora. Eu disse apenas:

— Talvez você me ame mais do que te amo. Não sabia que era
uma competição. Não tenho como saber exatamente o que você
sente. Mas você não sabe o que sinto. Fico bravo que estejamos
jogando esse joguinho.

Dante ficou em silêncio do outro lado da linha.

— Desculpa, Ari. Não estou lidando muito bem com isso.

— Dante, vamos ficar bem. Eu e você vamos ficar bem.

Trinta e um

EU ESTAVA VOLTANDO DA ESCOLA PARA CASA, E VI
Susie e Gina descendo a rua. Eu as reconheceria em qualquer lugar.
Eu sempre dirigia de janela aberta porque não tinha ar-condicionado.
Parei o carro.

— Querem uma carona para casa? Juro que não sou um assassino.

— Embora você pareça, vamos acreditar na sua palavra.

Eu gostava das covinhas de Gina quando ela sorria.

Elas subiram na caminhonete. Eu tinha uma pergunta rondando
minha cabeça.

— Podem me responder uma coisa? Por que vocês eram tão legais
comigo o tempo todo se eu não era tão legal assim com vocês?

— Você não lembra?

— Do quê?

— Primeira série? Balanços?

— Do que você está falando?

Elas se entreolharam.

— Você não lembra mesmo, né? — Gina perguntou.

Olhei para ela, sem entender.

— Foi depois da escola. Estávamos na primeira série. Eu e Susie
estávamos no balanço, fazendo uma competição para ver quem conseguia ir mais alto. E Emilio Durango, o idiota da turma, lembra dele?

Dele eu lembrava. Ele quase nunca me importunava. Não sei por
quê. E eu não ligava. Porque gostava de ficar na minha.

— Bom, ele e outros dois meninos mandaram a gente sair. Eu e
Susie paramos de balançar, e ele disse: "Esses balanços são para meninos. As meninas não podem usar". Eu e Susie ficamos com medo, e
estávamos prestes a sair dos balanços, quando de repente você apareceu, bem na frente do Emilio, e perguntou: "Quem disse que os
balanços são só para meninos?". E ele respondeu: "Eu". E você disse:
"Você não faz as regras". Ele te empurrou e você caiu no chão. Aí

levantou, e ele estava prestes a te empurrar de novo. Foi então que você deu um soco muito forte na barriga dele, que rolou no chão que nem um bebezão. "Vou contar para a professora." E você só olhou para ele com cara de: *Tô nem aí*. Eles foram embora. E você ficou olhando até eles saírem para garantir que tinham ido embora mesmo. E depois só sorriu para nós e saiu andando.

— Que engraçado. Não lembro disso.

— Bom, *nós* lembramos. Desde então, eu e Susie gostamos de você. Porque somos meninas fofas e não esquecemos as gentilezas que fazem por nós.

— Dar um soco na barriga não é exatamente uma gentileza.

— Foi gentil, sim. Foi muito gentil.

Parei a caminhonete na frente da casa de Susie, que abriu a porta, e as duas saíram. Eu sabia que Susie já tinha um sermão preparado mentalmente para mim.

— Às vezes, Ari Mendoza, quando você escreve sua história, tem a tendência de cortar muitas cenas que fazem você ficar bem. Tenho uma sugestão. Para com isso. Para, tá? Obrigada pela carona.

Trinta e dois

O SR. ROBERTSON CHAMOU PELO ALTO-FALANTE NO primeiro tempo de aula.

— Bom dia a todos. Gostaria de parabenizá-los enquanto nos aproximamos do fim de mais um ano letivo. E este foi um ótimo ano. Parabéns, formandos! Vocês se esforçaram e estamos ansiosos para comemorar a formatura. Mas, primeiro, como é nossa tradição, gostaria de anunciar e parabenizar nossa oradora deste ano. Temos muito orgulho da busca dela pela excelência. Fico feliz em anunciar que a oradora deste ano é Cassandra Ortega. Ofereçam comigo nossos mais sinceros parabéns. E, como lembrete a todos, não queremos repetir o ano passado, quando membros um pouco entusiasmados demais do último ano acharam que a destruição da propriedade escolar era uma forma apropriada de comemorar. Tentem não seguir aquele exemplo. Haverá consequências.

Eu soube então o que as pessoas queriam dizer quando falavam: "Estou muito feliz por você". Sempre pensei que fosse apenas uma mentira ou que as pessoas estavam se esforçando demais para ser gentis. Mas, naquele momento, quis correr, encontrar Cassandra e a abraçar e falar que ela era muito genial, que merecia aquilo, que eu estava feliz por termos parado de nos odiar e que ter ela na minha vida significava muito. Ela importava para mim.

Eu, Susie e Gina saímos correndo para encontrar Cassandra. Não sei qual é o lance das meninas e da amizade delas, mas todas sabiam os horários umas das outras. Chegamos à primeira aula de Cassandra. Susie deu uma espiada e viu que ela estava lá dentro.

— Precisamos falar com você.

O professor da Cassandra sorriu.

— Fique à vontade.

Às vezes os professores eram bem legais.

Quando Cassandra saiu para o corredor, nós a enchemos de abraços.

— Você conseguiu! Você conseguiu!

Cassandra Ortega não era de chorar. Nunca chorava na escola. Nem na frente de ninguém. Mas chorou.

— Ai, meu Deus. Ai, meu Deus, tenho amigos que me amam.

— É claro que te amamos — Susie respondeu.

— Cassandra — Gina disse —, por que não te amaríamos? Você é genial e maravilhosa.

Quando a abracei, disse:

— Você mandou muito bem.

— Ah, Ari, agradeço ao universo todos os dias por ter me dado você.

Trinta e três

O SR. BLOCKER ME MANDOU UM BILHETE FALANDO que queria me ver depois da aula.

Entrei na sala dele.

— Oi, Ari. — Ele abriu uma das gavetas da mesa e tirou meu diário. — Você esqueceu isto na carteira.

— Devo ter arrumado a mochila, tirado e deixado lá.

Eu estava pensando: *Ah, merda, ah, merda*, porque ele teve que ler uma parte para confirmar que era meu.

Eu não conseguia olhar nos olhos dele.

— Então agora o senhor sabe quem eu sou.

— Não preciso que este diário me diga quem você é. Eu sei quem você é. E gosto de quem você é. Mas, Ari, tome cuidado com isto. Existem pessoas que adorariam prejudicar você. Não quero que ninguém te faça nada. Olhe para mim.

Ergui a cabeça e olhei para ele.

— Nunca deixe ninguém fazer você sentir vergonha de ser quem você é. Ninguém.

Ele me devolveu o diário.

Trinta e quatro

DANTE QUINTANA TAMBÉM FOI NOMEADO O MELHOR aluno do Cathedral.

— Mas não vou poder ser orador. Só vão me chamar, ganho uma placa e agradeço.

— E daí? Quem liga para o discurso? Você deveria estar orgulhoso de si mesmo.

— Estou. Mas queria fazer um discurso.

— Sobre o quê?

— Queria falar sobre ser gay.

— O que você queria falar?

— Que o preconceito era problema *deles*, não meu.

— Não sei por quê, mas tenho a impressão que um discurso desses não cairia bem numa escola católica.

— Acho que não. Por que a questão é sempre o que *eles* querem ouvir? Eles não ligam para o que nós queremos ouvir.

— O que queremos ouvir?

— Que eles vão sair do caminho e nos deixar dominar o mundo.

— Não quero dominar o mundo. Não é isso que quero ouvir.

— O que você quer ouvir?

— Quero que eles admitam que não são melhores do que nós.

— Até parece que isso vai acontecer.

— Ah, e nos deixar dominar o mundo vai, né?

— Como podemos fazê-los mudar se não podemos falar?

— Por que temos que fazer todo o trabalho? É como você acabou de dizer, não somos nós os homofóbicos; eles que são.

— É, mas, Ari, eles não acham homofobia uma coisa ruim.

— Você está certo. Heterofobia é ruim?

— Heterofobia não existe, Ari. Além disso, não somos heterofóbicos.

— Acho que não. Mas aposto que sua mãe e seu pai estão felizes. Dante Quintana, melhor aluno.

— Parece importante, não?

Concordei.

— É — ele disse. — Minha mãe e meu pai estão felicíssimos.

— É isso que importa.

Eu estava deitado na cama no escuro. Não conseguia dormir. Lembrei uma conversa que eu e Dante tivemos no começo do semestre. Tinha uma bolsa de estudos para jovens artistas promissores em algum instituto de Paris que tinha um programa de férias. Ele tinha me dito que estava pensando em se candidatar. Falei que deveria mesmo. Mas ele mudou de assunto e nunca mais comentou. Fiquei me perguntando se ele tinha se candidatado. Fiquei me perguntando se tinha recebido resposta. Eu não perguntaria. Se quisesse, ele me contaria.

Trinta e cinco

NO ÚLTIMO DIA DE AULA, QUANDO O ÚLTIMO SINAL tocou, me dirigi à sala do sr. Blocker. Ele estava recostado na cadeira com uma expressão calma e pensativa. Notou que eu estava na porta.

— Ari, entra. Precisa de alguma coisa?

— Eu só vim… O senhor foi, quer dizer, quando penso em aprendizado, penso no senhor.

— É muito gentil da sua parte dizer isso.

— Pode ser.

Assentimos.

— Só vim trazer uma coisa para o senhor. É um presente. Sei que não deveríamos dar presentes para os professores, porque é proibido suborno em troca de nota. Mas, embora o senhor não seja mais meu professor… e, embora vá ser meu professor para sempre… ai, caramba, estou me enrolando todo. Queria te dar isso.

Entreguei uma caixinha que eu mesmo tinha embalado, o que não era pouco, porque eu odiava embalar presentes.

— Posso abrir?

Fiz que sim.

Ele o desembalou com cuidado e abriu a caixa. Ficou acenando com a cabeça. Tirou um parzinho de luvas de boxes. As ergueu e riu. E riu.

— Você vai pendurar as luvas.

— Isso, vou pendurar as luvas.

Acho que nós dois queríamos dizer alguma coisa, mas não havia muito a dizer. Nem tudo era dito com palavras. Eu o estava agradecendo. Eu sabia que ele estava me agradecendo. Eu entendia que ele me amava daquela forma como professores amavam seus alunos. Alguns deles, pelo menos. Ele sabia que eu sabia. Olhei para ele. Um olhar que dizia: *Obrigado… e adeus.*

Trinta e seis

LÁ ESTÁVAMOS NÓS, TODOS EM FILA PARA ENTRAR. Fiquei olhando para minha estola marrom — entre os cinco por cento melhores da minha turma. Devia haver muitos alunos dormindo na aula para eu ter entrado nessa lista. *Chega de autodepreciação*. Eu também tinha a voz de Cassandra na minha cabeça. Ouvi a voz de Dante de verdade.

— Ari! — Ele estava com um sorrisão no rosto e me abraçou. — Achei você! — *Sim*, eu queria dizer, *você me achou em uma piscina um dia e mudou minha vida*. — Estou com meu pai aqui. Estamos sentados com a sua mãe e a sra. Ortega. Minha mãe ficou triste por não poder vir. Ela mandou um beijo, e Sófocles também.

Então ele desapareceu na multidão.

Havia muita gente, e eu odiava multidões. Mesmo assim, estava feliz, e com um frio na barriga — mas não sabia por quê. Eu estava prestes a ganhar um diploma. Eu pegaria aquele bastão e começaria minha corrida para onde quer que estivesse seguindo.

Foi tudo meio embaralhado. Eu sempre apagava perto de muita gente. Gina estava sentada na mesma fileira; mas ainda assim longe demais. A menina sentada ao meu lado não parava de falar com a menina sentada ao lado dela. E então me disse:

— Você deu uma surra no meu irmão.

— Ele deve ser um cara muito legal.

— Não quero falar sobre esse assunto.

— Então por que começou?

— Porque sim.

Bom, ela realmente tinha aprendido a pensar.

— Vou ser legal com você porque é a formatura.

— Também vou ser legal com você. Me chamo Ari.

— Eu sei quem você é. Me chamo Sarah.

— Parabéns, Sarah. Você se formou.

— Não vem me bajular.

Não adiantava muito ser gentil. O problema do passado era que ele não deixava a gente em paz. Gostava de perseguir.

O sr. Robertson estava falando algumas palavras enquanto eu e Sarah tínhamos nossa conversa sussurrada — se é que dava para chamar de conversa. Ele apresentou o corpo docente como um grupo e pediu que levantassem. Aplaudimos nossos professores de pé. Eles mereciam. Mais do que mereciam.

Depois ele apresentou Cassandra:

— Em todos os sentidos possíveis, ela foi uma aluna brilhante e extraordinária. É uma grande honra para mim apresentar a oradora deste ano, Cassandra Ortega.

Enquanto ela caminhava para o pódio, os aplausos foram educados, mas longe de calorosos. Me senti mal por ela.

— O único motivo — ela começou — para eu ter sido escolhida como oradora deste ano é que o corpo estudantil não pôde votar.

Todo mundo riu. Todo mundo *mesmo*. Genial. Ela nos colocou na palma da mão.

Cassandra falou sobre como sempre teve sede de aprender.

— Mas nem tudo que precisamos aprender pode ser encontrado em um livro. Ou, melhor dizendo, aprendi que as pessoas também são livros. E existem muitas coisas sábias contidas nesses livros. Eu tenho amigos. Pois é, quem diria? Cassandra Ortega tem amigos.

As gargalhadas vieram, e eram amigáveis.

— Bons amigos também são professores, e tenho amigos que me ensinaram que não dá para se considerar uma pessoa educada se você não tratar os outros com respeito. Embora minhas notas fossem excelentes, eu muitas vezes fracassei em reconhecer a dignidade dos outros, e isso é algo de que me arrependo. Não há nada que possamos fazer quanto ao passado, mas todos podemos mudar o que fazemos e quem somos no futuro. O futuro começa hoje. Agora. Meu irmão mais velho, que eu amava, morreu de aids no ano passado. Não discutimos sobre a aids em sala de aula. E, para muitos de nós, nem em casa. Acho que desejamos que simplesmente vá embora. Ou talvez não damos importância porque a maioria das pessoas que morrem nessa pandemia é homem gay. E não ligamos para homens gays porque pensamos coisas horríveis sobre eles, pensamos que eles estão tendo o que merecem. Não vemos os homens que morreram ou estão morrendo de aids como homens de verdade ou pessoas de verdade. Mas eles são homens de verdade, *sim*. E todos são seres humanos. E têm irmãos e irmãs e mães e pais que lamentam por eles ou os odeiam ou os amam. É fácil odiar alguém quando não vemos essas pessoas como pessoas de verdade. Mas ignorar nossas diferenças também não é a resposta. Não acho que as mulheres deste país sejam tratadas com igualdade, mas, para ser tratada com igualdade, não quero que os homens ignorem o fato de que sou uma mulher. Eu gosto de ser mulher. E os homens gostam de ser homens um pouco além da conta.

Ela foi interrompida por gargalhadas e algumas palmas. Acho que as risadas vinham dos homens e os aplausos das mulheres.

— Tenho um amigo. Não preciso revelar o nome, mas, antes de sermos amigos, eu o odiava. Me sentia justificada no meu ódio porque era recíproco. Ele não era uma pessoa para mim. Então um dia tivemos uma discussão e essa discussão se transformou em uma conversa, e descobri que ele estava me escutando e que eu estava escutando ele. E ele se tornou um dos melhores amigos que já tive. Aprendi a vê-lo. Aprendi sobre seus problemas, sua jornada, suas dores, e aprendi sobre sua capacidade de amar. Há muito tempo, quero ser atriz. Então percebi que sou atriz desde sempre. Mas a pergunta "O que você quer ser quando crescer?" não é apenas sobre a profissão que escolhemos. A verdadeira pergunta é: "Que tipo de pessoa você quer ser?" Você quer amar? Ou quer continuar odiando? O ódio é uma escolha, *sim*. O ódio é uma pandemia emocional para a qual nunca encontramos cura. Escolham amar. Turma de 1989, por favor, levante.

Todos levantamos.

— Deem as mãos para a pessoa que está ao seu lado.

Todos demos as mãos.

— As mãos que vocês estão segurando pertencem a seres humanos, e não importa se vocês os conhecem ou não. Vocês estão segurando as mãos do futuro dos Estados Unidos. Valorizem essas mãos, e mudem o mundo.

Houve um completo silêncio — e finalmente um aplauso estrondoso para Cassandra Ortega. Mais da metade da plateia a odiava antes de ela subir àquele pódio — ela tinha nos deixado vê-la. Parou diante daquele pódio e olhou para nós, e estava radiante. Ela era o sol da manhã. Era o novo dia pelo qual todos estávamos esperando. E nos apaixonamos por ela.

Todo mundo queria tirar uma foto com Cassandra. Fomos pacientes. A sra. Ortega estava muito orgulhosa. Observava a filha cercada pelos colegas de turma. Soube que ela devia estar pensando: *Aquela é minha filha. Sim, aquela é minha filha.*

Minha mãe estava ao meu lado.

— Como é para você ser o muso de alguém?

— É normal.

Minha mãe deu risada.

Trinta e sete

FOMOS A UMA FESTA, E EU NÃO ESTAVA MUITO NO clima, mas estava feliz. Cassandra, Dante, Susie e Gina estavam se divertindo muito. E, do meu jeito, eu também estava me divertindo. Acho que eu sempre seria o tipo de cara que preferia comemorar de maneira mais comedida.

Vaguei pelo quintal. Tinha uma vista ótima das luzes da cidade, então perambulei até o fundo, me apoiei no muro de pedra e contemplei a vista. Eu estava sozinho e pensei ouvir algo e, no canto do quintal, alguém estava escondido atrás de um arbusto. Notei que a pessoa estava chorando.

Me aproximei, e deu para ver que era um cara. E o reconheci. Julio? Julio do comitê de boas-vindas?

— Ei — eu disse —, qual é o problema? Era para estarmos comemorando.

— Não estou muito no clima de comemoração.

— Você estava entre os dez por cento melhores da turma.

— Grande merda.

— Não é tão ruim assim, é?

— Sabe, a vida não é fácil para todo mundo.

— A vida não é fácil para ninguém.

— Mas é mais difícil para alguns do que para outros. Odeio minha vida.

— Eu sei como é.

— Duvido. Você não sabe como é se sentir uma aberração. Não sabe como é saber que não se encaixa e que nunca vai se encaixar. E que todos odiariam você se soubessem a verdade.

Então eu soube do que ele estava falando. E decidi que confiaria na situação. Não sei por quê, mas não me senti corajoso nem nada; me senti, bem, normal.

— Quase ninguém sabe, porque não estou usando uma plaquinha

nem nada, e sou um cara comedido, então só minha família e meus amigos mais próximos sabem, mas sou gay.

— Você? Aristóteles Mendoza?

— Eu mesmo.

Ele parou de chorar.

— Você é algum tipo de anjo que Deus me mandou? Também sou gay. Mas acho que você percebeu pelo meu jeito de falar. E nunca contei para ninguém. Ninguém. Você é a primeira pessoa para quem conto.

— Eu sou a primeira pessoa para quem você conta? Bom, acho que eu deveria me sentir honrado, mas você deveria ter guardado essa honra para seus amigos mais próximos.

— Não.

— Por que não?

— E se eles me odiarem? Daí não vou ter ninguém.

— Mas Elena e Hector são seus melhores amigos. Sempre vejo vocês juntos na escola.

— Eles são meus melhores amigos. São meus melhores amigos desde sempre.

— Não acho que te odiariam.

— Você não tem como saber.

— Tem razão. Mas não acho que eu esteja errado. E, se eu estiver e eles não quiserem saber de você, você não gostaria de descobrir se vale a pena mesmo andar com eles? Julio, nunca subestime as pessoas que você ama. Conta para eles.

— Não consigo.

— Consegue, sim, porra. Goste ou não, vai ter que aprender a ter coragem. Eles estão aqui?

— Sim, estão dançando lá dentro.

— Vou entrar e trazer os dois aqui. Olha, estou do seu lado. Não vou a lugar nenhum. Vou estar bem aqui. Está bem?

— Tá — ele disse, assentindo. — Tá, talvez seja melhor fazer isso logo de uma vez.

Entrei e avistei Elena e Hector.

— Julio precisa conversar com vocês.

— Aconteceu alguma coisa? Ele está bem?

— Está. Só precisa conversar com os amigos.

Apontei com a cabeça, e eles me seguiram para fora.

— Julio, seus amigos estão aqui. Fala com eles.

— O que foi, Julio? Você está chorando. O que houve?

— Tudo.

— O que foi, Julio? Fala qual é o problema.

— É só que não sei como contar para vocês que sou... sou gay.

Ele baixou a cabeça. Reconheci que suas lágrimas eram de uma vergonha inarticulada.

— Ah, Julio, por que não contou antes?

Elena se aproximou e o abraçou. Hector abraçou os dois, todos chorando.

— Está tudo bem, quem liga? Somos seus amigos. Você não sabe o que essa palavra significa?

— Desculpa. Eu estava com medo.

— Com medo de que não te amássemos? — Elena deu aquela encarada nele. — Eu deveria te encher de porrada por não confiar em nós. Deveria mesmo.

— E eu também — Hector disse.

— Desculpa. Ari disse que nunca deveríamos subestimar as pessoas que nos amam. E ele estava certo.

— Nós te perdoamos — Elena disse. — Vamos comemorar. É uma festa de saída do armário!

Julio fez uma cara de pavor.

— Estou brincando — Elena disse. — Não vamos obrigar você a fazer nenhum anúncio público. — Ela virou para mim. — Você é cheio de surpresas. Por todas as coisas feias que já falei de você, por todas as coisas feias que já pensei de você, me perdoa, Ari. Eu sei ser uma imbecil. — Ela me deu um beijo na bochecha. — Vou amar você para sempre por causa disso.

— Para sempre é muito tempo, Elena.

— Eu sei o que "para sempre" quer dizer, Aristóteles Mendoza.

Eles saíram, rindo e fazendo piadas. Eu estava feliz.

Eu estava prestes a entrar para a festa quando vi Dante vindo na minha direção.

— Está dando uma de menino melancólico de novo?

— Não. Estou dando uma de Ari. Comemorando em silêncio. Olha as estrelas, Dante. Mesmo com a poluição das luzes, dá para ver.

Ele pegou minha mão. Me puxou para o canto do quintal, onde poderíamos nos esconder atrás do arbusto maior. Ele me beijou.

— Nunca sonhei que seria beijado por um dos melhores alunos.

Dante sorriu.

— Nunca sonhei que o muso da Cassandra retribuiria meu beijo.

— Talvez a vida seja feita de coisas com que nunca sonhamos.

Será que eu passaria a vida escondido atrás do arbusto beijando homens? Será que algum dia aprenderia a não cortar meu próprio barato?

Trinta e oito

A FESTA AINDA ESTAVA ROLANDO. MAS DECIDIMOS cair fora.

— Vamos para o nosso lugar — Cassandra disse.

Dante entrou na minha caminhonete. Cassandra e Gina entraram no carro de Gina. Susie entrou no carro de Grilo. Convidamos Hector, Elena e Julio, que nos seguiram para o deserto, para aquele lugar que era meu e de Dante e que dividíamos com as pessoas que chamávamos de amigos.

Cassandra levou um aparelho de som e achou uma estação de rádio boa, então escutamos música e ficamos dançando. Apresentei Elena para Susie.

— Vocês vão se dar bem. Vocês duas sabem soletrar "feminismo".

— É, Ari, mas e você, sabe?

Elena sabia dar umas encaradas sérias capazes de calar sua boca em um nanossegundo.

— Viu, Susie? Uma mulher como você.

E revelamos a identidade de Grilo para Elena, Hector e Julio.

Elena ficou em êxtase.

— Você é o cara dos grilos. Você é nosso herói.

Grilo era um homem modesto.

— Não sou herói de ninguém.

— Não é você quem decide — Elena disse.

Começamos a entoar:

— Grilo! Grilo!

Acho que ninguém nunca tinha celebrado a vida dele de verdade. Todos precisavam ser celebrados.

Tocou uma canção de amor lenta no rádio. Eu e Dante dançamos, sem medo, na companhia de amigos. E Dante, sendo Dante, perguntou para Julio:

— Você já dançou com outro cara?

Julio fez que não.

— Bom, não seja por isso.

Dante dançou com ele. E nunca houve um sorriso mais maravilhoso do que o de Julio.

Dançamos. Dançamos no deserto. Dançamos no deserto que eu amava. Dançamos até o nascer do sol. E, naquele amanhecer, o sol brilhou sobre os rostos das pessoas que eu amava. Todas elas botariam fogo no mundo.

Formatura. Era o começo de algo. Os motores da corrida estavam roncando em nossos ouvidos. Preparar, apontar...

Trinta e nove

EU E DANTE FOMOS NADAR TODOS OS DIAS NO começo das férias. Era apenas eu e ele, por uma semana toda. Íamos ao parque Memorial, na frente da casa dele. Ele estava me ensinando a mergulhar.

— É só me observar que você vai pegar o jeito.

Eu não ligava se pegaria o jeito. Estava tentando decorar todos os movimentos que ele fazia para nunca mais esquecer.

Depois de nadar, deitamos na grama do parque. Embaixo daquela que dizíamos ser a nossa árvore.

— Lembra daquela bolsa de artes de verão em Paris?

— Estava pensando nela dia desses.

— Bom, eu ganhei uma. Ganhei uma das bolsas. Para a Escola de Belas Artes de Paris.

Saltei, dando um soco no ar.

— Parabéns! — Eu o abracei. — Ah, Dante! Estou tão orgulhoso de você. Uau! Que incrível! Uau, Dante! Porra, que demais!

Mas Dante não parecia nem um pouco entusiasmado.

— Vou recusar.

— Quê?

— Vou recusar.

— Mas você não pode fazer isso.

— Posso, sim.

Ele levantou da grama e se dirigiu à casa dele. Fui atrás.

— Dante?

Eu o segui até a porta do quarto dele.

— Dante, você ganha essa bolsa especial para estudar em um programa internacional na Escola de Belas Artes de Paris e não vai? Está maluco?

— É claro que não vou. Vamos passar as férias juntos antes de eu ir embora em setembro.

— E o que seus pais disseram?

— Que estou jogando fora uma oportunidade única na vida que vai me dar a chance de desenvolver minha arte e me dar uma vantagem se eu realmente quiser ter chance como artista.

— Concordo com eles.

— E nós?

— Nós? Nós ainda somos nós. Ainda somos Ari e Dante. O que vai mudar?

— Você não vai sentir saudade?

— É claro que vou sentir saudade. Para de besteira. Mas você não pode recusar isso, não por minha causa. Não vou deixar.

— Então você não quer passar nosso último verão juntos?

— Quem disse que não quero? E quem disse que este é nosso último verão juntos?

— Você prefere que eu vá para Paris em vez de ficar aqui com você?

— Eu não colocaria nesses termos. Não fala assim. Quero que você vá porque te amo. Isso vai ajudar você a se tornar o que sempre quis ser: um grande artista. E não quero atrapalhar.

— Então você quer que eu vá.

— Sim, quero que você vá.

Eu nunca tinha visto tanta decepção e mágoa no rosto dele.

— Pensei que você quisesse passar as férias comigo. Comigo, Ari.

— Eu quero, Dante.

— Quer?

— Dante...

A cara que ele fez — ele estava tão magoado. Olhei em seus olhos. Ele não disse uma palavra. Ele deu as costas para mim e entrou no quarto.

Desci e fui embora. Me senti perdido — e então disse a mim mesmo: *Ele vai se acalmar. Ele sempre se acalma.*

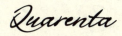

Quarenta

TENTEI LIGAR PARA DANTE TODOS OS DIAS DURANTE uma semana. Todos os dias, eu liguei.

— Ele não quer falar com você — a sra. Q disse.

— Entendo.

— Ari... — Ela começou a dizer alguma coisa, depois suspirou. — Eu e Sam estamos com saudade. Só queria dizer isso.

Assenti ao telefone, mas não consegui dizer nada.

Parei de ligar. Uma semana se passou. Depois outra.

Ele não ligou.

Quarenta e um

MINHA MÃE APARECEU NO BATENTE DO MEU QUARTO.

— Você tem visita — ela disse.

Olhei para ela sem entender.

— Dante. Ele está sentado no alpendre. Quer conversar com você.

Sentei ao lado dele e de Perninha nos degraus da entrada.

— Oi — eu disse.

— Oi — ele disse.

E então caiu um longo silêncio.

— Eu não queria ter reagido daquela forma, Ari. Não queria. E me desculpa por não ter te ligado de volta. Fiquei bem perdido sem você. Mas fiquei pensando que esse tempo separados é bom. Não vamos mais ser parte da vida um do outro quando entrarmos na faculdade, e talvez seja bom nos acostumarmos a isso de ficar separados. Quer dizer, quando começarmos o semestre novo, vamos nos acostumar a viver nossa própria vida. Você não acha?

Fiz que sim.

— Ari, eu e você não temos futuro.

Abanei a cabeça.

— Claro que temos, Dante. Só não é o tipo de futuro que você imaginou.

— Quer dizer que podemos ser apenas amigos? Que merda.

Mais uma vez caiu um longo silêncio entre nós. E então senti que éramos dois desconhecidos. Dois desconhecidos que moravam em bairros diferentes, cidades diferentes, países diferentes. Não sei por quanto tempo ficamos lá — mas foi um tempo.

E então ouvi Dante dizer:

— Vou para Paris amanhã.

— Que bom. Isso é uma coisa boa. Uma coisa bonita.

Ele assentiu.

— Eu queria agradecer você, Ari. Por tudo.

É engraçado. Dante sempre foi o menino cheio de lágrimas. Mas, ali, não havia lágrimas nele — e eu não tinha como segurar as minhas.

Ele olhou para mim.

— Não queria te magoar.

Parei e respirei fundo e olhei em seu rosto bonito, que sempre seria bonito.

— Quer saber, Dante? Quando você magoa alguém, não pode dizer que não magoou.

Ele levantou e começou a andar pelo calçamento.

— Não sai andando assim, Dante. Tenho mais uma coisa para dizer.

— O que é?

— Eu te amo. — E então sussurrei: — Eu te amo.

Ele deu meia-volta e olhou na minha direção, mas não conseguia olhar para mim. Baixou o rosto. E enfim ergueu o olhar para mim. Aquelas velhas lágrimas estavam escorrendo pelo seu rosto. As lágrimas eram como as chuvas que caíam nas areias do deserto em uma tempestade.

Ele virou devagar e saiu andando.

Quarenta e dois

SENTEI PARA ESCREVER NO DIÁRIO. FIQUEI OLHANDO para a página em branco. Comecei a escrever o nome de Dante, mas não queria falar com Dante. Então deixei o diário de lado, peguei uma caderneta e comecei a escrever um poema. Não sabia direito como escrever um poema, mas não liguei, porque tinha que escrever algo para botar a dor para fora. Porque eu não queria viver naquela mágoa.

Um dia você me disse: vejo um anseio.
Você viu o querer em mim que não tem nome.
Você se foi. Existe um céu e existem árvores.
Existem cães e existem aves.
Existem águas nesta terra e elas
me esperam. Ouço sua voz: mergulhe!
Você me ensinou a nadar em águas tempestuosas —
Depois deixou que eu me afogasse.

Quarenta e três

ELAS ESTAVAM LÁ, CASSANDRA, SUSIE E GINA, SEN-
tadas à mesa da minha cozinha, tomando limonada.

— Vou dar uma surra nele.

— Ele é um bosta.

— Ele é igual a todos os outros.

— Ele *não* é igual a todos os outros, Gina. Ele não é um bosta,
Susie. E, Cassandra, você não vai dar uma surra nele.

— Mas olha só pra sua cara. Você está arrasado.

— Estou, mesmo. Tenho que aprender a desapegar. Somos só garotos, afinal.

— Bom, talvez ele seja um garoto. Mas você, não.

— Podemos só assistir a um filme e pensar em outra coisa?

Foi o que fizemos. Fomos ao cinema. E depois fomos comer pizza.
E não falamos sobre Dante, mas ele estava lá. Ele era como um fantasma assombrando minha cabeça. Mas mais do que tudo, ele assombrava meu coração.

Quarenta e quatro

UMA SEMANA SE PASSOU. EU E CASSANDRA ÍAMOS correr toda manhã. Eu passava o tempo lendo. Me perder em um livro não era uma forma tão ruim de passar os dias. Eu sabia que pararia de doer um dia. Eu corria de manhã, lia, conversava com Perninha, conversava com minha mãe.

Eu tinha muitas conversas com minha mãe — mas não lembrava do que conversávamos. Eu vivia em uma tristeza que ficava além das lágrimas. Não era exatamente uma melancolia. Eu estava mais letárgico, ou... como era aquela palavra que Dante me ensinou? Ah, sim, "desalento". Eu estava me sentindo em desalento.

Não havia mais o que fazer, exceto viver.

Tentei não pensar no nome que tinha sido escrito em meu coração. Tentei não sussurrar seu nome.

Quarenta e cinco

ACORDEI COM O SOM DA CHUVA TORRENCIAL. EU EStava tomando uma xícara de café quando o telefone tocou. Ouvi a voz da sra. Q. Ela disse que Dante havia deixado algumas coisas para mim. Eu tinha quase esquecido de como a voz dela era bonita.

Quando cheguei à casa dos Quintana, já havia parado de chover. A sra. Q estava sentada nos degraus da frente e conversava com Sófocles.

— Sobre o que você conversa com ele?

— Várias coisas. Estava contando agora sobre o dia em que você salvou a vida do irmão dele.

— Vai ter uma prova?

— Que espertalhão...

Ela me entregou Sófocles.

— Preciso buscar uma coisa para você.

Peguei Sófocles no colo. Olhei em seus olhos pretos profundos e curiosos. Ele era um bebê calmo. Era feliz em apenas existir, e parecia entender o que estava acontecendo em volta, embora eu soubesse que não. Ele era sempre bonzinho quando ficava no meu colo. Mas sempre ficava agitado no de Dante. Não sei por quê.

Sam e a sra. Q saíram carregando quadros. A sra. Q estava carregando o quadro que Emma tinha nos dado, e não deu para ver o quadro que Sam trazia. A julgar pelo tamanho, era o quadro que Dante estava pintando em seu quarto. Ele o tinha envolvido em um lençol velho para proteger.

— Sentimos sua falta por aqui. — Sam sorriu para mim. — Vou colocar isto na traseira da sua caminhonete. — Ele voltou a subir os degraus, pegou o outro quadro e o colocou no meu banco da frente. Subiu os degraus aos saltos e, naquele momento, juro que era como ver Dante. Ele pegou Sófocles nos braços. — Este mocinho está ficando grande.

— Ele sente saudade de Dante?

— Acho que não. Mas você sente, não sente?

— Acho que está escrito na minha testa.

A sra. Q me entregou uma carta.

— Ele deixou isso para você. — Ela olhou para mim e abanou a cabeça de leve. — Odeio ver você tão triste, Ari. Dante estava com a mesma cara quando foi embora para Paris. Ele nunca nos contou o que aconteceu entre vocês dois.

— Não entendo direito o que aconteceu. Acho que ele só, sei lá, só, ai, caramba, não sei mesmo. Escuta, preciso ir.

A sra. Q me seguiu até a caminhonete.

— Ari, não some. Eu e Sam achamos você o máximo. E, se um dia precisar de qualquer coisa…

Fiz que sim.

— O que quer que tenha acontecido entre vocês… lembre que Dante te ama.

— Na última vez que o vi, não foi o que pareceu.

— Duvido que no fundo você acredite nisso.

— Não sei no que acredito.

— Às vezes a dúvida é melhor do que a certeza.

— Não sei bem o que isso quer dizer.

— Anota isso… e pensa a respeito. — Ela me beijou no rosto. — Manda um beijo para Lilly. Fala para ela não se esquecer do nosso jantar amanhã.

— Dante achava que, quando vocês jantavam com minha mãe e meu pai, só ficavam falando sobre nós.

— Dante não estava certo sobre isso. Ele não estava certo sobre muitas coisas.

Quando ele se apaixonou por mim… ele estava certo? Era o que eu queria perguntar. Mas não perguntei.

Sempre quis conhecer o amor, entendê-lo, deixar que morasse dentro de mim. Eu o encontrei em um dia de verão quando ouvi a voz de Dante. Mas queria nunca o ter encontrado. Ninguém nunca tinha me dito que o amor não vinha para ficar. Desde que ele tinha me deixado, eu era uma casca, um corpo oco sem nada além dos ecos da voz de Dante, distante e inalcançável.

E minha voz se fora.

Quarenta e seis

CONTEMPLEI O QUADRO QUE DANTE TINHA PINTADO para mim de presente. Ele tinha me perguntado uma vez: "Ari, se você soubesse pintar, o que pintaria?". E eu disse: "Eu e você de mãos dadas olhando para um céu perfeito do deserto". E era isso que eu estava contemplando... a pintura que eu havia imaginado.

Perdi o fôlego.

Sentei na cama e abri a carta que Dante tinha escrito para mim:

Ari,

Quero que você saiba que vou te amar para sempre. Sei que está doendo em você. Dói em mim também. Dois caras com muita dor. Queria ficar com você para sempre. Mas nós sabíamos que isso não era possível. Você acha que é difícil de amar. Mas não é. Eu é que sou. Peço o que não é possível. Sinto bastante vergonha de como terminei nossa relação — de como terminei Aristóteles e Dante. Você acha que sempre sei o que dizer, mas não é verdade. Quando eu estava me afastando, você disse "Eu te amo". Eu também te amo, Ari. Não sei o que fazer — e não sei o que estou fazendo. Sei que parti seu coração. Mas parti o meu também. Ari, sei que não posso ficar com você. Mas simplesmente não sei como desapegar. Então me afastei — não porque não amasse você, mas porque não aprendi a desapegar com algum tipo de graça ou dignidade. Acho que nunca vou amar alguém tão bonito quanto você.

Dante

Li a carta várias e várias vezes.

E então soube o que precisava fazer.

Liguei para Cassandra, Susie e Gina — e as chamei para a minha casa.

Todas as três contemplaram a pintura.

— É impressionante — Cassandra disse.

Susie e Gina concordaram.

— Posso fazer uma pergunta?

Cassandra fez seu melhor sotaque britânico.

— Bom, não há mal nenhum em perguntar, meu caro. Mas você não pode esperar uma resposta agradável.

— Você só está tentando me fazer sorrir.

— Deu certo.

— O que vocês veem quando olham para essa pintura?

Susie deu de ombros.

— É uma pegadinha? Vejo você e Dante de mãos dadas olhando para o deserto.

— Isso evoca alguma coisa em vocês?

— Parece que os dois meninos estão apaixonados — Gina disse.

— Exato. Eu vejo o amor de Dante. E esse amor está apontando na minha direção. Ele pintou isso para mim. Para mim.

Cassandra fez que sim.

— O que isso significa?

— Ele me ama. E tem medo de me perder. É o que acho.

— Então ele simplesmente vai embora? Porque te ama? E faz questão de perder você. Genial.

— Dói demais.

— Desapegar é assim — Susie disse. — Quem quer desapegar quando ama alguém?

— Mas você tinha que saber que não duraria para sempre.

Às vezes eu odiava a sinceridade brutal de Gina.

— Quem se importa se essa merda é para sempre?

— Dante desapegou. Talvez seja hora de você desapegar também, Ari.

— Dante desapegou? Uma ova. Eu vou para Paris.

Quarenta e sete

— DÁ PARA TIRAR UM PASSAPORTE EM DUAS SEMANAS?

— Acho que dá. É mais caro, mas dá. Por que você pergunta?

— Vou para Paris.

Fiquei tentando interpretar a expressão da minha mãe.

— Tem certeza?

— Tenho.

— Está bem.

— É tudo que você tem a dizer?

— Não aguento olhar para a dor em seu rosto. E não acho que ela vá embora tão cedo. Você e Dante têm questões mal resolvidas. Não sei bem se é a coisa certa a fazer. E, se for, a hora pode ser agora. E não estou dizendo que é a coisa errada também. Como você me lembrou faz pouco tempo, a vida é sua. Mas sei melhor do que ninguém que nem tudo tem conserto.

— Mãe, não acho que o que eu e Dante temos se quebrou.

Minha mãe olhou para mim por muito tempo. Depois sorriu.

— Olha só, Ari: você não tem mais medo de amar.

Ela ajeitou meus cabelos.

— Por que eu e você não vamos ao departamento de passaporte? E depois compramos uma passagem para Paris. Por sorte, seu pai deixou um pouco de dinheiro. E a venda da casa da tia Ophelia vai ajudar a bancar sua faculdade. A pós-graduação também, se decidir que quer fazer. Embora eu não ache que seu pai e Ophelia imaginaram que estariam financiando sua viagem pelo mundo atrás de um menino.

— Ele não é um menino, mãe. Ele é Dante Quintana.

Quarenta e oito

NÃO FUI DE CARRO ATÉ A CASA DOS QUINTANA À noite. Fui a pé. Tinha chovido forte durante a tarde, e estava fresco lá fora, a água da chuva ainda correndo pelas ruas. Inspirei o cheiro da chuva e pensei naquele dia em que eu e Dante saímos para passear depois da chuva — e como aquele dia havia mudado o rumo da nossa vida. Parecia ter acontecido muito tempo antes.

Toquei a campainha dos Quintana.

Sam abriu a porta para mim.

— Oi, Ari — ele disse, abrindo aquele sorriso simpático de sempre, e me abraçou. — Entra.

A sra. Q estava ajeitando Sófocles ao seu lado no sofá.

— Soube que decidiu fazer uma viagem para Paris.

— E soube que vocês dois tiveram um longa conversa sobre esse assunto durante o jantar com minha mãe ontem à noite.

A sra. Q riu.

— Eu não diria longa. Tínhamos outros assuntos a discutir.

— Ah, claro — eu disse. — Ovnis.

O sorriso de Sam... naquele momento, ele era igual a Dante. Embora talvez fosse o contrário.

— Você está decidido.

— Estou.

Dava para ver que a sra. Q estava tentando falar a coisa certa — ou, pelo menos, tentando não falar a coisa errada.

— Parte do meu coração está doendo por vocês dois. Dante sabe ser muito teimoso e imprevisível. Ele é pura emoção e, às vezes, o intelecto perfeito dele é jogado pela janela. Estava decidido a passar o verão com você. Dante tem muitas boas qualidades, mas não é altruísta. E você é, Ari. Sei que queria passar as férias com ele tanto quanto ele queria. Ele vê o quanto te ama, mas esquece de ver o quanto você o ama. Ele não entende como você se importa com ele, porque você se importa de formas diferentes.

— Temos questões mal resolvidas. Preciso poder dizer a mim mesmo que fiz minha parte. Sei que são grandes as chances de que eu e Dante sigamos caminhos separados um dia... porque somos jovens. Mas acho que eu deveria poder escolher também quando essa separação vai acontecer. E digo: *Hoje não*.

A sra. Q balançou a cabeça.

— São muito poucas as pessoas neste mundo que conseguem tirar lágrimas de mim, Aristóteles Mendoza. E você é uma delas.

— Essa deve ser uma das coisas mais legais que já me disseram.

— Olha só. Olha só você. — Sua voz podia ser firme, obstinada e gentil ao mesmo tempo. — Na primeira vez em que você entrou nesta casa, mal dizia uma palavra: tímido e inseguro. Fala para mim: quando foi que se tornou um homem?

— Quem disse que me tornei?

— Eu disse — ela respondeu. — Embora você não saiba como se virar em Paris.

— Fiz alguns preparativos para você ficar com nosso amigo Gerald Marcus — Sam disse. — Ele é americano mas se mudou para lá. Foi meu mentor, e é um homem bondoso e generoso. Já conversei com ele, e ele vai ter o maior prazer em receber você como convidado. Até se ofereceu para buscar você no aeroporto. Ele vai estar segurando uma placa com seu nome. Imagino que você tenha um plano.

— Tenho. — Estendi um envelope. — Vocês poderiam ligar para Dante para mim e ler isso para ele? Não tem nada de muito pessoal aí. É só a data, o horário e o lugar onde estou pedindo para ele me encontrar.

A sra. Q pegou o envelope da minha mão.

— Deixa comigo.

Assenti.

— Não sei como agradecer vocês. Não sei mesmo. Perder Dante não significa apenas perder Dante. Significa perder vocês também. — Senti aquelas velhas lágrimas escorrendo. — Desculpa. Odeio ter aprendido a chorar. Odeio, sério.

— Você não deveria ter vergonha das suas lágrimas. Sam chora o tempo todo. Amamos Dante. E eu e Sam te amamos também.

Isso nunca vai mudar. O que há entre você e Dante é entre você e Dante. Você sempre será bem-vindo nesta casa. E não se afaste de nós, Aristóteles Mendoza.

— Não vou me afastar — eu disse. — Prometo.

Quarenta e nove

MINHAS MALAS ESTAVAM PRONTAS, E EU ESTAVA esperando Sam me buscar para me levar ao aeroporto. Minha mãe estava com um sorriso no rosto.

— Você nunca andou de avião, não é?

— Não. Nunca.

Ela me deu dois comprimidos.

— Esse é para enjoo, por via das dúvidas. E, se ficar agitado e começar a encher a cabeça com pensamentos que não vão ajudar em nada além deixar você exausto, tome esse. Vai fazer você dormir. É um voo de onze horas.

— Mãe, você é a melhor.

— Obrigada. É uma das minhas especialidades.

Quando estávamos parados na entrada, Gina estacionou na frente da casa. As três defensoras da igualdade saíram do carro.

— Pegamos você bem a tempo. Tínhamos que te dar um abraço de boa sorte.

— Não mereço vocês. Não mereço nenhuma de vocês.

— Você não nos merece? Às vezes acho que não aprendeu porcaria nenhuma. Só cala essa boca. Que bom que você tem um avião para pegar, senão eu daria uma surra em você agora.

Minha mãe abanou a cabeça.

— Não tem como não amar essas meninas.

No mesmo momento, o carro de Sam parou na frente da casa.

Abracei minha mãe.

— *Que Dios me lo cuide* — ela sussurrou, e fez o sinal da cruz na minha testa.

Susie e Gina me deram outro abraço. Havia tanta esperança e amor em seus olhos. Eu levaria a esperança delas comigo. Até Paris.

Cassandra olhou em meus olhos.

— Não tenho nada a dizer exceto que te amo.

— Também te amo — eu disse.

Enquanto nos afastávamos, perguntei a Sam.

— Onde estaríamos se não fossem as mulheres?

— Estaríamos no inferno — Sam disse —, é lá que estaríamos.

Sam me ajudou com a bagagem no aeroporto. Eu tinha uma mala e uma mochila. Ele me deu um envelope.

— Aqui tem todas as informações de que você precisa.

Claro, ele tinha repassado o itinerário comigo duas vezes no caminho para o aeroporto. E me falou pelo menos três vezes que Dante sabia onde e a que horas nos encontraríamos. Eu o lembrei que fui eu quem tinha definido o horário e o lugar e que dificilmente esqueceria. Ele estava mais nervoso do que eu.

Ele me deu um abraço.

— Manda um beijo para o Dante. E, Ari, aconteça o que acontecer, vai ficar tudo bem.

Pensei que ficaria um pouco assustado no meu primeiro voo, mas estava mais empolgado do que com medo. Meu assento era na janela e, quando o avião decolou, tive uma sensação estranha no fundo da barriga, e um momento passageiro de medo. Até que a calma das nuvens de verão me deram uma sensação de paz. Fiquei olhando pela janela durante o voo todo. Devo ter ficado muito perdido na paisagem, porque o pouso pareceu ter sido um minuto depois da decolagem.

Não foi difícil encontrar o portão do meu voo para Paris. Eu estava ficando cada vez mais empolgado, que nem criança. A escala não demorou muito e, em pouco tempo, eu estava entregando meu passaporte e minha passagem para embarcar no avião.

Meu lugar era no corredor, o que era perfeito. Acho que sentar na janela olhando para a escuridão lá fora poderia ser um pouco assustador. Observei as pessoas embarcarem, algumas rindo, outras estressadas. Algumas falavam em inglês, outras em francês. Serviram o jantar logo depois que o avião decolou. Me deram uma garrafinha de vinho junto com a comida. Comi o frango e o macarrão, mas mal senti o gosto. Tomei o vinho.

Eu estava inquieto e pensando sobre tudo, uma pilha de nervos. Decidi seguir o conselho da minha mãe e tomar o comprimido que ela disse que me faria dormir. Quando dei por mim, a mulher ao meu lado estava me acordando.

— Estamos prestes a pousar — ela disse.

Senti a batida do meu coração.

Paris. Eu estava em Paris.

Muitas pessoas pareciam irritadas ao passar pela alfândega, mas deviam ser viajantes experientes. Já eu achei interessante. Havia tanta gente, e o aeroporto era enorme. Me senti minúsculo, mas, por algum motivo, não estava nada assustado. Cara, como me sentia desperto. Estava superdesperto e curioso em relação a tudo que via. Paris. Eu estava em Paris. Não era difícil saber o que fazer e aonde ir. Só fui seguindo todo mundo. Fiquei confuso uma hora, mas a mulher que tinha sentado ao meu lado no avião notou isso no meu rosto.

— Por aqui — ela disse. Seu sotaque francês era bonito.

Depois de passar pela alfândega, entrei na área de recepção de passageiros. Havia um senhor segurando um cartaz com meu nome.

— Sou o Ari — eu disse.

— Sou o Gerald. Bem-vindo a Paris.

Gerald era um senhor elegante e bem de vida que tinha os olhos e o sorriso de um homem muito mais jovem. Ele era falante e simpático, e eu estava feliz porque ele me deixou à vontade. Gerald me levou a um passeio de teste ao Louvre para que eu não me perdesse, mas não era difícil me localizar no metrô. Nem um pouco. Eu não me sentia tão desorientado quanto tinha pensado. Gerald disse que eu tinha talento. Me levou a um café simpático para almoçar. Pediu vinho. Falei que eu não tinha idade para beber.

— Bobagens americanas. Os americanos são ridículos. Não sinto saudade do meu país natal. Nem um pouco.

Foi bom tomar uma taça de vinho em um café ao ar livre. Tudo era tão cheio de vida. "Adulto" era a palavra.

— Como veio parar em Paris, Gerald?

— Me aposentei muito cedo. Venho de uma família abastada. Tive minha dose de sofrimentos, mas sempre sofri com conforto. — Ele riu. — Eu tinha vindo a Paris e ficado por alguns meses. Conheci um homem. Ele se tornou meu namorado. E me trocou por outro homem. Outro americano, aliás. Para piorar as coisas, ele era quase tão velho quanto eu. Não que eu tenha ficado tão destruído assim. Não acho que o amasse tanto, na verdade. Ele não estava nem de longe no meu nível intelectual. E isso, aliás, não tem nada a ver com idade. Então, depois que meu caso acabou, acabei ficando. Meu verdadeiro amor foi esta cidade. É minha casa agora. Não sei por quê, mas sinto que é minha casa desde o minuto em que cheguei aqui.

— Você sente saudade dos Estados Unidos?

— Não. Às vezes sinto saudade de dar aulas. Sinto saudade de interagir com jovens mentes ambiciosas e brilhantes. Como Sam. Eu orientei a tese dele. Ele tinha paixão por poesia. Ah, e era generoso. O homem mais generoso que já conheci. Ele e sua esposa maravilhosa, Soledad. Eles eram tão cheios de vida, e acho que metade dos professores deles os invejavam. Sam era um dos meus alunos favoritos. Sei que não deveríamos ter favoritos, mas somos humanos. Conheci Dante quando ele chegou a Paris. Ele é muito parecido com os dois. Talentoso.

Concordei.

— Soube que você está em uma missão.

— Estou.

— O amor na sua idade é raro. Você é jovem demais para saber o que está sentindo. E jovem demais para saber o que está fazendo. Mas é melhor assim. O amor em qualquer idade é raro. Não fica mais fácil mais velho. Ninguém sabe o que está fazendo quando o assunto é amor.

Aquilo me fez querer sorrir. Ele perguntou sobre meus pais. Contei que tinha acabado de perder meu pai. Conversamos por muito tempo. Gostei muito de Gerald. Ele era interessante, sabia conversar e sabia escutar, e havia algo de muito genuíno nele. Demos uma volta depois, e pude ver por que Gerald amava Paris. Havia bulevares largos rodeados de árvores e calçadas que transbordavam de pessoas sentadas tomando café e conversando ou apenas pensando sozinhas.

A cidade do amor. "Amor" era uma palavra tão estranha. Não dava mesmo para encontrar a definição dela em nenhum dicionário.

— Tem algum lugar aonde gostaria de ir? Tenho certeza de que há muitas coisas que você gostaria de ver. Não é nenhuma vergonha se comportar como um turista na primeira vez que vem a Paris.

— A primeira vez pode ser a última.

— Bobagem. Você vai voltar um dia.

— Estou aqui agora, é o que importa.

Gerald me deu um tapinha no ombro.

— É admirável viajar para tão longe. Ele deve… Eu ia dizer que Dante deve ser um rapaz muito admirável. Mas talvez seja você quem é admirável.

— Talvez sejamos os dois admiráveis, mas acho que nasci com um coração idiota.

— Que coisa adorável e encantadora de dizer.

Aquilo me deixou envergonhado. Ele notou e mudou de assunto.

— Podemos apenas andar. Paris é uma cidade que se conhece andando pelas ruas.

— Gostaria de ver a Torre Eiffel. É possível?

— Claro. É por aqui.

Andar pelas ruas de uma cidade desconhecida me fazia me sentir como um cartógrafo.

Quando saímos do metrô e nos dirigimos à Torre Eiffel, apontei para cima.

Vi um mar de gente em um parque — e a maioria estava carregando cartazes. Dava para ver a torre ao longe. Eu nunca tinha visto nada parecido.

— O que está acontecendo, Gerald?

— Ah, sim, esqueci. Talvez não tenha sido a melhor ideia vir aqui hoje. É um protesto. Estão chamando atenção para o número alto de mortes, e o governo não parece dar a mínima. Tomara que isso não chateie você.

— Não, não, de jeito nenhum. É demais. Incrível. É uma das coisas mais admiráveis que já vi.

Olhei para o mar de pessoas enquanto chegávamos mais e mais perto. Milhares de pessoas. Milhares. Pensei em Cassandra, Susie e Gina. Se elas estivessem ali, participariam do protesto. Eu nunca tinha visto, nunca tinha sonhado em ver nada assim antes.

— Eles são tão bonitos. Nossa, eles são *tão* bonitos.

Gerald me abraçou.

— Você me faz lembrar de como eu era quando jovem. Você não perdeu a inocência.

— Não tem nada de inocente em mim.

Gerald abanou a cabeça.

— Você não poderia estar mais enganado. Tente manter essa inocência pelo maior tempo possível. Quando envelhecemos, ficamos céticos. O mundo nos desgasta. Paramos de lutar.

— Você não parou de lutar de verdade, parou?

— Eu luto aqui. — Ele apontou para a testa. — É a sua vez agora, lutem por vocês. Lutem por aqueles que não podem lutar. Lutem por todos nós.

— Por que sempre temos que lutar?

— Porque ficamos presos a formas de raciocínio que nem raciocínio é. Não sabemos nos libertar, porque não sabemos libertar aqueles que escravizamos. Nem sabemos que estávamos fazendo algo do tipo. Talvez pensemos que nossa liberdade passe a valer menos se todos também a tiverem. E ficamos com medo. Ficamos com medo de que, se alguém quiser ter o que temos, vão tirar algo que pertence a nós, e apenas a nós. Mas a quem pertence um país? Me diz? A quem pertence a terra? Gostaria de pensar que um dia vamos descobrir que a terra pertence a todos. Mas não vou viver para ver esse dia.

Havia uma tristeza em sua voz. Era mais do que apenas tristeza — um tipo de cansaço, um tipo de mágoa, a voz de um homem cujos sonhos foram muito lentamente tirados dele. Me perguntei se aquilo também aconteceria comigo. O mundo conspiraria para tirar minha esperança? Para arrancá-la de mim? Meus sonhos estavam começando a nascer. Nossa, tomara que eu consiga manter minha esperança, meus sonhos.

Olhei para todas aquelas pessoas manifestando, tentando se fazer ouvir em meio a todo o barulho. *Clama contra o apagar da luz.* Era um dos poemas preferidos de Dante. Dante.

— O que dizem os cartazes?

— *"Sida La France doit payer."* ACT UP Paris. Você conhece a ACT UP?

— Conheço.

— As palavras dizem: "Aids A França deve pagar".

— O que exatamente isso quer dizer?

— Se ignoramos algo, vamos pagar o preço. Os governos adoram ignorar as coisas que não são convenientes. Ninguém ganha nada ao fingir que isso não existe. Todos sofremos por isso. A pandemia de aids pede que nossos líderes ajudem, que invistam em uma cura. É preciso compaixão para liderar. Alguns dos nossos políticos se importam. A maioria não. E alguns sequer fingem se importar.

Concordei. Eu gostava de Gerald. Ele parecia saber quem era.

— Aquele homem ali. Está segurando uma placa. O que diz?

— "A aids levou meu namorado embora. Para a França ele é um número. Para mim ele era o centro do mundo."

— Quero conversar com ele. Pode traduzir para mim?

Gerald fez que sim.

— Claro.

Fui até o homem. Ele era jovem. Mais velho do que eu, mas jovem.

— Pode falar para ele que é uma coisa bonita amar diante de toda essa morte? Pode dizer que ele é muito corajoso?

— *Excusez-moi, monsieur. Mon jeune ami américain voulait que je vous dise qu'il pense que c'est une belle chose aimer face à tout ce mourant. Il voulait que je te dise qu'il te trouve très courageux.*

O homem deu o cartaz para Gerald e me abraçou. Sussurrou em inglês:

— Todos aprendemos a ser corajosos. Não podemos permitir que levem nosso amor embora.

Ele me soltou. Assentimos um para o outro. E então ele disse:

— Você é bonito demais para ser americano.

Sorri para ele.

— Não sei se sou mesmo americano.

O Ari que já fui não teria coragem para falar com um desconhecido em um país estrangeiro. Ele se foi, o antigo Ari. Não sei onde o deixei — mas não o quero de volta.

Cinquenta

ME DIRIGI AO LOUVRE PERTO DO MEIO-DIA. TENTEI não pensar em nada. Quando cheguei à estação, andei até a entrada do museu — depois esperei na fila. Não demorou mais do que vinte minutos para comprar um ingresso e entrar em um dos museus mais famosos do mundo.

Olhei o relógio. Nunca tinha usado um relógio antes. Era do meu pai. Não sei o porquê, mas sentia como se ele estivesse próximo de certa forma. Era uma sensação estranha. Eu tinha um mapa do Louvre, então o segui e fui até *A balsa da Medusa*. E então me vi parado em frente àquele quadro. Não me decepcionei. Era uma pintura enorme. "Magnífica" era a palavra. Fiquei olhando para ela por muito tempo.

Ter pintado aquilo. Ter trazido ao mundo uma obra de arte capaz de fazer um coração humano se sentir vivo. Fiquei me perguntando como seria ter aquele dom.

Olhei meu relógio. Era exatamente uma e meia. Parei na frente do quadro — e me senti muito pequeno e insignificante. E então o senti parar ao meu lado.

Dante, que estava sempre atrasado, chegou bem na hora. Por mim. Continuei contemplando a pintura. E sabia que ele fazia o mesmo.

— Venho e olho para ela sempre. E penso em você.

— Na primeira vez que vi essa pintura em um livro, me apaixonei por ela. Não sabia que dava para se apaixonar por uma pintura. Assim como não sabia que dava para se apaixonar por outro menino.

Ficamos em silêncio como se não houvesse nenhuma palavra a dizer. Eu sabia que ele queria pedir desculpa. E eu também. Mas era desnecessário apontar a mágoa, porque a mágoa não existia mais. E era desnecessário dizer "Eu te amo" naquele momento, porque às vezes parecia vulgar dizer algo tão óbvio — então era melhor manter o silêncio, porque era muito raro e muito sagrado.

Eu o senti pegar minha mão, uma mão que continha todos os segredos do universo, uma mão que eu não soltaria até decorar todas as linhas da palma. Ergui os olhos para a pintura, os sobreviventes de um naufrágio, lutando contra as ondas de uma tempestade, se esforçando para voltar à costa, onde a vida estava esperando por eles.

Eu sabia por que amava aquele quadro. Eu estava na balsa. Dante estava na balsa. Minha mãe, a mãe e o pai de Dante, Cassandra, Susie, Gina, Danny, Julio e o sr. Blocker. E a sra. Livermore e a sra. Alvidrez também estavam na balsa. E aqueles que tinham morrido cedo demais — meu pai, minha tia Ophelia e o irmão de Cassandra, e o filho de Emma, e Rico, e Camila, todas as pessoas perdidas que o mundo havia jogado fora estavam conosco naquela balsa, e seus sonhos e seus desejos também. E, se a balsa afundasse, mergulharíamos nas águas daquele mar tempestuoso e nadaríamos até a costa.

Tínhamos que chegar à costa por Sófocles e todos os cidadãos recém-chegados do mundo. Tínhamos aprendido que estávamos todos interligados, e éramos mais fortes do que qualquer tempestade, e voltaríamos às costas dos Estados Unidos — e, quando chegássemos, jogaríamos fora os mapas antigos que nos levaram a lugares violentos cheios de ódio, e as estradas que mapeássemos levariam *todos* a lugares e cidades com que nunca sonhamos. Éramos os cartógrafos dos novos Estados Unidos. Mapearíamos uma nação nova.

Éramos mais fortes do que a tempestade.

Queríamos muito viver.

Chegaríamos à costa com ou sem aquela balsa caindo aos pedaços. Estávamos neste mundo e lutaríamos para continuar nele. Porque ele era nosso. E um dia a palavra "exílio" não existiria mais.

Eu não me importava com o que aconteceria comigo e Dante no futuro. O que tínhamos era aquele momento e, naquele momento, eu não queria nem precisava de mais nada. Pensei em tudo por que havíamos passado e todas as coisas que havíamos ensinado um ao outro — e nunca teríamos como desaprender aquelas lições porque eram lições do coração, o coração aprendendo a entender aquela palavra estranha, familiar, íntima e inescrutável que era "amor".

Dante desviou os olhos da pintura e me encarou.

Também virei para ele. Tinha sentido saudade daquele sorriso. Uma coisa tão simples, um sorriso.

— Me beija — eu disse.

— Não — ele disse —, me beija *você*.

Então o beijei.

Não queria parar de beijá-lo nunca. Mas não poderíamos nos beijar para sempre.

— Sabe — sussurrei —, ia pedir você em casamento. Mas não vão nos deixar fazer isso. Então pensei que talvez seja melhor só pular o casamento e partir direto para a lua de mel.

— Já decidiu aonde vai me levar?

— Já — falei. — Pensei em levar você para Paris. Vamos passar o tempo escrevendo nossos nomes no mapa da cidade do amor.

Agradecimentos

Levei cinco anos para escrever um livro que nunca tive a intenção de escrever. Aristóteles e Dante vieram de algum lugar dentro de mim, e pensei que minha história com eles tinha terminado. Mas a história deles comigo não tinha. Passei a ter uma forte sensação de que ainda havia muito a ser dito e fiquei muito insatisfeito com *Aristóteles e Dante descobrem os segredos do Universo*. Não sei o porquê, mas pareceu leve demais. Aos poucos, relutante, alimentei a ideia de acabar o que havia começado. Mas o que faltava dizer? Cheguei à conclusão de que eu só descobriria a resposta a essa pergunta escrevendo a sequência. Devo ser sincero: este foi o livro mais difícil que já escrevi.

Nada neste romance veio fácil, o que me surpreendeu. Às vezes, eu sentia que meu coração estava em guerra consigo mesmo. Só consegui terminar graças às pessoas que me apoiaram com seu amor e sua confiança em mim e na minha escrita. Eu já falei isso antes, e vale a pena repetir: ninguém escreve um livro sozinho. Gostaria de agradecer àqueles que estiveram presentes comigo na escrita deste livro. Às vezes parecia que as pessoas que enchiam minha vida com um afeto lindo e impossível estavam na sala comigo enquanto eu escrevia. Algumas estavam presentes para mim, quase como fantasmas. Outras eram presenças mais discretas, quase silenciosas. Outras ainda estavam presentes para mim em sentidos muito mais "reais". Em geral eu ouvia suas vozes em telefonemas, mensagens e e-mails. Escrever um livro no meio da pandemia muda tudo.

Em primeiro lugar na minha lista de gratidão está minha agente, Patty Moosbrugger. Ao longo dos anos, ela foi muito mais do que uma agente: se tornou uma das minhas amigas mais próximas. Não sei o que eu teria feito sem ela, nem quero descobrir. Como escrevi a maior parte do livro durante a pandemia, tenho uma dívida de gratidão a três pessoas que fizeram parte da minha vida cotidiana. Sem sua presença, não sei como eu teria sobrevivido. Danny, Diego e Liz se tornaram minha família — e o apoio emocional de que eu precisava enquanto escrevia. Sem sua presença, sua paciência e seu amor, tenho certeza de que este livro nunca teria sido escrito. Minha irmã, Gloria, estava sempre por perto, sempre no meu coração, sempre uma sentinela cuidando de mim. Ela era — e continua sendo — meu anjo da guarda. Ao longo do último ano, vi pouquíssimos amigos, mas houve muitos momentos em que imaginei cada um deles na sala comigo, sentados em silêncio enquanto eu escrevia. Estes nomes são sagrados para mim: Teri, Jaime, Ginny, Barbara, Hector, Annie, Stephanie, Alvaro, Alfredo, Angela, Monica, Phillip, Bobby, Lee, Bob, Kate, Zahira e Michael. Quantos amigos um homem pode ter? Quantos o coração aguentar.

Acho importante agradecer àqueles que dedicaram a vida como professores e educadores, que são o coração desta e de todas as nações. Sua presença neste livro é um agradecimento pelas contribuições que fizeram à nossa sociedade e pela diferença que fizeram em nossa vida. Gostaria de agradecer em particular aos mentores que me tornaram o escritor que sou hoje: Ricardo Aguilar, Arturo Islas, Jose Antonio Burciaga, Diane Middlebrook, W.S. DiPiero e Denise Levertov. Gostaria de agradecer particularmente a Theresa Melendez, que foi minha mentora quando comecei minha carreira. Ela foi a primeira pessoa a me encorajar a me tornar escritor. Foi ela quem acreditou que eu tinha talento e deveria desenvolvê-lo. Ela tinha o coração mais generoso e a mente mais ardorosa de todos os meus mentores — e sou grato por ela ainda estar neste mundo. Acho que nunca dei o crédito que ela realmente merece na minha formação como homem e como escritor. Obrigado, Theresa.

Gostaria de agradecer às Filhas Católicas da América pelo trabalho que fazem. Minha mãe tinha orgulho de ser membro, e, ao incluí--las em meu romance, sinto que as estou homenageando. Gostaria de agradecer a todos os homens que lutaram no Vietnã. E os homenageio com sua presença fictícia neste romance. Gostaria de homenagear todas as vítimas da pandemia de aids e todos os que sofreram a perda de pessoas queridas. Como muitos outros, perdi pessoas que amava, incluindo meu irmão, Donaciano Sanchez, meu mentor, Arturo Islas, e um amigo próximo, Norman Campbell Robertson.

Também gostaria de agradecer meu cachorrinho, Chuy, que é a criatura mais maravilhosa que existe. Seu afeto ilimitado encheu meus dias. Ele me fez companhia durante muitas noites de solidão. Todo dia me sinto cheio da esperança que ele me dá.

E, por fim, sou grato pelo trabalho de uma editora brilhante, Kendra Levin, que transformou seu trabalho em arte. Ela não apenas é uma editora admirável, mas um ser humano admirável. É um eufemismo dizer que adorei trabalhar com ela neste livro. Seu trabalho neste livro é anônimo — e recebo todo o crédito. Obrigado, Kendra.

1ª EDIÇÃO [2021] 2 reimpressões

ESTA OBRA FOI COMPOSTA POR OSMANE GARCIA FILHO EM BERLING
E IMPRESSA PELA GRÁFICA SANTA MARTA EM OFSETE SOBRE PAPEL PÓLEN SOFT
DA SUZANO S.A. PARA A EDITORA SCHWARCZ EM DEZEMBRO DE 2021

A marca FSC® é a garantia de que a madeira utilizada na fabricação do papel deste livro provém de florestas que foram gerenciadas de maneira ambientalmente correta, socialmente justa e economicamente viável, além de outras fontes de origem controlada.